国学经典

搜神记

[晋] 干宝 撰

陶娥 邹德文 孔永 注译

中州古籍出版社

搜神记

前　言

魏晋南北朝是中国历史上思想解放的历史时期之一。这个时期人们打破了儒家不语"怪力乱神"的传统，大谈神仙鬼怪，并且不是借鬼怪言人间，而是"发明神道之不诬"，把神怪传说当做事实来记载，干宝的《搜神记》就是这方面的典型之作。

一、《搜神记》的作者

干宝，字令升，祖籍河南新蔡。生平事迹详载于《晋书·干宝传》。干宝年轻时学识渊博，遍览群籍，曾由华谭推荐任著作郎。建武元年（317），经中书监王导推荐，领修国史。时因家贫，求补山阴（今浙江绍兴）令，迁始安（今广西桂林）太守。东晋大兴元年（318）二月封关内侯。太宁元年（323），王导请为司徒右长史、迁散骑常侍。咸和元年（326），母桓氏卒，葬灵泉里西南隅，干宝辞官为母守孝。咸和四年（329）服阕回朝。永和元年（345）致仕，永和七年（351）秋卒，葬灵泉里后花园。朝廷特加尚书令，从祀学宫。

干宝于易学造诣极深，《晋书》说他注过《周易》。《隋书·经籍志》中载有："《周易》十卷，晋散骑常侍干宝注"，"《周易爻义》一卷，干宝撰"，"《周易宗涂》四卷，干宝撰"。其中《周易宗涂》，《隋书·经籍志》言已佚，两唐志皆不录。而《周易注》、《周易爻义》二书，两唐志皆有收录。另《经典释文·序录》、《宋史·艺文略·经类》及胡一桂《周易启蒙翼传》等也录干宝《周易注》十卷。又根据《册府元龟》记载，《周易问难》二卷、《周易玄品》二卷，也为干宝撰。项皋谟、朱彝尊、马国翰等人皆信从。除上述著作外，根据其他典籍记载，干宝还撰有《易音》、《毛诗音》、《周官礼注》、《答周官驳难》、《周官音》、《后养议》、《春秋左氏函传义》、《春秋序论》、《正音》、《立言》等。干宝著作横跨经、史、子、集四部，可称得上"魏晋间通人"。至今有关专家已收集到的干宝书目达二十六种，近二百卷。

干宝是著名的史学家，所著《晋纪》二十卷，"直而能婉，时称良史"，为后世史学家所推崇。

当然他也是文学家，更是小说家的一代宗师。他编集神怪灵异故事为《搜神记》，成为我国魏晋志怪小说中成就最高的代表作。该书在中国小说史上有着重要的地位，并给后世文学艺术以极其深远的影响。

二、《搜神记》的版本、著录

程毅中撰《古小说简目》（中华书局 1981 年版）录《搜神记》有《秘册汇函》本、《学津讨源》本、汪绍楹校注本（中华书局 1979 年版）。又见明代万历富春堂刻本、《汉魏丛书》八卷本。《隋书·经籍志》"杂传类"著录《搜神记》三十卷。坊间又有诸如《搜神总记》、《搜神后记》或径以《搜神记》为名，非干宝所作之书。

今常见的二十卷四百六十四则故事本，按明代胡应麟所说，应该是从多种文献中辑录出来的，他在《甲乙剩言》里说《搜神记》这部书"不过从《法苑》、《御览》、《艺文》、《初学》、《书钞》诸书录出耳"，此言既出，因为胡应麟有"天下奇才"之称，故有人据此认为二十卷本《搜神记》为胡应麟所辑录。此说未必尽然，安见得这些典籍不是引用或移录《搜神记》原著呢？按永瑢、纪昀《四库全书总目提要》中说古书多引《搜神记》，并怀疑《搜神记》"即诸书所引，缀合残文，傅以他说。亦与《博物志》、《述异记》等。但辑二书者耳目隘陋，故罅漏百出。辑此书者则多见古籍，颇明体例，故其文斐然可观。非细核之，不能辨耳。观书中《谢尚无子》一条，《太平广记》三百二十二卷引之，注曰：'出《志怪录》。'是则捃拾之明证"，对此余嘉锡先生曾有驳议（见本书"附录"）。

综上，基本可以确定《搜神记》为干宝所作，不过，今流传的二十卷本《搜神记》，并非干宝原书的全部，应该有后人增改之处，这种增益与改写是民间传说常有的现象，由此造成该书有不同卷本。应该指出，即使干宝撰写时，也有抄录他人作品的内容，例如《四库全书总目提要》揭示的——第六卷、第七卷，全抄《续汉书·五行志》；也有干宝采自民间的故事与传说，这也是民间传说的通例，由此产生有些故事辗转相引或者同一故事出现在多种文献当中，以至于错寻版本源头。正如他在"序"中自称："虽考志于载籍，收遗佚于当时，盖非一耳一目所亲闻睹也，又安敢谓无失实者哉！"这些现象正好可以说明《搜神记》是一部古代的民间传说集，是一部古代神话集，即使看做是"神怪小说"，那也不是干宝编造的，至多可以认为他进行了艺术加工。之所以这样理解，还因为我们注意到《搜神记》在比较长的历史时期内是被看成史书的，列在杂传当中而不单列为小说，所载内容在一定程度上被当时的人们看做真实事件，这当然不能凭空编造。

三、《搜神记》的内容、思想意义及影响

《晋书·干宝传》说他有感于生死之事，系指干宝因有感于父婢死而再生及其兄气绝复苏，"遂撰集古今神祇灵异人物变化，名为《搜神记》"。前述干宝精于易学，性好阴阳术数，喜谈鬼怪灵异，搜集当时的各种传奇故事，钩稽古籍文献，而成此书。胡怀琛在《中国小说概论》中指出从干宝作此书就"可以想见干宝这人的旨趣了"，似有文如其人

之意；贾文昭《中国古典小说艺术欣赏》（安徽人民出版社1982年版）对《搜神记》的评价代表了当时的主流看法，认为该书"内容庞杂，大都是讲述一些神仙方术鬼怪灵异的迷信故事"，"这类故事多数是封建糟粕。其中有少数民间故事传说，还颇有积极意义"。从上引观点来看，对干宝以及《搜神记》，评价都不算高。其实我们分析该书所载故事的意义积极与否，是很难计算出比例的，读者看问题的角度常常起到重要作用。《搜神记》的产生，是时代的产物，鲁迅在《中国小说史略》中指出："中国本信巫，秦汉以来，神仙之说盛行，汉末又大畅巫风，而鬼道愈炽；会小乘佛教亦入中土，渐见流传。凡此，皆张皇鬼神，称道灵异，故自晋迄隋，特多鬼神志怪之书。其书有出于文人者，有出于教徒者。文人之作，虽非如释道二家，意在自神其教，然亦非有意为小说，盖当时以为幽明虽殊途，而人鬼乃皆实有，故其叙述异事，与记载人间常事，自视固无诚妄之别矣。"如果从历史的角度、文学的角度、艺术的角度看待《搜神记》，评价自会有所提高。

如前所述，该书原本为何种已难考证，今本系后人缀辑增益而成，收有故事464则。故事叙述简练，大多篇幅短小，情节简单，设想奇幻。这些非现实题材的故事，极富于浪漫主义色彩，对后世近似题材创作的影响深刻。

《搜神记》内容十分丰富，收集的故事有讲神仙道术的，有讲精灵物怪的，有讲妖祥卜梦感应的，有讲佛道信仰因果报应的，有讲人与神、人跟鬼交流恋爱的。作者在宣扬确实有神仙、幽冥世界的存在，宣扬神鬼威力无穷的宗教迷信思想的同时，也保留了相当一部分西汉传下来的历史神话传说和魏晋时期的民间故事，优美动人，深受人们喜爱。例如卷十四的"盘瓠神话"（第341则），是关于古时蛮族始祖起源的猜测；"蚕马神话"（第350则）是有关蚕丝生产的神话。卷十一"干将莫邪"（第266则）讲述的是复仇故事；卷十六"紫玉传说"（第394则），讲吴王小女的生死爱情：这些都是历史传说。卷十一"东海孝妇"（第290则），讲孝妇周青蒙冤的故事；韩凭夫妇的传说

（第294则）则歌颂了忠贞不渝的爱情；卷一仙女下嫁董永的故事（第28则）：这些都是民间故事。其中许多故事常为后人称引，并进而成为后人取材之渊薮，传奇、话本、戏曲、通俗小说每每从中选材，如唐代传奇故事以及后世的许多小说、戏曲，都和它有着密切的联系。《三国演义》、《水浒传》、《西游记》、《红楼梦》、《聊斋志异》等作品中，有许许多多的情景和描述是从《搜神记》中汲取营养和精华的。鲁迅的《铸剑》故事就取自《搜神记》中的《三王墓》；后世的名作《窦娥冤》、《天仙配》、《梁山伯与祝英台》等，或内容取自《搜神记》，或构思灵感源于《搜神记》，凡此举不胜举。《搜神记》的精华就在这历代文学的传承里生生不息。

四、《搜神记》译注的说明

《搜神记》作为影响力强、可读性强、艺术性强的作品，长期以来受到研究者的垂青，以此书为研究对象而撰成的硕士、博士论文已不鲜见，普及性的译注本更有多种。这为我们的译注提供了丰富的借鉴资源，为此，深深感谢时俊前贤的研究和注译。我们做的工作主要有以下几项：一是以中华书局汪绍楹先生注本《搜神记》为底本进行校勘，补夺纠讹，注释中不再说明；二是对已有注释加以研究，从其善而修正其未备，对诸如周生亚先生《〈搜神记〉语言研究》（中国人民大学出版社2007年版）以及学术期刊的新成果多有借鉴；三是斟酌译文，既要尊重原文而力图求"信"，又要顾及文采以努力求"雅"，"戛戛乎其难哉"。

具体工作分工是：陶娥、孔永写出注译初稿，邹德文校改，然后，共同讨论每一则的注释与译文，三改后而成文。不足之处，敬请读者批评指正。

陶娥　邹德文　孔永
2009年8月

目 录

卷一	11
卷二	39
卷三	52
卷四	74
卷五	91
卷六	104
卷七	140
卷八	162
卷九	169
卷十	179
卷十一	186
卷十二	214
卷十三	231
卷十四	240
卷十五	255
卷十六	272
卷十七	300
卷十八	314

卷 一

1　神农①以赭鞭②鞭百草,尽知其平毒寒温之性③,臭味④所主,以播百谷,故天下号神农也。

2　赤松子⑤者,神农时雨师也,服冰玉散⑥,以教神农,能入火不烧。至昆仑山,常入西王母⑦石室中,随风雨上下。炎帝少女追之,亦得仙,俱去。至高辛⑧时,复为雨师,游人间。今之雨师本是焉。

[注释]

①神农:又称炎帝神农氏,神话传说里南方的天帝,是传说中农业和医药的发明者,是一位对中华民族有颇多贡献的传奇人物。因为他以火德而称王,故称炎帝、赤帝、烈(厉)山氏,则又成了与黄帝相争天下的首领。长期以来,学术界对于神农氏是否是炎帝的问题,一直存在争议。②赭鞭:赤色的鞭。因神农氏有圣德,为火德之帝,故用赤鞭。相传神农氏用赤色鞭打各种草木,始尝百草,详尽了解草木是有毒还是无毒,是凉性还是温性,始有医药。③平毒寒温之性:指草的药性。《本草经·序录》:"药有酸、咸、苦、甘、辛五味,又有寒、热、温、凉四气及有毒、无毒。"五味治病各有所主,如酸主肝、咸主肾、甘主脾、苦主心、辛主肺。平即无毒。④臭(xiù)味:气味,此指草药的气味和味道。⑤赤松子:又作赤诵子,《列仙传》谓其为神农时代的雨师,为癫狂野人,能化为赤龙,随风雨而下,后被元始天尊封为雨师,主行霜雨。⑥冰玉散:当为"水玉散"。传说中长生不死的神药。《抱朴

子·内篇·仙药》:"赤松子以玄虫血渍玉为水而服之,故能乘烟上下也。玉屑服之,与水饵之,俱令人不死。"⑦西王母:即西华金母,传说中的先天仙圣。⑧高辛:即帝喾,《世本》称他是黄帝的曾孙。

[译文]

神农用赤色鞭子鞭打各种草木,全部了解了它们的无毒、有毒、寒热、温凉等药性,以及酸、咸、甘、苦、辛等五味所主治的疾病,又根据这些经验播种各种农作物,所以天下的百姓叫他"神农"。

赤松子,是神农时候的司雨之神。他服用一种叫水玉散的神药,并教会神农也来服用。他能进入火中而不被焚烧。赤松子到昆仑山,经常进入西王母的石室之中,随着风雨来来去去。炎帝的小女儿追随他,也得仙道,跟他一起飞升仙境。到高辛帝的时候,他又做了雨师,曾到人间游玩。现在的雨师都把赤松子看成始祖。

3 赤将子舆①者,黄帝②时人也。不食五谷,而唼百草华③。至尧时,为木工,能随风雨上下。时于市门中卖缴④,故亦谓之缴父⑤。

4 宁封子⑥,黄帝时人也。世传为黄帝陶正⑦,有异人过之⑧,为其掌火,能出五色烟⑨,久则以教封子。封子积火自烧,而随烟气上下。视其灰烬,犹有其骨。时人共葬之宁北⑩山中。故谓之宁封子。

[注释]

①赤将子舆(yú):《列仙传》中说此人:"蒸民粒食,孰享遐祚?子舆拔俗,餐葩饮露。托身风雨,遥然矫步。云中可游,性命可度。"传说他是能日行五百里的神仙。舆,与"舆"同。②黄帝:中华民族人文始祖,中国远古时期部落联盟首领,天下共主。其神界为中央天帝,其以土德王天下,土色黄,故称黄帝。③唼:吃。华:即花。④缴(zhuó):系在箭上的生丝绳,射

鸟用。⑤缴父（fǔ）：卖缴绳的人。⑥宁封子：又称龙跷真人，为古代仙人。据《列仙传》载，他原为黄帝陶正。⑦陶正：古代管理烧制陶器的官。⑧异人：神异之人，即神仙。过：拜访，探望。⑨五色烟：五彩烟火。指烧陶器的火焰。⑩宁北：宁邑之北。宁，古代城邑之名，在今河南修武一带。

[译文]

赤将子舆，是黄帝时候的人。他不吃五谷，而吃各种草木的花。到唐尧时代，他做了木工，能随着风雨来来去去。他又经常在集市中的商店门口卖拴在箭上的生丝绳，所以人们也叫他"缴父"。

宁封子，是黄帝时候的人。传说他是给黄帝管烧制陶器的陶正。有一个神异的人来拜访他，为他掌控烧陶的火候，能在五彩缤纷的烟火中进出。过了一段时间，这位异人就把这法术教授给封子。封子堆起了柴火自焚，随着烟火上下飘动，结果被烧成了灰烬。人们仔细察看那灰烬，还有他的骸骨在里面呢。当时的人就一起把封子埋葬在宁北的山中，所以人们叫他宁封子。

5　偓佺①者，槐山采药父也。好食松实②。形体生毛，长七寸。两目更方。能飞行，逐走马。以松子遗尧，尧不暇服。松者，简松也。时受服者，皆三百岁。

6　彭祖③者，殷时大夫也。姓钱，名铿。帝颛顼④之孙，陆终氏之中子。历夏而至商末，号七百岁。常食桂芝。历阳有彭祖仙室。前世云：祷请风雨，莫不辄应。常有两虎在祠左右。今日祠之讫，地则有两虎迹。

[注释]

①偓佺（wò quán）：仙人名。《列仙传》载："偓佺饵松，体逸眸方。足蹑鸾凤，走超腾骧。遗赠尧门，贻此神方。尽性可辞，中智宜将。"②松实：即松子，指松树的果实，芳香可食。③彭祖：一作彭铿，传说以长寿见称。原系先秦传说中的仙人，后被道教奉为仙真。彭祖于农历六月初六出生，

其父亲陆终,母亲女馈。彭祖是上古帝王颛顼的孙子,帝尧的时候,他进献雉羹,尧便把彭城封给他,所以后世称他为彭祖。舜的时候,他师从尹寿子学得真道,遂隐居武夷山。④颛顼:上古帝王。

[译文]

偓佺,是槐山的采药老人。他喜欢吃松树的果实,身体上长着七寸长的毛。双眼能够轮流更换视线看东西。能飞行,追赶得上奔跑着的马。他曾用松子赠送给尧,尧没有时间服用。这种松树是简松,当时服用松子的人,都能活到三百岁。

彭祖,是商代的大夫,姓钱,名铿,是颛顼帝的后代子孙、陆终氏的第三子。他经历过夏朝,一直活到商朝末年,号称活了七百岁。他常常吃灵芝草。安徽历阳山有彭祖的仙室。前代的人说:在那仙室中祈求风雨,没有不马上应验的。在这祠堂的旁边还经常有两只老虎。今天祠堂已经没有了,但地上倒还有两只老虎留下的足迹。

7 师门者,啸父弟子也①。能使火。食桃葩。为孔甲②龙师。孔甲不能修其心意,杀而埋之外野。一旦,风雨迎之,山木皆燔。孔甲祠而祷之,未还而死。

8 前周葛由③,蜀羌人也。周成王④时,好刻木作羊卖之。一旦,乘木羊入蜀中,蜀中王侯贵人追之,上绥山⑤。绥山多桃,在峨眉山⑥西南,高无极也。随之者不复还,皆得仙道。故里谚曰:"得绥山一桃,虽不能仙,亦足以豪。"山下立祠数十处。

[注释]

①师门:古仙人名,传说是夏朝人。啸父:古仙人名,《列仙传》记载他是冀州的奇人,几十年也不见老,后来"列数十火而升",即自焚登仙。②孔甲:生卒年不详,为夏帝,当在少康后第九世君王,在位31年,病死。孔甲

在位期间,肆意淫乱,沉湎于歌舞美酒之中,又笃信鬼神,是一个胡作非为的残暴昏君。《国语·周语下》说:"孔甲乱夏,四世而陨。"《史记·夏本纪》和《列仙传》亦载相似内容。传说孔甲很喜欢养龙。③葛由:古代传说中的仙人,《列仙传》载他好刻木作羊,后入绥山,终生不复出。④周成王:西周帝王,名姬诵。武王之子。⑤绥山:在四川省峨眉山西南。⑥峨眉山:四川名山,因其两山相对如峨眉而得名。

[译文]

师门,是啸父的徒弟。师门能用火自焚而升入仙境。他吃桃花。他是孔甲的御龙师。孔甲因为他不能遵循自己的意志办事,所以把他杀了埋葬在郊外的荒野之中。有一天,大风大雨接他升天,山上的树木全都烧光了。孔甲因而建祠向他祈祷,但还没有回家就死了。

周代的葛由,是当时蜀国羌族人。周成王时,他喜欢把木头雕刻成羊卖掉。有一天,他骑着木羊进入蜀国之中,蜀国里的王侯贵族追他,便一起上了绥山。绥山上面多桃树,位于峨眉山西南,高得没有个尽头。跟随他去的人不再回来了,都得了仙道。所以乡间的谚语说:"得到绥山上的一只蟠桃,即使不能成仙,也足以使自己成为英豪。"山下几十个地方都为他建起了祠庙。

9 崔文子①者,泰山人也。学仙于王子乔②。子乔化为白蜺,而持药与文子。文子惊怪,引戈击蜺,中之,因堕其药。俯而视之,王子乔之尸也。置之室中,覆以敝筐。须臾,化为大鸟。开而视之,翻然飞去。

10 冠先③,宋④人也。钓鱼为业。居睢水⑤旁百余年,得鱼,或放,或卖,或自食之。常冠带。好种荔,食其葩实焉。宋景公问其道,不告,即杀之。后数十年,踞宋城门上,鼓琴,数十日乃去。宋人家家奉祠之。

[注释]

①崔文子：泰山人。据《列仙传》载，文子喜好黄老之事，居潜山下，后作黄散赤丸，卖药都市，自言三百岁。后有疫气，民死者万计，文卖药救多人。②王子乔：据《列仙传》，名晋，为周灵王太子。好吹笙，作凤鸣。后游伊洛之间，遇道士浮丘生，接引上嵩山，修炼成仙。③冠先：古仙人名。④宋：春秋时国名，子姓。历周、春秋至战国时尚存。前286年为齐所灭。领有今河南东部、山东、江苏、安徽之间的土地。⑤睢水：古水名，在宋国境内。

[译文]

崔文子，是泰山郡人。他曾向王子乔学习仙道。王子乔变成了一道白色霓虹，拿了仙药给文子。文子十分惊奇，便拿起长戈向白霓刺去，把它刺中了，于是它携带的药掉了下来。文子低头一看，竟是王子乔的尸体。于是把他放在屋子里，用破竹筐盖好。过了一会儿，他却变成了一只大鸟。文子打开竹筐去看它，大鸟扑打着翅膀飞走了。

冠先，是宋国人。他以钓鱼为职业，住在睢水边上已有一百多年了。他钓到了鱼，有的放掉，有的卖掉，有的自己吃掉。他经常戴着帽子，束着带子，穿得十分整齐。他喜欢种荔枝，吃它的花和果实。宋景公曾向他求教道术，他不肯说，于是宋景公就把他杀了。又过了几十年，他竟坐在宋国的城门上弹琴，弹了几十天才离去。于是宋国的百姓家家都祭祀他。

11 琴高①，赵人也。能鼓琴。为宋康王舍人②。行涓、彭之术③，浮游冀州、涿郡间④二百余年。后辞入涿水中，取龙子，与诸弟子期之，曰："明日皆洁斋，候于水旁，设祠屋。"果乘赤鲤鱼出，来坐祠中。且有万人观之。留一月，乃复入水去。

[注释]

①琴高：古仙人名。②宋康王：名偃，战国时宋国君。舍人：官名，是

王公贵人的内侍属官。③涓、彭之术：即神仙之术。涓，指涓子。《列仙传》："涓子者，齐人也。好饵术，接食其精，至三百年，仍常见于齐地。"④冀州：古九州之一。《尔雅·释地》："两河间曰冀州。"涿郡：郡名，汉置，即今河北涿州。

[译文]

琴高，是赵国人。他善于弹琴，是宋康王的侍从宾客。他奉行涓子、彭祖的道术，在冀州、涿郡之间漂泊了二百多年。后来他告别众人到涿水中去擒捉小龙，与弟子们约定说："明天你们都整洁斋戒，等候在涿水岸边，并在岸边设置一所祠堂。"第二天他果然骑着红鲤鱼出水，来到祠堂中坐下。当时有上万人来围观他。他逗留了一个月，才又潜入到水中去。

12 陶安公①者，六安②铸冶师也。数行火③。火一朝散上，紫色冲天。公伏冶下求哀。须臾，朱雀④止冶上，曰："安公！安公！冶与天通。七月七日，迎汝以赤龙。"至时，安公骑之，从东南去。城邑数万人，豫祖安送之，皆辞诀。

13 有人入焦山⑤七年，老君⑥与之木钻，使穿一盘石，石厚五尺，曰："此石穿，当得道。"积四十年，石穿，遂得神仙丹诀⑦。

14 鲁少千⑧者，山阳⑨人也。汉文帝⑩尝微服怀金过之，欲问其道。少千拄金杖，执象牙扇，出应门。

[注释]

①陶安公：古仙人名。②六安：郡国名。西汉元狩二年（前121）改衡山郡置六安王国。治所在六安县（今安徽六安市北）。③行火：指用火冶炼金属。④朱雀：神鸟名。⑤焦山：在江苏丹徒东，孤立大江中，和金山对峙。⑥老君：即太上老君。道教以老子为道祖，是至尊之神，称太上老君。⑦神仙丹诀：道家炼丹修道成仙的法诀。⑧鲁少千：仙人名。⑨山阳：古地名，战国

魏邑。汉置县,以在太行山之南而得名。⑩汉文帝:西汉皇帝,名刘恒,前179年至前157年在位。

[译文]

陶安公,是六安县的金属冶炼师。他经常冶炼金属。有一天火焰突然发散上去,紫色的火光直冲天空,陶安公害怕得趴倒在冶炼炉下向老天恳求哀怜宽赦。过了一会儿,一只朱雀停在冶炼炉上,对他说:"安公!安公!你的冶炼炉与天相通。七月七日,迎接你的是条赤龙。"到那一天,安公骑上了那红色的龙,从东南方离地而去。城内几万人,事先为安公祭祀路神、饯行送别,一一和他诀别。

有一个人,进入长江中的焦山已七年了,太上老君给他一个木钻,让他去钻穿一块大石头,这石头厚五尺。太上老君对他说:"这块石头钻穿了,你就会得到仙道。"这人一共钻了四十年,石头被钻穿了,于是便得到了炼丹成仙的秘诀。

鲁少千,是山阳县人。汉文帝曾经隐瞒了身份穿着平民百姓的服装携带了黄金去拜访他,想向他求教道术。鲁少千拄着黄金拐杖,拿着象牙扇子,走出家门来迎接他。

15　淮南王安①好道术。设厨宰以候宾客。正月上午②,有八老公③诣门求见。门吏白王,王使吏自以意难之,曰:"吾王好长生,先生无驻衰之术,未敢以闻。"公知不见,乃更形为八童子,色如桃花。王便见之,盛礼设乐,以享八公。援琴而弦歌曰:"明明上天,照四海兮。知我好道,公来下兮。公将与余,生羽毛兮。升腾青云,蹋梁甫兮。观见三光④,遇北斗兮。驱乘风云,使玉女兮。"今所谓《淮南操》是也。

[注释]

①淮南王安:即刘安。汉高祖刘邦之孙,淮南厉王刘长之子。刘安好读

书鼓琴,潜心治国安邦,著书立说。和众门客著成《淮南子》(又名《淮南鸿烈》)。后图谋反,事发,自知罪无可赦的刘安被迫自杀。②正月上午:当为"正月上辛",即正月的第一个辛日。③八老公:即八公,应为八位神仙。《小学绀珠》所载淮南八公为左吴、李尚、苏飞、田由、毛披、雷被、晋昌、伍被。④三光:指日、月、星之光。

[译文]

淮南王刘安喜爱道术,聘请了厨师来迎候宾客。正月上旬的辛日,有八位老人登门求见。看门人报告了淮南王,淮南王让看门人自己随意去为难住他们。这看门人就对他们说:"我们的王爷向往长生不老,各位老先生没有防止衰老的方法,所以我没敢把你们求见的消息报告给我们的王爷。"老人们知道不被接见,就变成了八个小孩,面色就像桃花一样。淮南王就接见了他们,礼节十分隆重,还配备了音乐,来让这八位老人享用。淮南王拿过琴来边弹边唱道:"光明的上天,照耀四海啊。知道我喜爱道术,让老人下凡来啊。老人们将和我一起,身上长出羽毛啊。腾空登上青云,把梁甫山踩在脚下啊。观望日月星辰,与北斗相遇啊。乘风驾云,使唤神女啊。"今天所谓的《淮南操》,就是这首歌。

16　刘根①,字君安。京兆长安人也。汉成帝②时,入嵩山学道。遇异人,授以秘诀,遂得仙。能召鬼。颍川③太守史祈以为妖,遣人召根,欲戮之。至府,语曰:"君能使人见鬼,可使形见。不者加戮。"根曰:"甚易。借府君前笔砚书符。"因以叩几。须臾,忽见五六鬼,缚二囚于祈前。祈熟视,乃父母也。向根叩头曰:"小儿无状,分当万死。"叱祈曰:"汝子孙不能光荣先祖,何得罪神仙,乃累亲如此!"祈哀惊悲泣,顿首请罪。根默然忽去,不知所之。

[注释]

①刘根:古仙人名。《历世真仙通鉴》说他能令人见到鬼。②汉成帝:

西汉皇帝刘骜,前32年至前7年在位。③颍川:郡名,治所在阳翟(今河南禹州)。

[译文]

刘根,字君安,是京兆长安人。汉成帝的时候,他曾到嵩山学习道术,碰上一个神异的人,把神仙的秘诀教给了他,于是他就得到了仙道,能召见鬼魂。颍川太守史祈认为这是妖怪作祟,便派人传唤刘根,想杀死他。刘根到了太守府上后,史祈便对他说:"你能让人见到鬼,必须让人看见鬼的形状,否则就杀了你!"刘根说:"这很容易。请借一下你面前的笔墨让我写下一道符。"他写好后拿起这符箓敲了一下桌子。一会儿,忽然看见五六个鬼绑着两个囚犯来到史祈眼前。史祈仔细一打量,竟是父母亲。他父母亲向刘根磕着头说:"我儿子无礼,罪该万死。"又训斥史祈说:"你这不肖之子不能光宗耀祖就算了,为什么还要得罪神仙,让你父母亲也受到这样的拖累!"史祈惊恐万状,悲哀地哭泣着,向刘根磕头请罪。刘根一声不响地忽然离去,不知到了什么地方。

17 汉明帝①时,尚书郎②河东③王乔为邺令。乔有神术,每月朔,尝自县诣台。帝怪其来数④而不见车骑,密令太史候望之。言其临至时,辄有双凫从东南飞来。因伏伺,见凫,举罗⑤张之,但得一双舄⑥。使尚书识视,四年中所赐尚书官属履也。

[注释]

①汉明帝:东汉皇帝刘庄,58—75年在位。②尚书郎:官名。东汉之制,取孝廉中有才能者,入尚书台,在皇帝左右处理政务,满一年称尚书郎。③河东:古地区名。指今山西省西南部。④数(shuò):屡次,多次。⑤罗:捕鸟的网。⑥舄:鞋子。

[译文]

汉明帝的时候,尚书郎河东郡人王乔做邺县县令。王乔有仙道,每月初一,常常从邺县到都城的尚书台来。汉明帝对他来得这样频繁而又看不见车马感到很奇怪,就秘密地命令太史监视他。太史汇报说,王乔将要来到的时候,总是有两只野鸭从东南方飞来。汉明帝便派人埋伏下来伺机观察,看见野鸭再来,就拿起网把它们罩住,结果却只得到一双木鞋。让尚书令辨认,原来是明帝永平四年(61)时赐给尚书台官员们的鞋子。

18 蓟子训①,不知所从来。东汉时,到洛阳,见公卿②数十处,皆持斗酒片脯候之,曰:"远来无所有,示致微意。"坐上数百人,饮啖终日不尽。去后皆见白云起,从旦至暮。时有百岁公说:"小儿时,见训卖药会稽③市,颜色如此。"训不乐住洛,遂遁去。正始中,有人于长安东霸城,见与一老公共摩挲铜人,相谓曰:"适见铸此,已近五百岁矣。"见者呼之曰:"蓟先生小住。"并行应之。视若迟徐,而走马不及。

[注释]

①蓟子训:东汉齐人。《历世真仙通鉴》说他"二百余岁颜色不老"。②公卿:原指三公九卿。后泛指朝廷的高级官员。③会稽:郡名。治所在吴县(今江苏苏州)。

[译文]

蓟子训,不知是从什么地方来的。东汉时,他到洛阳,拜见了几十个大官,每次拜见时都拿了一杯酒一片干肉来招待他们,并说:"我远道而来,没有什么东西,只能用它来表示一点小小的心意。"宴席上几百个人,吃吃喝喝一整天总是吃不尽喝不完。蓟子训离开后,人们都看见有白云升起,从早晨直到傍晚都这样。当时有个百岁老人说:"我小时候,看见蓟子训在会稽集市上卖药,面色也像现在这样。"蓟子训不喜欢住在洛阳,就悄悄离开隐居去了。正始年间(240—249),有人在长安东面的霸城,看见他与一位老人一起在抚摸铜像,并对老人说:"当时看见铸造这铜像,到现在已快五百年了。"这看见的人向他喊道:"蓟先生等一等。"他一边走一边答应着,看上去好像在慢吞吞地走,但奔跑着的马也追不上。

19　汉阴生①者,长安渭桥②下乞小儿也。常于市中丐,市中厌苦,以粪洒之。旋复在市中乞,衣不见污如故。长吏③知之,械收系,着桎梏,而续在市乞。又械欲杀之,乃去。洒之者家,屋室自坏,杀十数人。长安中谣言曰:"见乞儿,与美酒,以免破屋之咎。"

20　谷城乡平常生④,不知何所人也。数死而复生。时人为不然。后大水出,所害非一。而平辄在缺门山⑤上大呼,言:"平常生在此。"云:"复雨,水五日必止。"止则上山求祠之,但见平衣杖革带。后数十年,复为华阴⑥市门卒。

[注释]

①汉阴生:汉时人,名阴生,《列仙传》载本事。②渭桥:长安附近渭水上的桥。③长吏:此指地位较高的官吏。④谷城:春秋时周邑,汉置谷城县。平常生:据《法苑珠林》及《北堂书钞》引《列仙传》,"平"作"卒",意为门卒名叫常生。⑤缺门山:俗称铁门山,在今河南新安县西十五公里。⑥华阴:县名,汉置。以在华山之阴(山的北面)得名,在今陕西华阴县东南。

[译文]

汉朝的阴生,是长安渭桥下讨饭的小孩。他常在市场上讨饭,市场上的人讨厌并且憎恨他,就用大粪泼他。但一会儿他又在市场上乞讨,而衣服就像原来那样没被搞脏。官吏知道后,用刑具拘捕了他,给他戴上了手铐脚镣,但他又继续在市场上讨饭。官吏又拘捕了他,并想杀死他,他就逃跑了。向他泼大粪的人家中,房屋都自行倒塌了,压死了十几个人。长安城中流传的歌谣说:"看见讨饭的小孩儿,快点给他喝美酒,以免塌房的灾祸再临头。"

谷城乡有个门卒叫常生,不知道他是什么地方人。他几次死而复生,当时的人认为不会有这种事。后来洪水暴发,遭灾的地方不止一处,于是他在缺门山上大喊,说:"门卒常生在这儿。"又说:"即使再下雨,洪水过五天也一定会退下去的。"洪水退后,人们就上山向他祈祷,只见他穿着整齐,手持拐杖,束着皮带。过了几十年,他又当了华阴县城的守门人。

21　左慈字元放,庐江人也①。少有神通。尝在曹公座,公笑顾众宾曰:"今日高会,珍羞略备。所少者,吴松江②鲈鱼为脍。"放曰:"此易得耳。"因求铜盘,贮水,以竹竿饵钓于盘中,须臾,引一鲈鱼出。公大抚掌,会者皆惊。公曰:"一鱼不周坐客,得两为佳。"放乃复饵钓之。须臾,引出,皆三尺余,生鲜可爱。公便自前脍之,周赐座席。公曰:"今既得鲈,恨无蜀中生姜耳。"放曰:"亦可得也。"公恐其近道买,因曰:"吾昔使人至蜀买锦,可敕人告吾使;使增市二端③。"人去,须臾还,得生姜。又云:"于锦肆下见公使,已敕增市二端。"后经岁余,公使还,果增二端。问之,云:"昔某月某日,见人于肆下,以公敕敕之。"后公出近郊,士人从者百数,放乃赍酒一罂④,脯一片,手自倾罂,行酒百官,百官莫不醉饱。公怪,使寻其故。行视沽酒家,昨悉亡其酒脯矣。公怒,阴欲杀放。放在公座,将收之,却入壁中,霍然不见。乃募取之。或见于市,欲捕之,而市人皆放同形,莫知谁是。后人遇放于阳城山⑤头,因复逐之。遂走入羊群。公知不可得,乃令就羊中告之,曰:"曹公不复相杀,本试君术耳。今既验,但欲与相见。"忽有一老羝,屈前两膝,人立而言曰:"遽如许。"人即云:"此羊是。"

竞往赴之。而群羊数百，皆变为羝，并屈前膝，人立云："遽如许。"于是遂莫知所取焉。老子曰："吾之所以为大患者，以吾有身也。及吾无身，吾有何患哉！"若老子之俦，可谓能无身矣，岂不远哉也？

[注释]

①左慈：东汉人。《后汉书》有传。《神仙传》说他"少居天柱山，得石室丹经，明六甲神术"。庐江：汉郡，治所在今安徽庐江县。②吴松江：即今吴淞江，又称苏州河。③市：买卖，此处意为购买。端：量词，古代布帛的长度单位，按杜预注《左传》说：二丈为一端。④赍：携带。罂（yīng）：酒器，类今坛子。⑤阳城山：在今河南登封境内。

[译文]

左慈，字元放，是庐江郡人。他年轻时就很有神通。曾出席曹操的宴会，曹操笑着环顾各位宾客说："今日贵宾聚会，山珍海味大致齐备了。所缺少的，只是吴松江中的鲈鱼做的鱼脍了。"元放说："这容易搞到。"于是他要了一只铜盘，装满水，用竹竿安上了鱼饵在盘中垂钓。一会儿，便钓出一条鲈鱼。曹操热烈鼓掌，宴会上的人都惊讶不已。曹操说："一条鱼不能使宴席上的宾客都吃上，有两条才好。"元放就又下饵钓鱼，一会儿，又钓出一条，与前一条一样，都有三尺多长，新鲜可爱。曹操便亲自走上前去把它做成鱼片，赐给宴席上的每个人吃。曹操说："现在已经搞到了鲈鱼，遗憾的只是没有蜀国的生姜做作料。"元放说："这也是搞得到的。"曹操怕他在近处买，就说："我过去曾派人到蜀国买锦缎，你可以命令别人告诉我委派的人，让他多买二端。"元放派人出去，一会儿就回来了，买到了生姜，又对曹操说："在卖织锦的店铺里见到了你所派遣的人，已转达您的命令让他多买二端。"后来过了一年多，曹操所委派的人回来，果然多买了二端织锦。曹操问他，他说："过去某月某日，我在店铺里遇见一人，他把你的命令传达给了我。"后来，曹操外出到近郊游玩，陪同他的士大夫有一百多人。元放就带来一坛子酒，一块干肉，亲手倾倒酒瓶，向每个官员敬酒，官员们没有不吃饱喝醉的。曹操觉得奇怪，派人追查其中的缘故。走访了卖酒的店铺，原来他们昨天都丢失了酒和干肉。曹操大怒，暗中打算杀掉元放。有一次，元放在曹操的宴席上做客，曹操正要逮捕他，他竟退进墙壁里，忽然不见了。曹操就悬赏搜捕他。有人在集市上看见了他，正要捕捉他时，集市上的人却都与元放一模一样，不知道哪一个才是元放。后来，有人在河南阳城山顶遇见元放，就又追赶他，他就逃进了羊群。曹操知道抓不到元放了，就命令部下到羊群中去告诉元放说："曹公不再杀你了，原来不过是试试你的道术罢了。现在已经得到了验证，所以只想和你见上一面。"忽然有一只老公羊，屈起前腿的两膝，像人一样站着说道："何必忙乱成这样。"人们立刻说："这只羊就是元放。"便争着跑过去捉它。可是这群羊几百只，都变成了公羊，也都屈起了前腿的两膝，像人一样站着说："何必忙乱成这样。"于是人们就不知道该捉哪一只羊了。老子说："我之所以有大的祸患，是因为我有身体。等到我没有了身体，我还有什么祸患呢！"像老子这类人，可说是没有外在身体的了，难道他们的精神还不够远大吗？

22　孙策①欲渡江袭许，与于吉②俱行。时大旱，所在熇厉。策催诸将士，使速引船。或身自早出督切，见将吏多在吉许。策因此激怒，言："我为不如吉耶，而先趋附之？"便使收吉。至，呵问之曰："天旱不雨，道路艰涩，不时得过，故自早出。而卿不同忧戚，安坐船中，作鬼物态，败吾部伍。今当相除。"令人缚置地上，暴之，使请雨。若能感天，日中雨者，当原赦；不尔，行诛。俄而云气上蒸，肤寸③而合。比至日中，大雨总至，溪涧盈溢。将士喜悦，以为吉必见原，并往庆慰。策遂杀之。将士哀惜,藏其尸。天夜,忽更兴云覆之。明旦往视,不知所在。策既杀吉,每独坐,彷佛见吉在左右。意深恶之,颇有失常。后治疮方差④,而引镜自照,见吉在镜中,顾而弗见。如是再三。扑镜大叫,疮皆崩裂,须臾而死。

[注释]

①孙策 (175—200):字伯符,东汉末吴郡人,孙权之兄。②于吉:道士。《神仙传》:"于吉,汉琅邪人。往来吴会,立精舍烧香读道书。"③肤寸:量词,长度单位,四寸为一肤,肤,通"尃"。肤寸,形容空间极为狭小。④方差 (chài):刚刚痊愈。差,今字作"瘥",病愈。

[译文]

东吴孙策想渡过长江袭击许昌,于是带着道士于吉一起走。当时天气十分干旱,他们所在的地方炎热得厉害。孙策就催促全体官兵,让他们快一点把船拉来准备渡江进军。他又亲自一早出去督促,却看见将官们多聚集在于吉那里。孙策因此而被激怒了,说:"我做得不及于吉吗?你们倒先去迎合他?"就派人去抓于吉。于吉被抓来了,孙策就责骂他说:"天气干旱一直不下雨,水路遭受到阻碍,不知道什么时候才能拉齐船只渡过江去,所以我一早出来动员大家。但你不和我共患难,却安心坐在船中,装神弄鬼,使我的部队涣散。今天该把你宰了!"就命令部下把他绑了扔在地上,让太阳晒他,并命令他求雨。如果他能感动上天,中午下雨的话,就宽大赦免他;否则,就执行死刑。一会儿,云气向上蒸腾,一块一块地合拢过来。等到中午,倾盆大雨一下子倒了下来,河流山川都满得溢了出来。官兵们十分高兴,认为于吉一定能被宽大赦免,就一起前往庆贺慰问。孙策却在这时把于吉杀了。官兵们都很悲痛惋惜,就把他的尸体藏了起来。那天夜里,忽然又有乌云升起,把他的尸体盖住了。第二天一早跑去一看,不知道于吉的尸体到什么地方去了。孙策杀了于吉以后,每当一个人坐着,就仿佛看见于吉在他的旁边。他心里非常厌恶于吉,精神也有点失常了。后来他治疗的伤口刚刚痊愈,便拿起镜子来照自己,却看见于吉在镜子中,他便转过头却看不见于吉。像这样反复了好几次,他突然摔掉镜子大叫大嚷,伤口便都溃裂开来,一会儿就死了。

23 介琰①者,不知何许人也。住建安②方山,从其师白羊公。杜受玄一无为之道③,能变化隐形。尝往来东海,暂过秣陵④,与吴主相闻。吴主留琰,乃为琰架宫庙,一日之中,数遣人往问起居。琰或为童子,或为老翁;无所食啖,不受饷遗。吴主欲学其术,琰以吴主多内御,积月不教。吴主怒,敕缚琰,着甲士引弩射之。弩发,而绳缚犹存,不知琰之所之。

[注释]

①介琰(yǎn):三国时人,从白羊公即杜必学习道术。②建安:建安郡,辖区接近今福建省。③玄一无为之道:道术的一种。④秣陵:古代县名,治所在今江苏南京。

[译文]

介琰,不知是什么地方人。他住在建安郡的方山,跟随着他的老师白羊公学习道术。白羊公杜必传授给他玄一无为的道术,能变化或者是隐去自己的身体。介琰曾去东海郡,短时间经过吴国的秣陵,与吴国君主孙权认识。孙权留住了介琰,就给介琰建造了道观。一日之中,多次派人去问寒问暖。介琰有时变成小孩,有时变成老头,什么也不吃什么也不喝,也不接受人们送去的饭菜和馈赠的礼品。孙权想学他的道术,介琰因为孙权的宫妃太多,不适合学习道术,所以过了几个月也没有教给他。孙权生气了,下令绑住介琰,让身穿盔甲的士兵拿箭射他。箭射过去了,缚他的绳子还在,却不知道介琰到什么地方去了。

24　吴时有徐光者，尝行术于市里。从人乞瓜，其主勿与。便从索瓣，杖地种之。俄而瓜生蔓延，生花成实。乃取食之，因赐观者。鬻者反视所出卖，皆亡耗矣。凡言水旱，甚验。过大将军[1]孙綝[2]门，褰衣而趋，左右唾践。或问其故，答曰："流血臭腥，不可耐。"綝闻，恶而杀之。斩其首，无血。及綝废幼帝[3]，更立景帝[4]，将拜陵，上车，有大风荡綝车，车为之倾。见光在松树上，拊手指挥，嗤笑之，綝问侍从，皆无见者。俄而景帝诛綝。

[注释]

①大将军：官名，职掌统兵之权，为将军的最高称号。②孙綝：字子通，东吴贵戚。景帝时，以大将军为丞相，他恃贵倨傲，权倾人主，为景帝诛杀。③幼帝：即少帝孙亮，字子明，孙权少子。在位七年（252—258），被孙綝废为会稽王，后自杀。④景帝：孙休，字子烈，孙权第六子，在位七年（258—264）。

[译文]

吴国有个叫徐光的人，曾在街坊上施行法术。他向卖瓜的人要瓜吃，那卖瓜的不给。他便向卖瓜的要瓜子，然后用拐杖在地上掘了个坑儿把它种上。一会儿瓜子发芽，瓜蔓延伸，开花结瓜。他就摘下来吃，又送给观看的人吃。卖瓜的回头看他卖的瓜，都没有了。徐光预言的水灾旱情，都很灵验。有一次他经过大将军孙綝的门口，提起衣服急匆匆地跑过去，鄙弃地向两边吐唾沫并用脚践踏。有人问他这样做的原因，他回答说："那里流血的腥臭气味，实在让人不能忍受。"孙綝听见了这话，十分憎恨他，就把他杀了。砍去他的头，却没有血。到后来孙綝废掉幼帝孙亮，改立孙休为景帝，将要拜谒皇陵让景帝登基，刚上车，忽然有大风摇荡着孙綝的车子，车子被刮倒。只见徐光在松树上指手画脚地讥笑他，孙綝问随从人员看见徐光没有，大家都说没看见。不久景帝就把孙綝杀了。

25 葛玄①字孝先,从左元放受《九丹液仙经》②。与客对食,言及变化之事,客曰:"事毕,先生作一事特戏者。"玄曰:"君得无即欲有所见乎?"乃噀口中饭,尽变大蜂数百,皆集客身,亦不螫人。久之,玄乃张口,蜂皆飞入,玄嚼食之,是故饭也。又指虾蟆及诸行虫燕雀之属使舞,应节如人。冬为客设生瓜枣,夏致冰雪。又以数十钱,使人散投井中,玄以一器于井上呼之,钱一一飞从井出。为客设酒,无人传杯,杯自至前;如或不尽,杯不去也。尝与吴主坐楼上,见作请雨土人。帝曰:"百姓思雨,宁可得乎?"玄曰:"雨易得耳。"乃书符着社中,顷刻间,天地晦冥,大雨流淹。帝曰:"水中有鱼乎?"玄复书符掷水中,须臾,有大鱼数百头。使人治之。

[注释]

①葛玄:《三洞群仙录》里记载:"葛玄,字孝先,三国吴丹阳人。慕神仙术,学炼气保形之道,人称葛仙翁。后于阁皂山灵宝法坛上,白日飞升,证位太极左宫,天机内相。宋封常道冲应孚佑真君,流传天台派。"②左元放:即左慈。《九丹液仙经》:相传为道家秘籍,有文献作《九丹金液仙经》。

[译文]

葛玄,字孝先,曾跟随左元放学习《九丹金液仙经》之道。他曾与客人面对面吃饭,谈到神仙变化的道术,客人说:"等吃完饭,先生作一个变化来特意表演玩玩。"葛玄说:"你是不是想马上看一下呢?"就喷出嘴里的饭,那饭粒全都变成了大蜂,一共有几百只,都聚集在客人身上,也不刺人。过了些时候,葛玄就张开嘴巴,大蜂都飞了进去。葛玄咀嚼着,仍然是原来的米饭。他又指挥蛤蟆以及各种爬虫燕雀之类让它们跳舞,这些动物跳起舞来就像人一样合乎节奏。他冬天为客人置办新鲜的瓜果、枣子,夏天给客人们献上寒冰白雪。他又曾用几十个钱币,让人乱丢在井里,然后他拿了一只容器在井上面呼唤它们,这些钱币就一个一个地从井里飞了出来。他为客人置办酒宴,没有人递送杯子,杯子会自己来到客人的面前;如果没喝完,杯子就不会离去。有一次,他和孙权坐在楼上,看见人们在做求雨的泥人。孙权说:"百姓盼望下雨,但做些泥人难道就可以得到吗?"葛玄说:"雨水倒是容易搞到的。"就写了一道符放在土地庙里,顷刻之间,天阴地暗,大雨瓢泼,积水流淌。孙权说:"水中有鱼吗?"葛玄又写了一道符扔进水中。一会儿,水里就有大鱼几百条。孙权就派人去抓这些鱼。

26　吴猛①,濮阳人。仕吴,为西安令。因家分宁。性至孝。遇至人丁义,授以神方。又得秘法神符,道术大行。尝见大风,书符掷屋上,有青鸟②衔去,风即止。或问其故,曰:"南湖有舟,遇此风,道士求救。"验之果然。西安令干庆③,死已三日,猛曰:"数未尽,当诉之于天。"遂卧尸旁。数日,与令俱起。后将弟子回豫章,江水大急,人不得渡。猛乃以手中白羽扇画江水,横流,遂成陆路,徐行而过。过讫水复,观者骇异。尝守浔阳,参军周家有狂风暴起,猛即书符掷屋上,须臾风静。

[注释]

①吴猛:字世云,按《晋书·吴猛传》载,吴猛当为晋豫章人。时称吴真人,师事南海太守鲍靓,为许旌阳真君师。②青鸟:三足之鸟。为西王母的使者,后称传信使者为青鸟。③干庆:一说为干宝之兄。中华书局1979年版《搜神记》第13页有详考。

[译文]

吴猛,是濮阳县人,在东吴做官,任西安县令,因而家住分宁县。他本性极为孝顺。遇到圣人丁义,丁义把仙道教给了他。他又获得了秘诀神符,于是他的法术十分高超。他曾经碰上大风,就写了符箓扔在屋上,便有一只三足青鸟衔去,大风马上停息了。有人问其中的缘故，他说："南湖有条船，遭到这大风的袭击，船上的道士正在求救呢。"人们去验证了一下，果然是这样。西安县令干庆，死了已经三天了，吴猛说："他的气数还没有到头，应该向上天申诉。"于是就躺在尸体旁边。几天后，就与干庆一块儿起来了。后来他带领弟子回豫章郡，长江水流十分湍急，人们无法摆渡。吴猛就用手中的白羽扇对着江面一划，江水就横着流动了，他划的地方就成了陆路，他们就慢慢地走着过了长江。他们走过后，江水又恢复成老样子，观看的人都很惊奇。吴猛曾经在浔阳县任职，参军周家有狂风突然吹起，吴猛立即写了符箓扔在屋上，一会儿风就停止了。

27 园客者，济阴①人也。貌美，邑人多欲妻之，客终不娶。尝种五色香草，积数十年，服食其实。忽有五色神蛾，止香草之上，客收而荐之以布，生桑蚕焉。至蚕时，有神女夜至，助客养蚕，亦以香草食蚕。得茧百二十头，大如瓮。每一茧缲六七日乃尽。缲讫，女与客俱仙去，莫知所如。

[注释]

①济阴：郡名，治所在今山东定陶。

[译文]

园客，是济阴郡人。容貌长得很英俊，同乡的人大多想把女儿嫁给他，但园客始终不讨老婆。他曾经种了五彩缤纷的香草，一连种了几十年，然后吃它的果实。忽然有一只五彩缤纷的仙蛾停在香草上。园客把它捉起来放在布上，这仙蛾就在布上产下了蚕卵。到养蚕的季节，有个仙女夜里来到园客家，帮助园客养蚕，她也用香草喂蚕。他们后来获得蚕茧一百二十个，个个都大得像酒瓮。每一只蚕茧，缲六七天才能把丝缲完。这所有的蚕丝都缲完了，仙女就和园客一起成仙而离开了人间，没有人知道他们到什么地方去了。

28　汉董永①，千乘②人。少偏孤③，与父居。肆力田亩，鹿车载自随。父亡，无以葬，乃自卖为奴，以供丧事。主人知其贤，与钱一万，遣之。永行三年丧毕，欲还主人，供其奴职。道逢一妇人曰："愿为子妻。"遂与之俱。主人谓永曰："以钱与君矣。"永曰："蒙君之惠，父丧收藏，永虽小人，必欲服勤致力，以报厚德。"主曰："妇人何能？"永曰："能织。"主曰："必尔者，但令君妇为我织缣百匹。"于是永妻为主人家织，十日而毕。女出门，谓永曰："我，天之织女也。缘君至孝，天帝令我助君偿债耳。"语毕，凌空而去，不知所在。

[注释]

①董永：董永与仙女的故事，三国魏曹植诗《灵芝篇》为最早文献记录，已略具轮廓。②千乘：古地名，汉置县郡，治所在今山东高青县。③偏孤：这里指丧母。

[译文]

汉朝的董永，是千乘县人。小时候就死了母亲，和父亲一起生活。他尽力种田，用窄小的车子让父亲坐在里面伴随着自己。父亲死了，没有钱埋葬，他就把自己卖给人家当奴仆，用得到的钱来办理丧事。买主知道他贤能孝顺，就给了他一万钱，叫他回家去守丧。董永守完了三年孝，想要回到买主那里去干劳役，在路上碰到一个女子，对他说："我愿意做你的妻子。"就和董永一起到买主家去了。主人对董永说："我已经把钱奉送给你啦。"董永说："承蒙你的恩德，我父亲死了才得到安葬。我虽然是个卑微的人，也一定要尽心竭力来报答你的大恩。"主人说："这女人会干什么呢？"董永说："会纺织。"主人说："你一定要这样来报答我的话，就只要让你妻子给我织一百匹双丝细绢。"于是董永的妻子为主人家纺织，十天就织完了。这女子出门后对董永说："我是天上的织女。只是因为你极其孝顺,天帝才命令我来帮你偿还欠债的。"说完,就腾空而去,不知去了什么地方。

29　初,钩弋夫人①有罪,以谴死。既殡,尸不臭,而香闻十余里。因葬云陵②。上哀悼之,又疑其非常人,乃发冢开视。棺空无尸,惟双履存。一云:昭帝③即位,改葬之,棺空无尸,独丝履存焉。

[注释]

①钩弋夫人:汉武帝的婕妤(jié yú,古代女官名,是妃嫔的称号),昭帝之母。因住在钩弋宫,故称钩弋夫人。②云陵:钩弋夫人陵,在陕西淳化县北。③昭帝:即刘弗陵,汉武帝之子。前86—前74年在位。

[译文]

当初,钩弋夫人犯了罪,因而被责令赐死。当时已经把她放进棺材准备择日埋葬了,她的尸体却不发臭,反而有香气飘了十多里,因此就把她埋葬在云陵。汉武帝哀痛并且悼念她,又疑心她不是个普通的人,就发掘坟墓开棺验看。棺里空空的没有尸体,只有两只鞋还在。还有一种传闻说:汉昭帝即位,重新埋葬她,棺材里空空的没有尸体,只有一双丝鞋还遗留在里面。

30　汉时有杜兰香者,自称南康人氏①。以建兴四年春,数诣张传②。传年十七,望见其车在门外,婢通言:"阿母所生,遣授配君,可不敬从!"传先名改硕。硕呼女前视,可十六七,说事邈然久远。有婢子二人:大者萱支,小者松支。钿车青牛,上饮食皆备。作诗曰:"阿母处灵岳,时游云霄际。众女侍羽仪,不出墉宫外。飘轮送我来,岂复耻尘秽。从我与福俱,嫌我与祸会。"至其年八月旦,复来,作诗曰:"逍遥云汉③间,呼吸发九嶷。流汝不稽路,弱水何不之。"出薯蓣④子三枚,大如鸡子,云:"食此,令君不畏风波,辟寒温。"硕食二枚,欲留一,不肯,令硕食尽。言:"本为君作妻,情无旷远,以年命未合,其小乖,大岁⑤东方卯,当还求君。"兰香降时,硕问:"祷祀何如?"香曰:"消魔自可愈疾,淫祀无益。"香以药为消魔。

[注释]

①杜兰香:古仙女。南康:郡名,郡治在今江西于都。②建兴:晋愍帝年号。张传:即晋朝人张硕,从杜兰香学道术而升仙。③云汉:即银河。④薯蓣:植物名,俗称山药。可供食用,亦可入药。⑤大岁:即太岁,星名,即木星。古代曾以木星为岁星,配上天干地支及方位纪年。

[译文]

汉朝时有个叫杜兰香的人,自称是南康人氏。在晋愍帝建兴四年(316)春天,她屡次来找张传。张传当时十七岁,望见她的车子停在门外,她的丫鬟来传达她的话说:"我娘生了我,让我来到这里嫁给你为妻,我哪能不遵命呢!"张传曾经把名字改成了张硕。张硕便呼唤这女子走上前来,打量了一番,女子大约十六七岁,而她谈到的却都是很久很久以前的事。她有丫鬟二人,大的叫萱支,小的叫松支。装饰着金花的车用青牛拉着,车上吃的喝的都齐备。她作诗道:"我娘住在神山上,经常游览九重天。羽毛仪仗婢女持,宫墙外头不露面。风云飘飘送我的车来,难道还认为人间是污浊所在?与我牵手幸福就常在,若是嫌弃我就会有祸灾。"到那一年八月的一天清晨,她又来了,作诗道:"自由往来天河间,片刻就从九嶷山来到这里。在这人世间流连,不如渡过弱水得道成仙。"她拿出山药果三个,像鸡蛋一样大,对张硕说:"把这吃了,让你不怕风浪,不受冷暖的影响。"张硕吃了两个,想留一个。她不肯,让张硕吃光。她又对张硕说:"我本来要给你做妻子,感情可不要疏远了。只因为我们的寿命有差异,恐怕稍微有点不协调。等到太岁位于东方卯时,我会回来找你的。"杜兰香降临时,张硕问:"祈祷祭祀的事怎么样?"杜兰香说:"消魔本来就能治好疾病,过分的祭祀并没有好处。"兰香把药物称为"消魔"。

31 魏济北郡从事掾弦超①,字义起。以嘉平②中夜独宿,梦有神女来从之。自称天上玉女,东郡人,姓成公,字知琼③。早失父母,天帝哀其孤苦,遣令下嫁从夫。超当其梦也,精爽感悟,嘉其美异,非常人之容,觉寤钦想,若存若亡。如此三四夕。一旦,显然来游,驾辎軿车④,从八婢,服绫罗绮绣之衣,姿颜容体,状若飞仙。自言年七十,视之如十五六女。车上有壶、榼、青白琉璃五具⑤。饮啖奇异,馔具醴酒,与超共饮食。谓超曰:"我,天上玉女,见遣下嫁,故来从君。不谓君德,宿时感运,宜为夫妇。不能有益,亦不能为损。然往来常可得驾轻车,乘肥马;饮食常可得远味异膳;缯素常可得充用不乏。然我神人,不为君生子,亦无妒忌之性,不害君婚姻之义。"遂为夫妇。赠诗一篇,其文曰:"飘飘浮勃逢,敖曹云石滋⑥。芝英不须润,至德与时期。神仙岂虚感,应运来相之。纳我荣五族,逆我致祸菑。"此其诗之大较,其文二百余言,不能悉录。兼注《易》七卷,有卦有象,以彖为属⑦。故其文言,既有义理,又可以占吉凶,犹扬子之《太玄》、薛氏之《中经》也⑧。超皆能通其旨意,用之占候,作夫妇经七八年,父母为超娶妇之后,分日而燕,分夕而寝,夜来晨去,倏忽若飞,唯超见之,他人不见。虽居暗室,辄闻人声,常见踪迹,然不睹其形。后人怪问,漏泄其事。玉女遂求去,云:"我,神人也。虽与君交,不愿人知。而君性疏漏,我今本末已露,不复与君通接。积年交结,恩义不轻,一旦分别,岂不怆恨。势不得不尔,各自努力!"又呼侍御,下酒饮啖。发簏,取织成裙衫两副遗超,又赠诗一首。把臂告辞，涕泣流离，肃然升车，去若飞迅。超忧感积日，殆至委顿。去后五年，超奉郡使至洛，到济北鱼山下陌上，西行遥望，曲道头有一马车，似知琼。驱驰至前，果是也。遂披帷相见，悲喜交切。控左援绥，同乘至洛，遂为室家，克复旧好。至太康⑨中犹在。但不日日往来，每于三月三日、五月五日、七月七日、九月九日、旦、十五日辄下往来，经宿而去。张茂先⑩为之作《神女赋》。

[注释]

①魏济北郡：指三国时期曹魏的济北郡，故地在今山东长清县。从事掾：官职名，为州郡主官的僚属。②嘉平：三国魏齐王曹芳年号（249—254）。③玉女：即指仙女。东郡：郡名，治所在今河南濮阳。成公：复姓。④辎䡙（píng）车：衣车，就是有帷幕、帷盖的华丽的车。⑤榼（kē）：器名，古代用来盛水或酒。琉璃：有色泽的半透明的一种矿物质材料，似玉。⑥勃逢（péng）：通"渤蓬"，即渤海蓬莱仙境。敖曹：即嗷嘈，描摹乐声的喧闹。云石：指云板、石磬等乐器。⑦《易》：儒家重要经典《周易》。有卦有象：卦是《周易》里象征自然现象与人事变化及其对应规则的符号系统；象是《周易》里解释卦爻符号象征意义的文辞。彖（tuàn）：《周易》里总论各卦基本意义的文辞。⑧扬子：指扬雄，汉代学者。《太玄》是扬雄仿《周易》的著作。薛氏之《中经》：不可考，或为亡佚之作。⑨太康：晋武帝司马炎年号（280—289）。⑩张茂先：即张华，字茂先，晋代文学家，著有《博物志》等。

[译文]

三国魏时期济北郡有一位从事掾叫弦超，字义起。在魏齐王嘉平年间的一个夜晚，他独自睡觉，梦见有一个仙女来陪伴他，那女子自称是天上的神女，原本是东郡人，姓成公，字知琼，早年失去了父母，天帝哀怜她孤苦伶仃，就让她下凡出嫁，跟从丈夫过日子。弦超在梦见她的时候，神志很清楚，喜欢她漂亮得出奇，不是普通人的容貌。但睡醒以后再认真想想，又觉得这件事似有似无。像这样过了三四夜。有一天，知琼显身来看望弦超，她驾着有帷帐的车子，跟着八个丫鬟，穿着绫罗绸缎做的衣服，体态容色就像神仙一样。她说自己已经七十岁了，但看上去好像只有十五六岁的少女。车上有壶、榼以及用青色、白色的琉璃宝石做的酒器五件。吃的喝的都非常奇特，她准备了饭菜和美酒，和弦超一起吃喝。她对弦超说："我是天上的神女，被派到人间嫁人，所以来跟你。想不到你有德行，应该是前世的缘分应运而生，我俩应该结为夫妻。我们做了夫妻，不能得到多少好处，但也不会有什么害处。不过，以后出门经常可以驾着轻便的车子，让肥壮的马拉车，吃的经常可以有远方的山珍海味和非同寻常的饭菜，绸缎常常可以任你做衣服而不会缺乏。但我是仙人，不能给你生儿子，也没有妒忌心，不妨害你正常的婚姻。"于是就和弦超结为夫妻，并赠送诗歌一篇，写道："飘游在渤海蓬莱仙境中，云板石磬响叮咚。灵芝不靠雨露润，德高到时会亨通。神仙感应岂凭空？顺应命运来助兄。娶了我，你亲属都富贵；违背我，就会招灾惹祸凶。"这不过是那篇诗歌的主要几句。那首诗有二百多字，不能全部抄录在这里。知琼又注释《易经》，共七卷，她的《易经》注释，既有卦、爻，又有说明卦、爻含义的象辞，都以象辞为根据。所以，她的解说，既阐述了其中的含义道理，又可以用来预卜吉凶，就像扬雄的《太玄经》、薛氏的《中经》一样。弦超都能领会其中的意思，根据它来观察变化而预测吉凶。两人做夫妻一起过了七八年，弦超的父母亲为弦超娶了媳妇以后，她就隔一天来和弦超吃饭，隔一夜来和弦超睡觉，夜里来早晨走，来去时快得像飞一样，只有弦超看得见她，别人都看不见。弦超虽然住在关闭得紧紧的房间里，但人们总是听得见里面有人声，也常常看见有人来过的痕迹，但就是看不见知琼的身形。后来人们奇怪地问弦超，弦超泄露了她的情况。知琼就要求离开弦超，她说："我是仙人，虽然与你交往，却不愿让别人知道。而你的性子太粗疏，藏不住话，现在我的底细已经被你泄露出去了，我不再与你交往了。多年来和你云雨相欢,恩爱不浅,一旦分离,怎么能不悲痛呢?但情势不能不这样,我们就各自珍重吧!"她又叫来仆人,斟酒端菜,一同吃喝;又打开竹编的圆箱,取出两套织好的裙子和衣衫送给弦超,又写了一首诗赠送给他。她挽着弦超的手臂和他告别,泪水纵横,泣不成声,然后凄凉地登上车子,像飞一样地走了。弦超天天忧虑,几乎到了卧病不起的地步。知琼离开后又过了五年,弦超受郡里的委派出差去洛阳,来到济北郡鱼山下的小路上,一边向西走,一边遥望前方,只见前面道路拐弯的地方有一辆马车,好像是知琼。他马上赶着马跑上前去看,果然是知琼。知琼就拉开车帐相见,真是又悲又喜。知琼勒住了左边的马,让弦超拉着车绳上车,两人一起乘车到洛阳,就又成了夫妻,恢复了过去的恩爱生活。到太康年间他们还都健在,只是不天天来往,但每逢三月初三、五月初五、七月初七、九月初九以及每月的初一、十五,她总是会来的,住上一夜就又走了。张华为她写了篇《神女赋》。

卷 二

32　寿光侯①者,汉章帝②时人也。能劾③百鬼众魅,令自缚见形。其乡人有妇为魅所病,侯为劾之,得大蛇数丈,死于门外,妇因以安。又有大树,树有精,人止其下者死,鸟过之亦坠。侯劾之,树盛夏枯落,有大蛇长七八丈,悬死树间。章帝闻之,征问,对曰:"有之。"帝曰:"殿下有怪:夜半后,常有数人,绛④衣披发,持火相随。岂能劾之?"侯曰:"此小怪,易消耳。"帝伪使三人为之。侯乃设法,三人登时仆地无气。帝惊曰:"非魅也。朕相试耳。"即使解之。或云:汉武帝时,殿下有怪,常见朱衣披发相随,持烛而走。帝谓刘凭⑤曰:"卿可除此否?"凭曰:"可。"乃以青符⑥掷之,见数鬼倾地。帝惊曰:"以相试耳。"解之而苏。

[注释]

①寿光侯:见《后汉书·方术传》。②汉章帝:东汉明帝第五子,名刘炟,76—89年在位。③劾:用符咒降服鬼魅。④绛:赤色,火红。⑤刘凭:《神仙传》:"刘凭者,沛人也。有军功,封寿光金乡侯。"⑥青符:道士用来驱鬼召神的符箓。

[译文]

寿光侯,是汉章帝时候的人。能用符咒降服各种鬼怪,使它们自投罗网并现出原形。他家乡有个妇女被精怪所害,他为她念咒降服,得到几丈长的大蛇,死在门外,于是这妇女病就好了。又有一棵大树,树上有精怪,人一走到这树下就死,鸟飞过这棵树也会摔下来。他去惩办,这棵树便在盛夏凋零,有条大蛇长七八丈,吊死在树中间。汉章帝听说了这件事,把他召来询问,他回答说:"有这件事。"章帝说:"宫中有精怪:半夜过后,经常有几个人,穿着大红衣服,披着长头发,手拿火烛互相伴随着。你是否能把他们降服呢?"寿光侯回答说:"这是小精怪,很容易消灭的。"章帝便派三个人冒充精怪去做那种事。寿光侯就施行法术,三个人一下子就倒在地上断了气。章帝惊恐地说:"他们不是精怪啊!我只是试试你罢了。"赶紧叫寿光侯给他们解除法术。另一种说法是:汉武帝的时候,宫中有精怪,人们经常看见穿着红衣服、披着长头发的人互相陪伴着,手拿着火烛奔跑。武帝对刘凭说:"你可以除去这些精怪吗?"刘凭说:"可以。"说完他就用青色的符箓扔上去,便看见几个鬼倒地而死。武帝吃惊地说:"我不过是用它来试试你的法术罢了。"刘凭解除了法术,这几个人就复活了。

33　樊英①隐于壶山②,尝有暴风从西南起,英谓学者曰:"成都③市火甚盛。"因含水噀④之。乃命记其时日。后有从蜀来者云:"是日大火,有云从东起,须臾大雨,火遂灭。"

34　闽中有徐登⑤者,女子化为丈夫。与东阳赵昞⑥,并善方术。时遭兵乱,相遇于溪,各矜⑦其所能。登先禁溪水为不流,昞次禁杨柳为生稊⑧。二人相视而笑。登年长,昞师事之。后登身故,昞东入长安⑨,百姓未知。昞乃升茅屋,据鼎而爨⑩;主人惊怪,昞笑而不应,屋亦不损。

[注释]

①樊英:字季齐,东汉鲁阳(治所在今河南鲁山)人。《后汉书》有传。

②壶山：在鲁山县南，形圆如壶，故名。③成都：古县名，今成都市。④噀：咳噀。此为从口中喷水。⑤徐登：东汉人。《后汉书》有传。⑥赵昞：东汉东阳（今浙江金华）人。后得道成仙。⑦矜：自夸。⑧稊（tí）：植物的嫩芽。⑨长安：按《后汉书·徐登传》作"章安"。章安，县名，属会稽郡，故城在今台州市临海县南。⑩爨（cuàn）：生火做饭。

[译文]

樊英隐居在壶山，曾有狂风从西南方刮起来，樊英对学生说："成都城里火很旺。"就含了口水喷过去，又叫学生把这日期记下来。后来有个从蜀地来的人说："这一天火烧得很旺，忽然有乌云从东边升起，一会儿下起大雨来，火就熄灭了。"

闽中郡有个叫徐登的人，是由女人变为男人的。他与东阳郡的赵昞，都擅长法术。当时碰上战乱，他们在一条溪水边相遇，两人便炫耀起自己的才能来。徐登先念起咒语禁令溪水，使它不再流动；赵昞便接着念起咒语禁令杨柳，使之生出嫩芽。两人互相望着，会意地笑了。徐登年龄比赵昞大，赵昞就把他当做老师来侍奉。后来徐登死了，赵昞住到东边的章安县（"长安"当作"章安"）去了，百姓都不知道。有一次，赵昞竟登上草屋，用食鼎烧饭，房东十分惊奇，赵昞笑着不睬他，草屋也没被搞坏。

35　赵昞尝临水求渡，船人不许。昞乃张帷盖，坐其中，长啸呼风，乱流而济。于是百姓敬服，从者如归。长安令恶其惑众，收杀之。民为立祠于永康①，至今蚋蚋②不能入。

36　徐登、赵昞，贵尚清俭，祀神以东流水，削桑皮以为脯。

37　陈节访诸神③，东海君以织成青襦④一领遗之。

[注释]

①永康：古县名。治所在今浙江金华市东南。②蚋：体形似蝇的小虫，

吸牛、羊和人的血液,传播疾病。③陈节访诸神:本事见《列异传》。④青襦(rú):青色短袄。

[译文]

赵昞曾到河边请求渡河,艄公不同意。赵昞就张挂起车上的帷幔和顶盖,然后坐在里边,长啸一声,呼来一阵风,便对着水流横渡过去了。于是百姓都钦佩他,乐于跟从他。章安县令恨他蛊惑百姓,就把他抓住杀了。百姓给他在永康县建造了祠堂,直到今天,蚊子也飞不进这祠堂。

徐登、赵昞,崇尚清洁俭朴,他们用向东流动着的水来祭神,把桑树皮削下来当做祭神的干肉。

陈节去拜访各位神仙,东海龙王把一件用名贵的丝织品做的青色短袄送给了他。

38 宣城边洪为广阳领校①。母丧归家,韩友②往投之。时日已暮,出告从者:"速装束,吾当夜去。"从者曰:"今日已暝,数十里草行,何急复去?"友曰:"此间血覆地,宁可复住?"苦留之,不得。其夜,洪欻③发狂,绞杀两子,并杀妇。又斫父婢二人,皆被创。因走亡。数日,乃于宅前林中得之,已自经死。

[注释]

①宣城:郡名,治所在今安徽宣城。广阳:郡名,治所在今北京西南。领校:郡的军事官员。②韩友:字景先,晋庐江舒(今安徽庐江西南)人,曾任广武将军,《晋书》有传。③欻(xū):忽然。

[译文]

宣城人边洪,担任广阳领校。因为母亲去世了,他回到家中,韩友来他家投宿。当时天色已晚,韩友却出门吩咐随从:"快点整理好行李,我们今天夜里就走。"随从说:"今天天已黑了,而且有几十里的荒草小路要走,为什么要急着离开这儿继续赶路呢?"韩友说:"这地方流血遍地,怎么能再待下去?"随从苦口婆心地劝他留下,还是没成。那天夜里,边洪突然发疯,用绳子勒死了两个儿子,又杀掉了妻子,又砍他父亲的两个丫鬟,两个丫鬟都被他砍伤了。边洪也因此逃走了。过了几天,人们才在他家前面的树林里发现了他,但他已经上吊自杀了。

39 鞠道龙善为幻术。尝云:"东海人黄公①,善为幻,制蛇御虎。常佩赤金刀。及衰老,饮酒过度。秦末,有白虎见于东海,诏遣黄公以赤刀往厌之。术既不行,遂为虎所杀。"

40 谢纠尝食客。以朱书符投井中,有一双鲤鱼跳出。即命作脍,一坐皆得遍。

[注释]

①东海人黄公:其事见《文选·西京赋》薛综注,并见李善注引《西京杂记》。

[译文]

鞠道龙善于变幻法术。他曾说:"东海郡人黄公,善于变法术,能制服毒蛇,驾驭老虎。他常常佩带赤金刀。等到他衰老了,喝酒老是喝过头。秦朝末年,有只白虎出现在东海郡,皇帝下诏派黄公用赤金刀去制服它。但他的法术已经不奏效了,于是就被老虎咬死了。"

谢纠有一次请客人吃饭。他用丹砂写了符箓丢进井里,就有一对鲤鱼跳出来。他就叫厨师做成鱼脍,宴席上的人都吃上了鱼脍。

41 晋永嘉①中,有天竺②胡人,来渡江南。其人有数术,能断舌复续、吐火,所在人士聚观。将断时,先以舌吐示宾客。然后刀截,血流覆地。乃取置器中,传以示人。视之,舌头半舌犹在，既而还，取含续之，坐有顷，坐人见舌则如故，不知其实断否。其续断，取绢布，与人各执一头，对剪，中断之。已而取两断合视，绢布还连续，无异故体。时人多疑以为幻，阴乃试之，真断绢也。其吐火，先有药在器中，取火一片，与黍糖合之，再三吹呼，已而张口，火满口中，因就爇③取以炊，则火也。又取书纸及绳缕之属投火中，众共视之，见其烧爇了尽。乃拨灰中，举而出之，故向物也。

[注释]

①永嘉：晋怀帝司马炽年号（307—313）。②天竺：古代对印度的别称。③爇（ruò）：焚烧。

[译文]

晋朝永嘉年间，有个印度人经过江南。这人有法术，能让舌头断了再连起来，又能吐火，当地的人都去围观。将要割断舌头的时候，他先把舌头伸出唇外来给观众看，然后用刀一割，鲜血直淌，洒在地上。他就拿割下来的舌头放在器皿中，让大家传递观看。再看他的舌头，半截还在嘴里。过了一会儿，大家把半截舌头还给他，他就拿了含在嘴里接舌头。坐了一会儿，坐席上的观众看他的舌头，便像原来的一样，不知道那舌头真的是否断过。他还会连接其他断了的东西。他拿一块绸布，和别人各握住一头，对着它一剪刀，把绸布从中间剪断了。接着拿了两个断头一合，大家一看，绸布又连接在一起，和原来的没有什么两样。当时很多人都产生怀疑，认为这不过是一种魔术，就暗地里去试探了一下，他真的是把绸布剪断了。他吐火的时候，先拿出一个装有药物的器皿，取一片能燃烧的药，和麦芽糖搅和在一起放入口中，反复吹气，接着张开嘴，火便燃遍了口中，接着他又从嘴里引火来烧饭，那的的确确是火。接着他又拿来书本、纸张以及粗绳细线之类投入火中，大家一起注意看，只见它们都烧成了灰烬。他便在灰里翻来捡去，一会儿把它提出来，却仍然是原来的东西。

42　扶南①王范寻养虎于山，有犯罪者，投与虎，不噬，乃宥②之。故山名大虫，亦名大灵。又养鳄鱼十头，若犯罪者，投与鳄鱼，不噬，乃赦之。无罪者皆不噬。故有鳄鱼池。又尝煮水令沸，以金指环投汤中，然后以手探汤。其直者，手不烂；有罪者，入汤即焦。

[注释]
①扶南：中南半岛古国，位置在今柬埔寨。②宥（yòu）：宽容，赦罪。

[译文]
扶南国国王范寻把老虎养在山里，有谁犯了罪，就把他扔给老虎吃，老虎如果不吃，就赦免他。所以人们把这座山叫做大虫山，也叫做大灵山。范寻又养了十头鳄鱼，如果谁犯了罪，就把他扔给鳄鱼，鳄鱼不吃，就赦免他。没有罪的人都不会被吃掉，所以也就有了鳄鱼池这一说法。范寻又曾烧水使水沸腾，把金戒指扔进这沸水中，然后让人用手在沸水中摸取。那平白无故的人，手不会被煮烂；有罪的人，手一伸进这沸水就被烫伤了。

43　戚夫人①侍儿贾佩兰，后出为扶风②人段儒妻。说在宫内时，尝以弦管歌舞相欢娱，竞为妖服，以趋良时。十月十五日③，共入灵女庙，以豚黍乐神，吹笛击筑，歌《上灵之曲》。既而相与连臂，踏地为节，歌《赤凤皇来》。乃巫俗也。至七月七日④，临百子池，作于阗乐⑤。乐毕，以五色缕相羁，谓之相连绶。八月四日，出雕房北户，竹下围棋。胜者终年有福，负者终年疾病；取丝缕，就北辰星⑥求长命，乃免。九月，佩茱萸，食蓬饵，饮菊花酒，令人长命。菊花舒时，并采茎叶，杂黍米饷之，至来年九月九日始熟，就饮焉。故谓之菊花酒。正月上辰，出池边盥濯,食蓬饵,以祓妖邪。三月上巳,张乐于流水。如此终岁焉。

[注释]

①戚夫人:汉高祖宠姬,生赵隐王如意。高祖死后,她被吕后囚禁。又被砍去手足,挖去双眼,熏聋耳朵,迫服哑药,使她成为眼瞎耳聋的哑巴,居于厕中,称为"人彘"。②扶风:郡名。西汉时为京官右扶风的封地,治所在长安。③十月十五日:阴历这一天为下元节。④七月七日:阴历称为七夕节,有牛郎、织女相会之说。⑤于阗(tián)乐:西域音乐。于阗,西域国之一。⑥北辰星:即北极星。

[译文]

汉高祖宠姬戚夫人的婢女贾佩兰,后来出官做了扶风郡人氏段儒的妻子。她说在皇官内的时候,曾经用丝竹奏乐载歌载舞来取乐,争着穿各种奇装异服来欢度那美好的时光。十月十五日,大家一起到灵女庙,用小猪、黍子等祭享神仙,吹笛击筑,歌唱《上灵之曲》。接着互相挽起手臂,用脚在地上打着节拍,歌唱《赤凤皇来》的曲子。这就是巫祝的习俗。到七月初七,来到百子池中,歌唱于阗国的音乐。音乐奏过后,就用五彩丝线互相缠缚,大家管它叫"相连绶"。八月初四,走出雕刻着花纹的房间北门,在竹林中下围棋。赢的人就整年有福,输的人就整年生病;如果拿一些丝线,对着北极星祈求长寿,疾病就可以免除了。九月,佩带茱萸,吃蓬蒿做的饼,喝菊花酒,可使人长寿。菊花盛开的时候,连茎和叶子都一起摘下来,把它和黄米拌后酿造,到明年九月初九酒才酿成,就可以喝了。所以,人们叫它菊花酒。正月上旬的辰日,出门到池塘边舀水洗涤,吃蓬蒿做的饼,来免除妖怪邪恶。三月上旬的巳日,在流水边奏乐,皇官里就是像这样来度过一年的。

44 汉武帝时,幸李夫人①。夫人卒后,帝思念不已。方士齐人李少翁，言能致其神。乃夜施帷帐，明灯烛，而令帝居他帐，遥望之。见美女居帐中，如李夫人之状，还幄坐而步，又不得就视。帝愈益悲感，为作诗曰："是耶？非耶？立而望之，偏。娜娜②，何冉冉其来迟！"令乐府诸音家弦歌之。

[注释]

①李夫人：李延年之妹，妙丽善舞。李延年赞美其妹："北方有佳人，绝世而独立。一顾倾人城，再顾倾人国……"后其妹得宠于汉武帝。早卒，武帝画其像于甘泉宫。②娜娜：《汉书·外戚传》无此二字，汪绍楹先生认为此二字可能是解释"偏"的含义的，误入正文。

[译文]

汉武帝当时非常宠爱李夫人。李夫人死后，汉武帝对其思念不止。齐国的方士李少翁说能招来她的灵魂。于是他就在夜里设置了帷帐，点亮了灯烛，而叫汉武帝待在别的帷帐里，远远地望着它。汉武帝看见一个美女在那帷帐中，就像李夫人的样子，她在帷帐中四面活动，一会儿坐下去，一会儿又站起来走走，但自己又不能走近去细看。汉武帝更加感伤了，为此作了首诗说："是她吗？不是她吗？我伫立望着，她翩翩婀娜！为什么慢吞吞地行走而来得这样晚？"又命令乐府机构中的乐人用琴瑟伴奏着来唱这首诗歌。

45 汉北海营陵①有道人，能令人与已死人相见。其同郡人，妇死已数年，闻而往见之，曰："愿令我一见亡妇，死不恨矣。"道人曰："卿可往见之。若闻鼓声，即出勿留。"乃语其相见之术。俄而得见之。于是与妇言语，悲喜恩情如生。良久，闻鼓声悢悢，不能得住。当出户时，忽掩其衣裾户间，掣绝而去。至后岁余，此人身亡。家葬之，开冢，见妇棺盖下有衣裾。

[注释]

①北海营陵：汉景帝中元二年（前148）分齐郡置北海郡，治所在今山

东乐昌。

[译文]

汉代北海郡营陵县有一个道士，能使活人与死人相见。有一个和他同郡的人，妻子已经死了好几年，听说后，就来求见他，说："希望你能让我见一下死了的妻子，如果真能这样，我就是死了也没有什么遗憾的了。"道士说："你可以去见她。可是，如果听到鼓声，就得马上出来，别再逗留。"于是这道士就告诉他相见的办法。一会儿这人就见到了妻子，于是和妻子谈话，那悲哀、喜悦以及恩爱之情就像妻子生前一样。过了好久，他听见鼓声恨恨响彻，知道自己不能再待下去了。当他出门的时候，忽然他的衣襟被压在门边上，他拽断衣襟就走了。过了一年多，这人死了。人们把他和妻子合葬，掘开他妻子坟墓时，发现他妻子的棺材盖下有他那被拽断的衣襟。

46 吴孙休①有疾，求觋②视者，得一人，欲试之。乃杀鹅而埋于苑中；架小屋，施床几，以妇人屐履服物着其上。使觋视之，告曰："若能说此冢中鬼妇人形状者，当加厚赏，而即信矣。"竟日无言。帝推问之急，乃曰："实不见有鬼，但见一白头鹅立墓上，所以不即白之。疑是鬼神变化作此相。当候其真形，而定不复移易。不知何故，敢以实上。"

[注释]

①孙休：三国吴景帝。孙权第六子，258 年即位，死于 264 年，时年 30 岁。②觋（xí）：男巫。

[译文]

吴国景帝孙休有点小毛病，想请男巫来看病，找到了一个人，想先试试他，就杀了只鹅埋在花园中；在它上面盖起了小屋，放置了床和小矮桌，拿妇女的鞋子衣服等放在上面，让这男巫来看，并告诉他说:"如果你能说出这坟墓中女鬼的形状,就会给你丰厚的赏赐,而且也就相信你了。"这男巫却整天不吭声。景帝催问他问得急了,他才说:"实在没见到有什么鬼,只看见一只白头鹅立在坟上。我之所以不马上把它告诉你,是因为疑心这鬼怪变化成这模样来捉弄我们。但当我探测它的真正形状时,它却固定了不再有什么变动。我实在不知道这是什么缘故,只好大胆地把它如实向皇上汇报了。"

47 吴孙峻①杀朱主,埋于石子冈②。归命即位,将欲改葬之。冢墓相亚,不可识别,而宫人颇识主亡时所着衣服。乃使两巫各住一处,以伺其灵,使察鉴之,不得相近。久时,二人俱白:"见一女人,年可三十余,上着青锦束头,紫白袷裳,丹绨丝履,从石子冈上。半冈而以手抑膝,长太息,小住须臾,更进一冢上便止,徘徊良久,奄然不见。"二人之言,不谋而合。于是开冢,衣服如之。

[注释]

①孙峻:三国吴丞相大将军,封富春侯。骄横凶恶,多所残杀。253年,他发动政变,杀死诸葛恪,自己出任丞相。②石子冈:今江苏南京南。

[译文]

吴国的孙峻杀了孙权的女儿朱主,把她埋在石子冈。归命侯孙皓即位,想要把她改葬,但坟墓排列在一起,不能辨别哪一个是朱主的坟了,只有宫女还比较了解朱主死亡时所穿的衣服。于是就让两个巫婆各自待在一个地方,来探察她们的神通,派人监督她们,不准她们接近。过了很长一段时间,两个巫婆都说:"看见一个女人,年龄大约有三十多岁,上面用青色的丝巾包着头,穿着紫色面子、白色里子的夹衣与红色的绸缎鞋子,从石子冈上走过。走到半山时,她用手压在膝盖上,长长地叹气。稍微停留了一会儿,她又向前走到一个坟上便停住了,在那坟边徘徊了很久,忽然不见了。"两个巫婆的话,不约而同,于是就掘开坟墓,那女尸穿的衣服就像巫婆说的那样。

48 夏侯弘自云见鬼,与其言语。镇西谢尚①所乘马忽死,忧恼甚至。谢曰:"卿若能令此马生者,卿真为见鬼也。"弘去,良久还,曰:"庙神乐君马,故取之。今当活。"尚对死马坐。须臾,马忽自门外走还,至马尸间便灭,应时能动,起行。谢曰:"我无嗣,是我一身之罚。"弘经时无所告。曰:"顷所见,小鬼耳,必不能辨此源由。"后忽逢一鬼,乘新车,从十许人,着青丝布袍。弘前提牛鼻。车中人谓弘曰:"何以见阻?"弘曰:"欲有所问。镇西将军谢尚无儿。此君风流令望,不可使之绝祀。"军中人动容曰:"君所道,正是仆儿。年少时,与家中婢通,誓约不再婚,而违约。今此婢死,在天诉之。是故无儿。"弘具以告。谢曰:"吾少时诚有此事。"弘于江陵②,见一大鬼,提矛戟,有随从小鬼数人。弘畏惧,下路避之。大鬼过后,捉得一小鬼,问:"此何物?"曰:"杀人以此矛戟。若中心腹者,无不辄死。"弘曰:"治此病有方否?"鬼曰:"以乌鸡薄之,即差。"弘曰:"今欲何行?"鬼曰:"当至荆、扬二州③。"尔时比日行心腹病,无有不死者。弘乃教人杀乌鸡以薄之,十不失八九。今治中恶④,辄用乌鸡薄之者,弘之由也。

[注释]

①谢尚:东晋阳夏(今河南太康)人,字仁祖。官拜尚书仆射。②江陵:又名荆州城。今为荆州市和荆州区人民政府所在地。③荆、扬二州:荆州,辖境约当今湖北、湖南两省及河南、贵州、广东、广西的一部分。扬州,辖境相当于今安徽淮水和江苏长江以南及江西、浙江、福建三省,湖北英山、黄梅、广济,河南固始等地。④中恶:病名,亦即致死之暴病。

[译文]

　　夏侯弘自己说看见了鬼,和鬼谈了话。镇西将军谢尚骑的马忽然死去,他忧伤烦恼到了极点。谢尚对夏侯弘说:"你如果能够使这匹马复活,那么你真的是看见过鬼了。"夏侯弘走了,过了很久他才回来,说:"庙里的神仙喜欢你的马,所以才把它牵走了。现在这马可以活过来了。"谢尚面对死马坐着。一会儿,马忽然从门外跑回来,跑到马的尸体上就消失了,那死马立即能动弹了,爬起来走了。谢尚说:"我没有儿子,这是对我终生的惩罚。"夏侯弘过了一段时间也没说出个究竟。他说:"刚才我所看见的,都是些小鬼,肯定不能知道这件事的原因。"后来他忽然遇见一个鬼,乘着新的车子,跟随着十几个人,穿着青色丝绸做的衣袍。夏侯弘走上前去提起拉车的牛的鼻子,牛车便停住了。车里的人对夏侯弘说:"为什么要阻拦我?"夏侯弘说:"我想问件事。镇西将军谢尚没有儿子。这人英俊杰出,名声显扬,不能让他断了香火。"车里的人被触动了心事,脸色也变了,他说:"你所说的人,正是我的儿子。他年轻的时候,和家里的婢女私通,发誓不再和别人结婚,但后来却违背了誓约。现在这婢女死了,在天上告他的状,所以他没有儿子。"夏侯弘把这些话都告诉了谢尚。谢尚说:"我年轻时的确有这件事。"夏侯弘在江陵,看见一个大鬼,提着兵器,有几个小鬼跟着。夏侯弘害怕了,走到路边躲避他。大鬼经过后,他捉住了一个小鬼,问道:"这个是什么东西?"那小鬼说:"杀人就用这种兵器。如果刺中心腹,没有不马上死去的。"夏侯弘说:"治疗这种疾病有什么方法吗?"小鬼说:"用乌骨鸡覆盖在心腹上,病就好了。"夏侯弘说:"现在你们要到什么地方去?"小鬼说:"要到荆州、扬州。"当时连日流行心腹病,得病的没有不死的。夏侯弘就叫人杀了乌骨鸡用来覆盖在病人的心腹上,百分之八九十都能奏效。现在治疗突发的急病,总是采用乌骨鸡覆盖病灶的办法,这是夏侯弘开的头啊。

卷 三

49　汉永平①中，会稽钟离意②字子阿，为鲁相。到官，出私钱万三千文，付户曹孔䜣，修夫子车。身入庙，拭几席剑履。男子张伯除堂下草，土中得玉璧七枚。伯怀其一，以六枚白意。意令主簿安置几前。孔子教授堂下床首有悬瓮，意召孔䜣，问："此何瓮也？"对曰："夫子瓮也。背有丹书，人莫敢发也。"意曰："夫子，圣人。所以遗瓮，欲以悬示后贤。"因发之，中得素书，文曰："后世修吾书，董仲舒③。护吾车，拭吾履，发吾笥，会稽钟离意。璧有七，张伯藏其一。"意即召问："璧有七，何藏一耶？"伯叩头出之。

[注释]

①永平：东汉明帝刘庄年号（58—75）。②钟离意：字子阿，会稽山阴人。年轻时在郡中做督邮。太守认为他很贤能，于是让他在县里做事。汉章帝即位后，钟离意被征拜为尚书。后病死于任上。③董仲舒：汉代思想家，政治家。广川（今河北衡水）人。前134年，汉武帝下诏征求治国方略。儒生董仲舒在著名的《举贤良对策》中系统地提出了"天人感应"、"大一统"学说和"罢黜百家，独尊儒术"的主张。

[译文]

汉代永平年间，会稽郡人钟离意，字子阿，做了鲁国的相。到任后,他拿出自己的钱一万三千文,交给户曹孔䜣,让他修孔子的车。他还亲自到孔庙去,揩拭桌子、坐席、刀剑、鞋子。有个男子张伯,在堂下除草时,从泥土里捡到了七块玉璧。张伯把其中一块藏在怀里,只拿六块禀报给钟离意。钟离意命令主簿把它放在桌子前面。孔子传授学业的讲堂前的床头有一个悬挂着的瓮,钟离意召见孔䜣,问他:"这是什么瓮?"孔䜣回答说:"是孔夫子的瓮。里面装有丹书,没有人敢打开它。"钟离意说:"孔夫子是圣人。他之所以留下这瓮,是想把它挂在这儿让后代的贤良来看。"接着就把它打开了,从里面得到一块帛书,上面写着:"后代研究我著作的,是董仲舒。保护我车子、揩拭我鞋子、开启我书箱的,是会稽人钟离意。玉璧有七块,张伯私藏了其中的一块。"钟离意就召来张伯,责问他说:"玉璧有七块,你为什么要藏一块呢?"张伯磕头求饶,马上把那块玉璧交了出来。

50　段医①字元章,广汉新都人也。习《易经》,明风角②。有一生来学积年,自谓略究要术,辞归乡里。医为合膏药,并以简书封于筒中,告生曰:"有急,发视之。"生到葭萌③,与吏争度。津吏挝破从者头。生开筒得书,言:"到葭萌,与吏斗,头破者,以此膏裹之。"生用其言,创者即愈。

[注释]

①段医:汉代医家。字元章。广汉新都(今属四川)人。②《易经》:这里指《周易》的《经》文。《周易》全书分《经》、《传》两部分,《经》以八卦两两相覆,得六十四卦。卦有六爻,爻分阴(- -)、阳(—)。风角:古代以气候来占卜的方法,候四方四隅之风以占吉凶。③葭萌:古为苴侯国,汉置葭明县。东汉改名葭萌。三国蜀改为汉寿,故城在今四川昭化县东南。

[译文]

段医,字元章,是广汉郡新都县人。他学习过《易经》,懂得根据四方之风来占吉凶之术。有一个学生来学了好几年，自以为已经大致掌握了关键的道术，便辞别师傅回老家去。段医留给他一些配制的膏药，并用竹筒写了封信封在竹筒里，告诉这学生说："碰上急事，就打开这竹筒看看。"这学生来到葭萌县，与官吏抢着渡河。管渡口的官吏打破了他随从的头。他打开竹筒看到那信札，上面写着："到葭萌县，与官吏争斗，头被打破的，就用这膏药敷在伤口上。"他就按这话办了，受伤的人马上就痊愈了。

51 右扶风①臧仲英，为侍御史②。家人作食，设案，有不清尘土投污之。炊临熟，不知釜处。兵弩自行。火从箧簏③中起，衣物尽烧，而箧簏故完。妇女婢使，一旦尽失其镜，数日，从堂下掷庭中，有人声言："还汝镜。"女孙年三四岁，亡之，求不知处；两三日，乃于圊④中粪下啼。若此非一。汝南许季山者，素善卜卦，卜之曰："家当有老青狗物，内中侍御者名益喜，与共为之。诚欲绝，杀此狗，遣益喜归乡里。"仲英从之，怪遂绝。后徙为太尉长史，迁鲁相。

[注释]

①右扶风：地区名。东汉时治所在槐里（今陕西兴平东南）。②侍御史：官名。秦置，汉沿设，在御史大夫之下。受命御史中丞，接受公卿奏事，举劾非法；有时受命执行办案、镇压暴乱等任务。③箧簏（qiè lù）：指竹箱。④圊（qīng）：厕所。

[译文]

右扶风的臧仲英，任侍御史。他家里的仆人做了饭菜，放在木托盘中，却有不清洁的尘土掉进去把饭菜弄脏了。烧饭马上要烧熟了，却不知锅到什么地方去了。兵器、弓箭自己会动。火从竹箱里烧起来，箱子里的衣服物品全都烧光了，而箱子却还像原来的样子完好无损。家里的妇女丫鬟，有一天都丢了镜子，过了几天，却看见镜子从堂下被扔到厅堂里,还有人声在说:"还给你们镜子。"他的孙女只有三四岁,忽然不见了,找来找去不知道在什么地方,过了两三天,却在厕所中的大粪下面啼哭。像这样的事情不一而足。汝南郡的许季山,一向善于占卦,为此占了个卜,说:"你家一定有一条老青狗,而家中有个仆人名叫益喜,它们一起干这些奇怪的事情。如果你真要杜绝这种事的发生,就要杀掉这条狗,遣送益喜回老家去。"臧仲英按他的办法做了,怪事就不再发生了。后来他调任太尉长史,又升迁为鲁国相。

52　太尉乔玄,字公祖,梁国①人也。初为司徒长史②。五月末,于中门卧,夜半后,见东壁正白,如开门明。呼问左右,左右莫见。因起自往,手扪摸之,壁自如故。还床复见,心大怖恐。其友应劭③适往候之,语次相告。劭曰:"乡人有董彦兴者,即许季山外孙也。其探赜索隐,穷神知化,虽眭孟、京房④,无以过也。然天性褊狭,羞于卜筮者。"间来候师王叔茂请往迎之,须臾便与俱来。公祖虚礼盛馔,下席行觞。彦兴自陈:"下土诸生,无他异分。币重言甘,诚有踧踖⑤。颇能别者,愿得从事。"公祖辞让再三,尔乃听之。曰:"府君当有怪,白光如门明者,然不为害也。六月上旬鸡鸣时,闻南家哭,即吉。到秋节,迁北行郡,以金为名。位至将军三公。"公祖曰:"怪异如此,救族不暇,何能致望于所不图?此相饶耳。"至六月九日未明,太尉杨秉⑥暴薨。七月七日,拜钜鹿⑦太守。钜边有金。后为度辽将军,历登三事。

[注释]
　　①梁国:指汉梁国。后魏改梁郡。治所在今河南商丘南。②司徒长史:司徒的属官。司徒,中国古代职官。西周始置,位次三公,与六卿相当,与司马、司空、司士、司寇并称"五官",是管理土地、人民的官,与后世的户部

尚书相当。③应劭（shào）：字仲远，东汉学者。官拜泰山太守。④眭（suī）孟：西汉人，名弘。京房（前77—前37）：西汉学者，本姓李，字君明，东郡顿丘（今河南清丰西南）人。⑤踧踖（cù jí）：局促不安的样子。⑥杨秉：东汉杨震之子，字叔节，桓帝延熹年间拜太尉。⑦钜鹿：郡名，秦置，汉因之，其地约相当于河北省平乡县。

[译文]

　　太尉乔玄，字公祖，梁国人。当初曾任司徒长史。在五月底的一天，他睡在大门边，半夜以后，看见东墙雪白，就像开了门一样明亮。他叫过身边的人来问，这些人都说没看见。于是他就起了床亲自前去，用手抚摸这墙壁，墙壁还是像原来那样。但他回到床上，又看见东墙雪白，因而他心里非常恐惧。他的朋友应劭正好去看望他，他便把这事一一告诉了应劭。应劭说："我同乡有个叫董彦兴的，是许季山的外孙。他探索幽奥隐微，深究神妙变化，就是精通《春秋公羊传》的眭孟和精通《易经》的京房，也没有什么地方可以胜过他的。但他天性拘谨，老把占卜看成是羞耻的事而不愿意干。"近来董彦兴正好来看望老师王叔茂，应劭请命去接他。一会儿，他便与应劭一起来了。乔玄谦恭地以礼款待董彦兴，准备了丰盛的酒宴，走下座席给他敬酒。董彦兴不待他请求就自己先说道："我一个乡下的学生，没有与众不同的天赋，你现在礼节隆重，言语甚美，我实在有点忐忑不安。如果我略能识别的话，愿意为你效劳。"乔玄推让了好几次，然后才听从了他，让他说说自己的命运。董彦兴便对他说："你一定碰上了奇怪的事情，是墙上的白光像开了门一样明亮吧，但这不会给你造成什么危害。六月上旬早晨鸡啼的时候，听见南边有人家在哭，你就吉利了。到秋季，你将调到北面的郡府任职，那郡府的名称中有'金'字。你的官职直到将军、三公。"乔玄说："我已经碰到这样的怪事，现在连抢救灭族的灾难都来不及，哪能把希望寄托在办不到的事情上呢？你这只是在宽我的心罢了。"到六月初九天还没亮,太尉杨秉突然死了。七月初七,乔玄被任命为钜鹿太守。钜字的偏旁中有"金"字。后来乔玄又做了度辽将军,历任太尉、司徒、司空等三公要职。

53 管辂①字公明,平原②人也。善《易》卜。安平③太守东莱王基,字伯舆,家数有怪,使辂筮之。卦成,辂曰:"君之卦,当有贱妇人,生一男,堕地便走,入灶中死。又床上当有一大蛇衔笔,大小共视,须臾便去。又乌来入室中,与燕共斗,燕死乌去。有此三卦。"基大惊曰:"精义之致,乃至于此。幸为占其吉凶。"辂曰:"非有他祸。直客舍久远,魑魅罔两,共为怪耳。儿生便走,非能自走,直宋无忌之妖,将其入灶也。大蛇衔笔者,直老书佐耳。乌与燕斗者,直老铃下耳。夫神明之正,非妖能害也。万物之变,非道所止也。久远之浮精,必能之定数也。今卦中见象而不见其凶,故知假托之数,非妖咎之征,自无所忧也。昔高宗④之鼎,非雉所雊;太戊⑤之阶,非桑所生。然而野鸟一雊,武丁为高宗;桑谷暂生,太戊以兴。焉知三事不为吉祥?愿府君安身养德,从容光大,勿以神奸,污累天真。"后卒无他。迁安南督军。后辂乡里乃太原问辂:"君往者为王府君论怪,云'老书佐为蛇,老铃下为乌'。此本皆人,何化之微贱乎?为见于爻象出君意乎?"辂言:"苟非性与天道,何由背爻象而任心胸者乎?夫万物之化,无有常形;人之变异,无有定体,或大为小,或小为大,固无优劣。万物之化,一例之道也。是以夏鲧⑥,天子之父;赵王如意,汉高之子,而鲧为黄能,意为苍狗,斯亦至尊之位,而为黔喙⑦之类也。况蛇者协辰巳之位,乌者栖太阳之精,此乃腾黑之明象,白日之流景。如书佐、铃下,各以微躯,化为蛇乌,不亦过乎?"

[注释]

①管辂(lù):三国魏人。《三国志·魏志》有传,说他精通《周易》,道术神妙,卜筮无不灵验。②平原:古郡名,今在山东平原县西南。③安平:古邑名,魏置郡。故址在今山东益都西北。④高宗:即殷商第二十三代君主武丁。⑤太戊:亦作"大戊",殷中宗。太庚的儿子。⑥鲧(gǔn):大禹的父亲。因治水无功被杀。⑦黔喙(huì):黑嘴,借指牲畜野兽之类。

[译文]

管辂,字公明,是平原人。他精通《周易》,擅长卜筮。安平太守东莱人王基,字伯舆,家里屡次出现怪事,就让管辂用蓍草给他算个卦。卦象成了后,管辂说:"根据你的卦象,一定有一个下贱的女人生一个男孩,那男孩一落地便跑,跑进灶中就死了。还有,你床上一定有一条大蛇衔了毛笔,大家都去看,一会儿它便走了。还有乌鸦飞到你家里,与燕子一起搏斗,燕子死了,乌鸦便飞走了。一共有这三种卦象。"王基十分惊奇地说:"你深入研讨事物的微妙义蕴的细密程度,竟达到了这种地步!希望你能再给我预测一下这些卦象的吉凶。"管辂说:"这并没有什么其他的灾祸,只是你住的房子太古老了,里面的魑魅魍魉等精怪一起作祟罢了。那孩子生下来就跑,不是他自己能跑,而只是火精宋无忌的妖术将他拉进了灶中。那衔笔的大蛇,只是你原来的文书罢了。那与燕子搏斗的乌鸦,只是你原来的侍从罢了。那神圣的正道,不是妖精能够加害的。各种事物的变化,不是道术所能阻止得了的。经久历远的精怪,必然具有一定的气数。现在卦象中只看见它们做的事而没看见这些事情所导致的严重后果,所以知道这些都是虚假的花招,而不是妖怪危害的预兆,这当然也就没有什么可忧虑的了。过去殷高宗的宝鼎上,不是野鸡啼叫的地方;太戊帝的石阶上,也不是桑树生长的地方。然而野鸡在那宝鼎上一叫,武丁却当上了高宗;桑树、谷树突然长在朝廷上,太戊帝却因而兴盛了。怎么知道你这三件怪事不是吉祥的征兆呢?请你安心修养高尚的德行,将它发扬光大,不要因为这些精怪的干扰而玷污了纯真的本性。"后来王基终于没碰上什么其他的不幸,升迁为安南督军。后来,管辂的同乡乃太原问管辂:"你过去与王太守谈论精怪的时候,说'原来的文书变成了大蛇,原来的侍从变成了乌鸦'。他们本来都是人,为什么让自己变成卑贱的东西呢?这是你在卦象里看见的呢,还是出自你的想象?"管辂说:"如果不是依据本性与自然之道,凭什么不顾卦象而任凭想象呢?各种事物的变化,没有永久不变的形态,人变化为其他的东西,没有固定的模式。有的东西是由大变小,有的东西是由小变大,这本来就没有什么好坏之分。各种事物的变化,一律因循着自然的规律。因此,夏代的鲧,是天子禹的父亲;赵王如意,是汉高祖刘邦的儿子。但结果鲧变成了黄熊,如意变成了青色的狗,他们也是从极其尊贵的地位,变成了普通的动物。更何况蛇与地支中的巳相配,乌鸦又是太阳的精灵!它们实在是腾蛇星宿(腾蛇宿主管水虫,五行配水,五色配黑,所以称"腾黑")的神形,是太阳的遗影。像文书、侍从这种人,各自以他们卑微的身躯,变成了蛇、乌鸦,不是也已经超过了他们原有的地位了吗?"

54 管辂至平原,见颜超貌主夭亡。颜父乃求辂延命。辂曰:"子归,觅清酒一榼,鹿脯一斤,卯日,刈麦①地南大桑树下,有二人围棋次,但酌酒置脯,饮尽更斟,以尽为度。若问汝,汝但拜之,勿言。必合有人救汝。"颜依言而往,果见二人围棋。颜置脯斟酒于前。其人贪戏,但饮酒食脯,不顾。数巡,北边坐者忽见颜在,叱曰:"何故在此?"颜惟拜之。南边坐者,语曰:"适来饮他酒脯,宁无情乎?"北坐者曰:"文书已定。"南坐者曰:"借文书看之。"见超寿止可十九岁。乃取笔挑上,语曰:"救汝至九十年活。"颜拜而回。管语颜曰:"大助子,且喜得增寿。北边坐人是北斗,南边坐人是南斗②。南斗注生,北斗注死。凡人受胎,皆从南斗过北斗。所有祈求,皆向北斗。"

[注释]

①刈(yì)麦:割麦。②北斗、南斗:皆星座名。传说南斗星掌人的生,北斗星掌人的死。

[译文]

管辂来到平原县,看见颜超的面色异常,预示着他不到成年就会死去,颜超的父亲就求管辂延长颜超的寿命。管辂对颜超说:"你回家,去准备一壶好酒,一斤鹿肉干。在逢卯的那一天,那割掉麦子的田地南边的大桑树下,有两个人在下围棋,你只管给他们斟酒,并把肉干端上去,他们喝完了杯里的酒,你就再给他们斟上,直到把酒喝完把肉吃完为止。如果他们问你,你只管向他们磕头作揖,不要说话。这样,一定会有人来搭救你的。"颜超按照管辂的话去了,果然看见两个人在下围棋。颜超拿了肉干斟了酒放在他们面前。那两个人贪图玩耍,一心扑在下棋上,只管喝酒吃肉,也不回头看看这酒、肉是什么地方来的。酒斟了好几次,坐在北边的人忽然看见颜超在边上,就责问道:"你为什么呆在这儿?"颜超只管向他磕头作揖。坐在南边的人说道:"刚才还吃他的酒肉,难道能毫不留情吗?"坐在北边的人说:"他的寿命在文书上已经写定了。"坐在南边的人说:"把你的文书借给我看一下。"他看见文书上所记载的颜超寿命只有十九岁,就拿起笔来把"九"字勾到"十"字之上,对颜超说:"我挽救你一下,让你活到九十岁。"颜超拜谢后就回去了。管辂对颜超说:"这真是大大地帮助了你,我也很高兴你能增加寿限。坐在北边的人是北斗星,坐在南边的人是南斗星。南斗星管生,北斗星管死。人只要成了胎,都在南斗星那边定好生日,再在北斗星那边定好死日。有什么请求,都得向北斗星诉说。"

55　信都①令家，妇女惊恐，更互疾病，使辂筮之。辂曰："君北堂西头有两死男子：一男持矛，一男持弓箭；头在壁内，脚在壁外。持矛者主刺头，故头重痛，不得举也；持弓箭者主射胸腹，故心中悬痛，不得饮食也。昼则浮游，夜来病人，故使惊恐也。"于是掘其室中，入地八尺，果得二棺。一棺中有矛，一棺中有角弓及箭，箭久远，木皆消烂，但有铁及角完耳。乃徙骸骨，去城二十里埋之。无复疾病。

56　利漕②民郭恩，字义博。兄弟三人，皆得躄③疾。使辂筮其所由。辂曰："卦中有君本墓，墓中有女鬼，非君伯母，当叔母也。昔饥荒之世，当有利其数升米者，排着井中，啧啧有声，推一大石下，破其头。孤魂冤痛，自诉于天耳。"

[注释]

①信都：县名，汉置。治所在今河北冀州。②利漕：据卢弼《三国志集解》，是东汉建安十八年（213）曹操所凿之渠名，以引漳水入白沟。渠自今河北曲周南，东至今大名西北。③躄（bì）：同躃，瘸腿。

[译文]

信都县县令家中，女人们都担惊受怕，轮流生病，因而让管辂用蓍草给他算个卦。管辂说："你家北屋的西头有两个死了的男人，一个男人拿长矛，一个男人拿弓箭；他们的头在墙壁里面，脚在墙壁外边。拿长矛的男人管刺头，所以被他刺中的人，头疼得很厉害，沉重得不能抬起来；拿弓箭的男人管射胸部、腹部，所以被他射中的人，心口痛得发慌，提心吊胆，吃不下饭。白天他们在闲逛，夜里就来害人，所以让女人们都担惊受怕。"于是这县令就叫人在那间屋里挖掘，掘下去八尺深，果然发现两口棺材。一口棺材中有长矛，一口棺材中有用兽角装饰的弓及箭。箭已经很古老了，箭杆木都已烂光了，只有箭头上的铁以及弓上的兽角仍然完好无损。于是就迁移他们的尸骨，将他们埋到离城二十里的地方。从此，女人们不再生病了。

利漕口有个老百姓叫郭恩，字义博。他兄弟三人，都得了瘸腿的毛病。因此就让管辂用蓍草算卦，看看这毛病到底出在什么地方。管辂说："卦象中有你家族亲人的坟墓，这坟墓中有一个女鬼，不是你的伯母，就一定是你的叔母。过去闹饥荒的时候，一定有人贪图她几升米，那人把她推到了井里，她发出啧啧的感叹声，那人又推了一块大石头下去，把她的头都砸破了。现在这孤独的灵魂受了冤枉十分悲痛，就去向老天申诉（所以才让你们都得了这恶病）。"郭恩听了这话，哭泣起来，承认那凶手就是自己。（据《魏志·管辂传》增加此句以完善故事。）

57 淳于智字叔平，济北庐人也①。性深沉，有思义。少为书生，能《易》筮，善厌胜之术。高平刘柔夜卧，鼠啮其左手中指，意甚恶之。以问智。智为筮之，曰："鼠本欲杀君而不能，当为使其反死。"乃以朱书手腕横文②后三寸，为田字，可方一寸二分，使夜露手以卧，有大鼠伏死于前。

58 上党③鲍瑗，家多丧病，贫苦。淳于智卜之，曰："君居宅不利，故令君困尔。君舍东北有大桑树。君径至市，入门数十步，当有一人卖新鞭者，便就买还，以悬此树。三年，当暴得财。"瑗承言诣市，果得马鞭，悬之三年，浚井，得钱数十万，铜铁器复二万余。于是业用既展，病者亦无恙。

[注释]

①淳于智：《晋书》有传，说他"太康末，为司马督，有宠于杨骏，故见杀"。济北：郡名，治所在今山东长清。②横文：一作"横纹"，指手腕有横的纹路。③上党：郡名，东汉末置，在今山西长治北。

[译文]

淳于智,字叔平,是济北郡庐县人。他性格深沉,讲义气。他年轻的时候是个书生,精通《易经》,擅长占卦,并很好地掌握了用诅咒来制胜的道术。高平县人刘柔在晚上睡觉的时候,有只老鼠咬他的左手中指,他心里非常讨厌这件事,就去问淳于智,淳于智给他算了个卦,说:"老鼠本来是想咬死你,但没能得逞,我该给你想个办法让它反而自己死去。"于是淳于智就用丹砂在刘柔的手腕横纹后面三寸的地方写了一个田字,大约有一寸二分见方,叫他夜里把手露在外面睡觉,结果便有一只大老鼠死在他的前面。

上党郡的鲍瑗,家里的人死的死,病的病,十分穷苦。淳于智给他占卜,说:"你的住宅不吉利,所以使你贫困成这个样子。你家的东北有棵大桑树。你径直赶到城里的集市,到市场里几十步远,会有一个卖新鞭子的人,你就去把他的鞭子买回来,将它挂在这桑树上。再过三年,你一定会猛然大发横财。"鲍瑗听从了他的话到城里去,果然买到了马鞭。他就把它挂在那桑树上,过了三年,他疏浚家里的井,得到几十万钱币,还有二万多只铜器、铁器。于是不但家里的费用不再紧缺了,连家里的病人也都痊愈了。

59 谯①人夏侯藻,母病困,将诣智卜。忽有一狐,当门向之嗥叫。藻大愕惧,遂驰诣智。智曰:"其祸甚急。君速归,在狐嗥处拊心啼哭,令家人惊怪,大小毕出,一人不出,啼哭勿休。然其祸仅可免也。"藻还,如其言,母亦扶病而出。家人既集,堂屋五间,拉然而崩。

60 护军张劭②,母病笃。智筮之,使西出市沐猴,系母臂,令傍人搥拍,恒使作声,三日放去。劭从之。其猴出门,即为犬所咋死,母病遂差。

[注释]

①谯:郡名,治所在今安徽亳州。②护军:官名。魏晋以后,护军将军是重要的军事长官。张劭:中护军杨骏的外甥,后来与杨骏一起被杀。

[译文]

谯县人夏侯藻,母亲病得很厉害,当他将要到淳于智那里去占卜的时候,忽然有一只狐狸,对着他家的大门向他嗥叫。夏侯藻惊恐万状,于是就快马加鞭赶到淳于智那里。淳于智说:"这灾祸迫在眉睫。你快点赶回去,在狐狸嗥叫的地方拍着胸口大声啼哭,使家里的人都感到惊奇,让大人小孩都出来,有一个人不出来,你就哭着别停。这样,这灾祸才可以避免。"夏侯藻回去后,照淳于智的话做了,连母亲也带病出了门。家里的人已经聚集在外面了,那五间房屋哗啦啦地都倒塌了。

护军张劭,母亲病得很重。淳于智为他算了个卦,让他到西边的集市上去买一只猕猴,买来后把它系在母亲的手臂上,叫旁边的人拍打它,使它一直叫个不停,三天后将它放掉。张劭按照这话做了。那猕猴一出门,就被狗咬死了,他母亲的病也就痊愈了。

61　郭璞①字景纯,行至庐江,劝太守胡孟康急回南渡。康不从。璞将促装去之,爱其婢,无由得,乃取小豆三斗,绕主人宅散之。主人晨起,见赤衣人数千围其家,就视则灭,甚恶之。请璞为卦。璞曰:"君家不宜畜此婢,可于东南二十里卖之,慎勿争价,则此妖可除也。"璞阴令人贱买此婢。复为投符于井中,数千赤衣人一一自投于井。主人大悦。璞携婢去。后数旬而庐江陷。

[注释]

①郭璞:晋河东闻喜(今山西闻喜县)人。著名学者,以博学高才而闻名,注《尔雅》、《山海经》等。又精通天文五行卜筮之术。晋元帝时任著作

佐郎、尚书郎。后被王敦所杀。《晋书》有传。

[译文]

郭璞，字景纯，当他来到庐江郡的时候，劝太守胡孟康赶快转回渡江南下。胡孟康不听他的。郭璞就急忙收拾行李准备离开他，但很爱他的婢女，又没有正当的办法得到她，于是就拿了三斗小赤豆，绕着胡孟康的住宅撒上。胡孟康早晨起床，看见几千个穿着红衣服的人包围了他的家，走近去仔细看，却又没有了，他十分讨厌这事，于是请郭璞为他算卦。郭璞说："你的家里不宜养这婢女，你可以到东南方二十里外把她卖了，千万别和买主讨价还价，那么这妖怪就可以除去了。"郭璞暗中叫人用便宜的价钱买了这婢女，又为太守写了道符箓丢到井里，几千个穿红衣服的人都自己纷纷跳到井里。胡孟康十分高兴。郭璞就带着婢女走了。几十天之后，庐江郡就沦陷了。

62 赵固①所乘马忽死，甚悲惜之，以问郭璞。璞曰："可遣数十人持竹竿，东行三十里，有山林陵树，便搅打之。当有一物出，急宜持归。"于是如言，果得一物，似猿。持归，入门见死马，跳梁走往死马头，嘘吸其鼻。顷之，马即能起，奋迅嘶鸣，饮食如常，亦不复见向物。固奇之，厚加资给。

[注释]

①赵固：十六国时期汉国君刘渊的部将。

[译文]

赵固骑的马忽然死了，他十分悲痛惋惜，就去请教郭璞。郭璞说："你可以派几十个人拿了竹竿，向东走三十里地，看见那陵园里的树，就乱打一气，这时一定会有一个怪物出来，便赶快把它逮回家。"于是赵固按照郭璞的话去做了，果然得到了一个怪物，样子像猿。他就把它带回家中，这怪物一进门看见死马，就矫捷地奔跑到死马的头前，对着死马的鼻子又是吹气又是吸气。一会儿，这匹马就能站起来了，精神抖擞，高声吼叫，吃喝也同往常一样，只是不再看见刚才那怪物了。赵固认为郭璞有奇才，所以给了他很多报酬。

63 扬州别驾顾球①姊，生十年便病，至年五十余，令郭璞筮。得"大过②"之"升③"。其辞曰："大过卦者义不嘉，冢墓枯杨无英华。振动游魂见龙车，身被重累婴妖邪。法由斩祀杀灵蛇，非己之咎先人瑕。案卦论之可奈何。"球乃迹访其家事，先世曾伐大树，得大蛇杀之，女便病。病后，有群鸟数千，回翔屋上。人皆怪之，不知何故。有县农行过舍边，仰视，见龙牵车。五色晃烂，其大非常。有顷遂灭。

64 义兴④方叔保得伤寒，垂死，令璞占之，不吉。令求白牛厌⑤之。求之不得。唯羊子玄有一白牛，不肯借。璞为致之，即日有大白牛从西来，径往临。叔保惊惶，病即愈。

[注释]

①别驾：官名。为刺吏的佐吏，总管众务，权力很大。顾球：晋元帝时的尚书郎。②大过：《易》卦名，巽下兑上，是一个讲人事太过分的卦。③升：《易》卦名，巽下坤上，是一个讲事物变化上升的卦。④义兴：郡名，今江苏宜兴。⑤厌：通"压"，此处当为压制妖邪。

[译文]

扬州别驾顾球的姐姐，生下来才十岁就生病，一直病到五十多岁。让郭璞给她算卦，得到的卦名是"大过"与"升"。郭璞诵读那卦辞道："'大过'这卦的涵义不佳，坟墓上的枯杨不开花。惊动了过路人看见龙车，身缠重病不离妖邪。缘由在灭种杀了神蛇，不是你自己的错误而是你亡父的过错。我只能按这卦辞告诉你，也没有其他办法。"顾球就追究他家里的事，原来他的父亲曾砍伐一棵大树，发现一条大蛇，就把它打死了，于是女儿便得了病。女儿生病后，有一群鸟有几千只，在屋上盘旋，人们都觉得奇怪，但不知道是什么缘故。有个乡下的农民经过他家，抬头一看，望见龙拉着车，五光十色，闪烁耀眼，车子大得非同寻常，过了一会儿就消失了。

义兴郡方叔保患伤寒症，将要死了，叫郭璞给他占卜，占卜的结果很不吉利，郭璞就叫他找一头白牛来压邪。方叔保找来找去找不到白牛，只有羊子玄有一头白牛，但他又不肯出借。郭璞就给他招引白牛，当天就有一头大白牛从西边走来，直奔到方叔保面前。方叔保吃了一惊，病就好了。

65 西川费孝先①，善轨革②，世皆知名。有大若人③王旻，因货殖至成都，求为卦。孝先曰："教住莫住，教洗莫洗。一石谷捣得三斗米。遇明即活，遇暗即死。"再三戒之，令诵此言足矣。旻志之。及行，途中遇大雨，憩一屋下，路人盈塞。乃思曰："教住莫住，得非此耶？"遂冒雨行。未几，屋遂颠覆，独得免焉。旻之妻已私邻比，欲媾终身之好，俟旋归，将致毒谋。旻既至，妻约其私人曰："今夕新沐者，乃夫也。"将晡，呼旻洗沐，重易巾帻。旻悟曰："教洗莫洗，得非此耶？"坚不从。妻怒，不省，自沐。夜半反被害。既觉，惊呼，邻里共视，皆莫测其由。遂被囚系拷讯。狱就，不能自辨。郡守录状，旻泣言："死即死矣，但孝先所言，终无验耳。"左右以是语上达。郡守命未得行法，呼旻问曰："汝邻比何人也？"曰："康七。"遂遣人捕之。"杀汝妻者，必此人也。"已而果然。因谓僚佐④曰："一石谷捣得三斗米，非康七乎？"由是辨雪。诚遇明即活之效。

[注释]

①西川：路名。治所在今四川成都。费孝先：宋代易学家，四川成都人。

②轨革：古代占卜术之一，以图画占吉凶。③大若人：犹言大善人，指信教的人。④僚佐：同僚属，即下属官吏。

[译文]

西川的费孝先，擅长用图画来预测吉凶的占卜之术，社会上都知道他的大名。有个信教之人叫王旻，因为经商到了成都，就请他算个卦。费孝先说："让你停你别停，让你洗你别洗。一石稻谷舂得三斗米。碰上圣明就活，碰上愚昧就死。"费孝先反复告诫他，要他把这些话背得滚瓜烂熟，那就行了。王旻把这些话牢记在心中。等到王旻回家的时候，半路上碰到了大雨，他就在一间房子下歇息，过路的人都来躲雨，把房子挤得满满的。王旻寻思道："让你停你别停，不就是指这种情况吗？"于是他就冒着雨走了。没过多少时候，这房子就倒塌了，只有他一个人能幸免于难。王旻的妻子已经和邻居私通，并想结为夫妇，等王旻回家，将对他下毒手。王旻到家后，妻子就与她的奸夫约定说："今天晚上洗澡的，就是我的丈夫。"天快黑了，妻子就叫王旻洗澡，并给他重新换上了毛巾、梳子等洗沐用具。王旻明白了："让你洗你别洗，肯定是指这个了。"于是他就坚决不听他妻子的。他妻子生气了，也没有想一想与奸夫所说的话，就自己去洗澡了。结果到了半夜，他的妻子反而被杀了。王旻马上被惊醒了，惊慌地叫起来，乡邻们都赶来察看，但没有人能推测到他妻子被害的原因，于是王旻就被囚禁起来拷问审讯。这案件已经判定，王旻也不能再为自己辩护了。太守让手下的办事人员来记录他的罪状，王旻哭着说："死就死了吧！只是费孝先所说的话，结果却没有应验罢了。"办事的人把这话向上作了汇报。太守就命令下面不要对他马上执行死刑，并传唤王旻来问道："你隔壁邻居是什么人？"王旻回答说："是康七。"太守就派人去逮捕康七，并对王旻说："杀你妻子的，一定是这个人。"后来审问了康七，果然是这样。太守就对身边的僚属们说："一石稻谷春得三斗米,那就还有七斗糠,这不是康七吗?"王旻的不白之冤靠了费孝先的这句话才得到昭雪。这实在是"碰上圣明就活"的效验啊。

66　隗炤,汝阴鸿寿亭①民也。善《易》。临终书板,授其妻曰:"吾亡后,当大荒。虽尔,而慎莫卖宅也。到后五年春,当有诏使来顿此亭,姓龚。此人负②吾金,即以此板往责③之,勿负言也。"亡后,果大困,欲卖宅者数矣,忆夫言,辄止。至期,有龚使者,果止亭中,妻遂赍板责之。使者执板,不知所言,曰:"我平生不负钱,此何缘尔邪?"妻曰:"夫临亡,手书板,见命如此,不敢妄也。"使者沉吟,良久而悟。乃命取蓍筮之。卦成,抵掌④叹曰:"妙哉隗生!含明隐迹而莫之闻,可谓镜穷达而洞吉凶者也。"于是告其妻曰:"吾不负金,贤夫自有金,乃知亡后当暂穷,故藏金以待太平。所以不告儿妇者,恐金尽而困无已也。知吾善《易》,故书板以寄意耳。金五百斤,盛以青罂,覆以铜柈,埋在堂屋东头,去地一丈⑤,入地九尺。"妻还掘之,果得金,皆如所卜。

[注释]

①汝阴:郡名,今安徽阜阳。亭:乡以下的行政机构。一般十里一亭,亭有长,十亭一乡。②负:欠债。③责:"责"与"债"为古今字,此处为索债之意。④抵(zhǐ)掌:击掌,表示高兴。⑤去地一丈:《晋书·隗炤传》作"去壁一丈"。

[译文]

隗炤,是汝阴郡鸿寿亭的老百姓,精通《易经》。他临死时写了一块板,交给他妻子,说:"我死后,会有严重的灾荒。尽管这样,你千万别把住房卖了。到五年后的春天,会有皇上委派的使者来到这鸿寿亭停宿,他姓龚。这人欠我黄金,你就用这块板去讨债,千万别违背了我的遗嘱啊!"他死后,家中果然十分贫困,他妻子几次想卖掉房产,但每次回想起丈夫的话,就打消了卖房的念头。到了预定的日期,果然有一个姓龚的使者到亭中停宿,他妻子就把这块板给了龚使者向他讨债。使者拿着这块板不知道说什么才好,就说:"我从来不欠人家的钱,你怎么能这样呢?"隗炤的妻子说:"我丈夫临死的时候,亲手写了这块板,他吩咐我这样做的,我并不敢乱来。"龚使者沉思着,过了好长时间才明白。于是就叫人拿著草为此事占了个卦。卦占好后,他拍着手赞叹说:"好啊,隗炤!你不暴露自己的明智,隐蔽起自己的形踪,因而没有人能知道你,你真可以说是一个明察穷困通达、洞悉吉利灾祸的人啊!"于是他就告诉隗炤的妻子说:"我不欠他黄金,你那贤能的丈夫本来就有黄金,因为他知道死后你们会遭到短时间的贫困,所以他藏起黄金等太平的日子来了后再说。他之所以不告诉儿子、妻子,是怕黄金用完了贫穷又没个完。他知道我精通《易经》,所以写了这块板来寄托他的心意。五百斤黄金,他用青色的瓷瓶装着,用铜盘盖着,埋在堂屋东头,距墙一丈,深九尺。"隗炤的妻子回去挖掘,果然得到了黄金,一切都与占卜时所预测到的情况一样。

67　韩友字景先,庐江舒人也。善占卜,亦行京房厌胜之术。刘世则女病魅积年,巫为攻祷,伐空冢故城间,得狸鼍①数十,病犹不差。友筮之,命作布囊,俟女发时,张囊着窗牖②间。友闭户作气,若有所驱。须臾间,见囊大胀,如吹,因决败之。女仍大发。友乃更作皮囊二枚,沓张之,施张如前,囊复胀满。因急缚囊口,悬着树,二十许日,渐消。开视,有二斤狐毛。女病遂差。

[注释]

①鼍:爬行动物,吻短,体长二米多,背部、尾部均有鳞甲。穴居江河

岸边,皮可以蒙鼓。亦称"扬子鳄"、"鼍龙"、"猪婆龙"。②牖:窗户。

[译文]

韩友,字景先,庐江郡舒县人。他擅长占卜,也会施行京房的用诅咒来制胜的道术。刘世则的女儿因为鬼魅作祟而病了好几年,巫婆为她驱邪祷告,在原来的城里发掘空坟,抓到了狐狸和猪婆龙几十只,她的毛病还是没好。韩友用蓍草给她占了个卦,于是便叫人做了一个大布袋,等这女孩发病的时候,张开布袋罩在窗口。韩友关上门运气,好像在驱赶什么似的。一会儿,便看见布袋胀得大大的,像吹了气一样,因为布袋裂开了,所以才没有成功。这女孩的毛病仍然发得很厉害。韩友就重新做了两只皮袋,重叠着套起来,就像前次一样张挂在窗口,皮袋又胀得鼓鼓的。于是他就赶快缚住袋口,然后把它挂在树上。二十天左右,这袋渐渐地小了,打开一看,有两斤狐狸毛。这女孩的病就好了。

68 会稽严卿,善卜筮。乡人魏序欲东行,荒年多抄盗,令卿筮之。卿曰:"君慎不可东行,必遭暴害,而非劫也。"序不信。卿曰:"既必不停,宜有以禳①之。可索西郭外独母家白雄狗,系着船前。"求索止得驳狗,无白者。卿曰:"驳者亦足。然犹恨其色不纯,当余小毒,止及六畜辈耳。无所复忧。"序行半路,狗忽然作声甚急,有如人打之者。比视已死,吐黑血斗余。其夕,序墅上白鹅数头,无故自死,序家无恙。

[注释]

①禳(ráng):祈祷消除灾殃。

[译文]

会稽郡的严卿,善于占卜。他的同乡魏序想到东方去,因为荒年多强盗,所以让严卿算个卦。严卿说:"你千万不可以到东边去。如果你要去,就一定会遭到残暴的杀害,而不只是被抢劫。"魏序不相信这话,严卿就说:"你既然一定要去,就该想个办法祛除这灾祸。你可以到西门外孤寡老妇人家要一条白色的公狗,把它缚在船的前面。"魏序去寻觅了一番,只得到一条颜色错杂的花狗,没有白色的。严卿说:"花狗也可以,但它的毛色不纯一,还是有点遗憾,到时候还会余下一点小小的毒汁,不过它至多只会危害到家畜之类罢了。你不要再有什么担忧了。"魏序走到半路,狗忽然叫得很厉害,就像有人在打它一样。等到魏序去察看时,狗已经死了,还吐出了一斗多黑色的血。那天晚上,魏序家里的几只白鹅,也无缘无故地死了,魏序家里的人倒没有什么灾祸。

69　沛国华佗①,字元化,一名旉。琅邪刘勋为河内太守②,有女年几二十,苦脚左膝里有疮,痒而不痛。疮愈,数十日复发。如此七八年。迎佗使视。佗曰:"是易治之。"当得稻糠黄色犬一头,好马二匹,以绳系犬颈,使走马牵犬,马极辄易,计马走三十余里,犬不能行。复令步人拖曳,计向五十里。乃以药饮女,女即安卧,不知人。因取大刀,断犬腹近后脚之前。以所断之处向疮口,令二三寸停之。须臾,有若蛇者从疮中出,便以铁椎横贯蛇头。蛇在皮中动摇良久,须臾不动,乃牵出,长三尺许,纯是蛇,但有眼处,而无瞳子,又逆鳞耳。以膏散着疮中,七日愈。

70　佗尝行道,见一人病咽,嗜食不得下。家人车载,欲往就医。佗闻其呻吟声,驻车往视,语之曰:"向来道边,有卖饼家蒜齑大酢③,从取三升饮之,病自当去。"即如佗言,立吐蛇④一枚。

[注释]

①华佗(约145—208):东汉末医学家。字元化,沛国谯(今安徽亳州市谯城区)人。《后汉书·华佗传》说他"兼通数经,晓养性之术",尤其

"精于方药"。人们称他为"神医"。②刘勋：字子台，琅琊（今山东临沂）人。河内：郡名，治所在今河南武陟西南。③虀（jī）：碎末。酢（cù）：醋。④蛇：此处当为一种像蛇一样的寄生虫。

[译文]

沛国的华佗，字元化，又名叫旉。琅邪郡人氏刘勋任河内郡太守，有个女儿年龄快二十岁了，因为左边的膝盖里生了疮而十分苦恼，痒得厉害，却不疼痛。疮暂时好了，过了几十天便又复发，像这样一直过了七八年，才请来华佗让他诊治。华佗说："这毛病好治。"于是他找了一条与稻糠一样颜色的黄狗，两匹好马，用绳系在狗的脖子上，让奔走着的马牵着狗跑，一匹马筋疲力尽了，就换上另一匹。估计马跑了三十多里，狗走不动了。又叫步行的人拖着狗走，共计走了五十里。于是他拿药给女孩喝，这女孩就安然躺下，不知人事了。接着他就拿起大刀，把这条狗靠近后腿前的腹部斩断，拿这斩断的地方对准女孩的疮口，让它与疮口保持二三寸的距离。一会儿，就有像蛇一样的东西从疮口中爬出来，华佗便用铁锥子横向戳穿它的头部。这蛇在女孩的皮肤下蠕动了好长时间，过了一会儿便不动了。华佗就把它拉出来，竟有三尺左右长，纯粹是条蛇，不过它只有眼眶，而没有眸子，又倒长着鳞片罢了。华佗用药膏涂在这女孩的疮口创面，过了七天，女孩的疮就痊愈了。

华佗有一次走在路上，看见有个人喉咙里生了病，很想吃东西，但咽不下。他的仆人用车装着他，想去让医生诊治。华佗听见他呻吟的声音，就停住车看了一下，对他说："你刚才经过的路旁，一家卖饼的有蒜泥醋，你从他那里取来三升喝了，毛病自然会消除。"这人就按照华佗的话去做了，立刻吐出了一条像蛇一般的寄生虫。

卷 四

71 风伯、雨师，星也。风伯者，箕星也；雨师者，毕星①也。郑玄谓司中、司命，文昌第四、第五星也。雨师一曰屏翳，一曰号屏，一曰玄冥。

72 蜀郡张宽，字叔文，汉武帝时为侍中。从祀甘泉②，至渭桥，有女子浴于渭水③，乳长七尺。上怪其异，遣问之。女曰："帝后第七车者，知我所来。"时宽在第七车，对曰："天星主祭祀者。斋戒不洁则女人④见。"

[注释]

①箕星、毕星：是两个星宿。古人认为月亮在箕星就会大风，在毕星就会下雨。②甘泉：泉水名，在陕西甘泉县，东入洛河。③渭桥：此指中渭桥。渭水：即渭河，流经长安。④女人：指女宿。北方玄武七星的第三宿，为二十八宿之一。

[译文]

风伯、雨师，都是星宿。风伯，是箕宿；雨师，是毕宿。郑玄说司中、司命是文昌宫的第四、第五星。雨师又叫屏翳，又叫号屏，又叫玄冥。

蜀郡的张宽，字叔文，汉武帝的时候曾在皇宫里做侍中。他跟随皇帝到甘泉祭祀，经过渭桥，看见有一个妇女在渭水中洗澡，她的乳房有七尺长。皇上对她生得这样特别感到奇怪,就派人去问她。这位妇女说:"皇帝后面第七辆车中的人,知道我是从什么地方来的。"当时张宽在第七辆车中,他回答说:"这是天上管祭祀的星宿。祭祀前身心不整洁,那么这女宿就显现原形了。"

73 文王①以太公望②为灌坛令。期年,风不鸣条。文王梦一妇人,甚丽,当道而哭。问其故,曰:"吾泰山之女,嫁为东海妇。欲归,今为灌坛令当道有德,废我行。我行必有大风疾雨。大风疾雨,是毁其德也。"文王觉,召太公问之。是日果有疾雨暴风,从太公邑外而过。文王乃拜太公为大司马。

[注释]

①文王:姓姬,名昌,生卒年不详。商纣时为西伯,建国于岐山之下,积善行仁,政化大行,因崇侯虎向纣王进谗言,而被囚于羑里,后得释归。益行仁政,天下诸侯多归从,子武王得天下后,追尊为文王。②太公望:姜姓,吕氏,名望,字子牙,号飞熊,也称吕尚或姜尚。商朝末年人。商末东海上人士(今河南许昌,另一说法是安徽临泉姜寨)。姜子牙少壮穷困卑贱,直到老年才遇文王、武王,得展抱负,是所谓大器晚成的典型。

[译文]

周文王任命吕尚为灌坛令。一周年后,风调雨顺、国家太平。周文王梦见一个妇女,长得很漂亮,挡路啼哭。问她哭泣的原因,她说:"我是泰山神女,嫁给东海龙王为妻。我想出嫁,现在灌坛令当政,并且他有德行,因此妨碍了我的行程。因为我一走过必定会有狂风暴雨,有狂风暴雨,这就是毁坏他的德行呀。"周文王醒来,召见吕尚询问这件事。那一天果然有暴风骤雨,但只从吕尚住的灌坛城外经过。周文王于是就任命吕尚为大司马。

74 胡母班①字季友,泰山人也。曾至泰山之侧,忽于树间逢一绛衣驺,呼班云:"泰山府君②召。"班惊愕,逡巡未答。复有一驺出,呼之。遂随行数十步,驺请班暂瞑。少顷,便见宫室,威仪甚严。班乃入阁拜谒,主为设食,语班曰:"欲见君,无他,欲附书与女婿耳。"班问:"女郎何在?"曰:"女为河伯③妇。"班曰:"辄当奉书,不知缘何得达?"答曰:"今适河中流,便扣舟呼青衣④,当自有取书者。"班乃辞出。昔驺复令闭目,有顷,忽如故道。遂西行,如神言而呼青衣。须臾,果有一女仆出,取书而没。少顷复出,云:"河伯欲暂见君。"婢亦请瞑目。遂拜谒河伯。河伯乃大设酒食,词旨殷勤。临去,谓班曰:"感君远为致书,无物相奉。"于是命左右:"取吾青丝履来。"以贻班。班出,瞑然,忽得还舟。遂于长安经年而还。至泰山侧,不敢潜过。遂扣树,自称姓名:"从长安还,欲启消息。"须臾,昔驺出,引班如向法而进。因致书焉。府君请曰:"当别再报。"班语讫,如厕。忽见其父着械徒⑤作,此辈数百人。班进拜流涕,问:"大人何因及此?"父云:"吾死不幸,见遣三年,今已二年矣,困苦不可处。知汝今为明府所识,可为吾陈之,乞免此役。便欲得社公耳。"班乃依教,叩头陈乞。府君曰:"生死异路,不可相近,身无所惜。"班苦请,方许之。于是辞出,还家。岁余,儿子死亡略尽。班惶惧,复诣泰山,扣树求见。昔驺遂迎之而见。班乃自说:"昔辞旷拙,及还家,儿死亡至尽。今恐祸故未已,辄来启白,幸蒙哀救。"府君抚掌大笑曰:"昔语君'死生异路,不可相近'故也。"即敕外召班父。须臾,至庭中,问之:"昔求还里社,当为门户作福,而孙息死亡至尽,何也?"答云:"久别乡里,自欣得还,又遇酒食充足,实念诸孙,召之。"于是代之。父涕泣而出。班遂还。后有儿皆无恙。

[注释]

①胡母班:东汉名士。《三国志·袁绍传》有载,董卓时官至执金吾,

后袁绍使河内太守王匡杀之。②泰山府君：传说中的神，掌管人间生死及招收鬼魂。后封为东岳大帝。③河伯：传说中的黄河神。④青衣：称呼婢女，因其多穿青色衣而得名。⑤徒：徒刑，古代五刑之一。即判刑而服劳役。

[译文]

  胡母班，字季友，是泰山郡人。有一次他经过泰山的旁边，忽然在树林里碰上一个穿红衣服的骑士，招呼胡母班说："招收魂魄的泰山府君神召见你。"胡母班惊呆了，正在犹豫不决还没回答的时候，又有一个骑士出来，呼唤他。于是胡母班就跟着他们走了几十步，骑士就请胡母班暂时闭上眼睛。一会儿，他看见宫殿房屋，仪仗非常威严。胡母班就进府拜见了泰山府君，泰山府君让人给他端上饭菜，对胡母班说："我想见你，没有别的事情，只是想请你捎封信给我女婿罢了。"胡母班问："你女儿在哪里？"泰山府君说："我女儿是河伯的妻子。"胡母班说："我立即就拿信送去，不知道沿着什么路走才能到她那里？"泰山府君回答说："你一到黄河的中央，就敲打着船呼唤奴婢，自会有取信的人出来。"胡母班就告辞了出来，刚才那骑士又让他闭上眼睛，一会儿，他忽然又回到了原来的路上。胡母班就向西去了，像泰山府君所说的那样呼唤奴婢。一会儿，果然有一个婢女出来，拿了信就又潜到水中去了。过了一会儿，这婢女又冒出水面，说："河伯想见你一下。"这婢女也请他闭上眼睛。不一会儿，胡母班便拜见了河伯。河伯于是大摆酒宴，说话也十分热情。临走时，他对胡母班说："感激你老远给我送来信，我也没有什么东西奉送给你。"于是就命令身边的侍从："把我的青丝鞋拿来。"于是就把这鞋子赠送给了胡母班。胡母班出来时，也闭上眼睛，忽然又回到了船上。胡母班在长安过了一年就回家去了。他走到泰山旁边，不敢偷偷地经过，就敲着树干，自报姓名："我胡母班从长安回来，想报告一下消息。"一会儿，从前的那骑士出来，带着胡母班按照过去的方法进了泰山。于是胡母班就向泰山府君报告了送信的经过。泰山府君道谢说:"我会在其他方面再报答你。"胡母班说罢,上厕所去。忽然看见他父亲带着刑具在干犯人所服的劳役,这种人有几百个。胡母班上前拜见父亲,流着泪问:"父亲大人为什么落到这个地步?"他父亲说:"我死了后很不幸,被惩罚三年,现在已经二年了,苦得不能再待下去了。知道你现在被府君所赏识,你可以给我向他诉说一下,求他免除这劳役,我只是想当一个乡里的土地神罢了。"胡母班就依照父亲教给他的话,向府君磕头求情。府君说:"活人和死人属于不同的世界,不可以互相接近。我是不能可怜你父亲的。"胡母班苦苦哀求,府君才答应了他的请求。于是胡母班告辞出来,回家去了。过了一年多,胡母班的儿子几乎死光了。胡母班很恐惧,又来到泰山,敲树求见。过去的骑士就迎接他去见府君。胡母班就自己先说道:"我过去说话粗疏,等到我回家后,我的儿子都快死光了,现在恐怕祸事还没完,所以马上来禀告给你,希望得到你的怜悯和拯救。"府君拍手大笑说:"这就是我过去对你所说的'活人和死人属于不同的世界,不可以互相接近'的缘故啊。"就传令外边召见胡母班的父亲。一会儿,胡母班的父亲来到厅堂上,府君就问他:"过去你请求回到家乡当个土地神,本当为家族造福,可是你的孙儿快死光了,这是为什么呢?"胡母班的父亲回答说:"我离开家乡很久了,十分高兴能回家,又碰上吃的喝的十分丰盛,实在想念孙儿们,所以就召来了他们。"于是府君便撤换了胡母班的父亲。他父亲痛哭流涕地出去了。胡母班就回家去了,后来又有了儿子,都平安无事。

75 宋时,弘农冯夷①,华阴②潼乡隄首人也。以八月上庚日渡河,溺死。天帝署为河伯。又《五行书》曰:"河伯以庚辰日死。不可治船远行,溺没不返。"

[注释]

①弘农：郡名，治所在今河南灵宝。冯夷：即黄河之神河伯。②华阴：县名，故治在今陕西华阴东南。

[译文]

宋时，弘农郡的冯夷，是华阴县潼乡隄首地方人。他在八月上旬的庚日横渡黄河时被淹死了，天帝安排他当河伯。另外，《五行书》也说："河伯死在庚辰日。这一天不可以开船到远处去，如果去，就会沉没回不来。"

76　吴①馀杭县②南有上湖，湖中央作塘。有一人乘马看戏，将三四人至岑村饮酒，小醉，暮还。时炎热，因下马入水中，枕石眠。马断走归，从人悉追马，至暮不返。眠觉，日已向晡，不见人马。见一妇来，年可十六七，云："女郎再拜，日既向暮，此间大可畏。君作何计？"因问："女郎何姓？那得忽相闻？"复有一少年，年十三四，甚了了，乘新车，车后二十人，至，呼上车。云："大人暂欲相见。"因回车而去。道中绎络把火，见城郭邑居。既入城，进厅事上，有信幡，题云："河伯信。"俄见一人，年三十许，颜色如画，侍卫繁多。相对欣然，敕行酒笑，云："仆有小女，颇聪明，欲以给君箕帚。"此人知神，不敢拒逆。便敕备办，会就郎中婚。承白已办，遂以丝布单衣及纱袷、绢裙、纱衫裤、履屐，皆精好。又给十小吏，青衣数十人。妇年可十八九，姿容婉媚。便成。三日，经大会客拜阁③。四日，云："礼既有限，发遣去。"妇以金瓯、麝香囊与婿别，涕泣而分。又与钱十万、药方三卷，云："可以施功布德。"复云："十年当相迎。"此人归家，遂不肯别婚；辞亲，出家作道人。所得三卷方：一卷脉经，一卷汤方，一卷丸方。周行救疗，皆致神验。后母老兄丧，因还婚宦。

[注释]

①吴：《法苑珠林》作"宋时"。②馀杭县：古县名，今杭州余杭区。③拜阁：拜门。魏晋习俗，婚后三日为女婿拜阁日，举宴会客。

[译文]

吴郡余杭县南边有个上湖，这湖的中央筑有堤坝。有一个人骑着马去看戏，带了三四个人到岑村喝酒，喝得稍微有点醉了，看看太阳已偏西，他就和随从一起回家去。当时天气十分炎热，因而他就下了马跳到湖里，把头枕在石头上睡着了。哪知他的马却扯断了缰绳跑回家去了，随从们都去追马，到天黑也没回来。他一觉醒来，天色将黑，一看人与马都不见了。只见一个女子走来，年纪大约有十六七岁，对他说："小女子再拜行礼，天已经快黑了，这儿太可怕了，你打算怎么办？"他就问："姑娘你姓什么？怎么会一下子跟我在这儿偶遇呢？"这时又有一个少年，年纪在十三四岁，生得聪明伶俐，坐了一辆新车，车后跟着二十个人，来到这儿，招呼他上车，对他说："我父亲想见你一下。"这少年便掉转车头回去了。只见路上火把接连不断，一会儿便望见那城墙房屋。进了城，来到官府公堂上，只见有一面信旗，上面写着"河伯信"。一会儿又看见一个人，年纪在三十岁左右，面色就像图画上画的一样，侍从很多。河伯对他的来临感到很高兴，就让侍从给他斟酒端肉，并对他说："我有个女儿，很聪明，我想把她嫁给你。"这个人知道河伯是神，所以不敢拒绝。河伯就命令部下去准备，让女儿与他结婚。承办的小吏汇报说已办妥，河伯就拿丝绸单衣以及纱夹衣、绸缎裙子、纱短衫裤、鞋子等给了他，这些东西都很精美。又给了他十个小吏，几十个婢女。那女子年龄大约在十八九岁，身材苗条，容貌妩媚。于是他们成了婚。婚后三天，举行了盛大的宴会，宾客云集，女婿拜门。第四天，河伯说："婚礼既然有规矩，那就要打发他走了。"这个人的妻子便拿了黄金酒器、麝香袋和丈夫告别，痛哭流涕地和他分手。另外,还给了他十万铜钱、三卷药方,对他说:"这些东西可以用来为百姓做好事布施恩德。"又说:"再过十年,你要来接我。"这个人回家后,就不肯再与别人结婚了;他辞别了父母亲,出家做了道士。他得到的三卷药方:一卷是脉经,一卷是汤剂方,一卷是丸药方。他四处奔走,救死扶伤,这些药方都取得了神奇的效果。后来他母亲年老、哥哥死了,就又还俗回家结了婚。

77　秦始皇三十六年,使者郑容从关东来,将入函关①。西至华阴,望见素车白马,从华山上下。疑其非人,道住,止而待之。遂至。问郑容曰:"安之?"答曰:"之咸阳。"车上人曰:"吾华山使也。愿托一牍书,致镐池君所。子之咸阳,道过镐池②,见一大梓,有文石,取款梓,当有应者,即以书与之。"容如其言,以石款梓树,果有人来取书。明年,祖龙③死。

[注释]

①函关:古函谷关,在今河南灵宝东北。②镐池:古池名,在西周镐京,今陕西省西安市丰镐村西北洼地一带。③祖龙:秦始皇的别称。

[译文]

秦始皇三十六年(前211),使者郑容从关东过来,将要进函谷关。他向西走到华阴县,远远望见白车白马从华山顶上下来。他怀疑那车中坐的不是人,就在路上停住了,呆在那里等车马过来。一会儿那车子就到了他眼前,里面的人问郑容道:"你到哪里去?"郑容回答说:"到咸阳。"车上的人说:"我是华山神的使者。我想托你带一封信,送到镐池君那里。你到咸阳,将路过镐池,在镐池你会看见一棵大梓树,那树下有一块带有花纹的石头,你拿它敲梓树,就会有接应的人出来,你就把信交给他。"郑容按照他的话,用那石头敲那棵梓树,果然有人来拿信。第二年,秦始皇便死了。

78　张璞字公直,不知何许人也。为吴郡①太守,征还,道由庐山。子女观于祠室②,婢使指像人以戏曰:"以此配汝。"其夜,璞妻梦庐君③致聘④曰:"鄙男不肖,感垂采择,用致微意。"妻觉,怪之。婢言其情。于是妻惧,催璞速发。中流,舟不为行。阖船震恐。乃皆投物于水,船犹不行。或曰:"投女则船为进。"皆曰:"神意已可知也,以一女而灭一门,奈何?"璞曰:"吾不忍见之。"乃上飞庐卧,使妻沉女于水。妻因以璞亡兄孤女代之。置席水中,女坐其上,船乃得去。璞见女之在也,怒曰:"吾何面目于当世也!"乃复投己女。及得渡,遥见二女在下。有吏立于岸侧,曰:"吾庐君主簿也。庐君谢君。知鬼神非匹,又敬君之义,故悉还二女。"后问女,言:"但见好屋、吏卒,不觉在水中也。"

79　建康⑤小吏曹著,为庐山使所迎,配以女婉。著形意不安,屡屡求请退。婉潸然⑥垂涕,赋诗序别,并赠织成裈衫。

[注释]

①吴郡:郡名。东汉永建四年(129)置,治所在今江苏苏州。②祠室:供奉神灵的祠庙。此指庐山神庙。③庐君:庐山使君,即庐山神。《水经注》引《博物志·曹著传》:"其神自云姓徐,受封庐山。"④致聘:送聘礼。⑤建康:我国古都之一,即今南京市。原名建邺,后为避愍帝司马邺讳改名。⑥潸然:落泪的样子。

[译文]

张璞,字公直,不知道是何处人。他任吴郡太守的时候,被征召回朝,路过庐山。他的儿女游览祠堂,婢女指着那泥菩萨和他女儿开玩笑说:"让它和你配夫妻。"那天夜里,张璞的妻子梦见庐山神送上聘礼说:"我的儿子不成器,感谢你肯选择我儿子做女婿,我拿这些东西来表示一点小小的心意。"张璞的妻子醒来后,感到这事很奇怪。那婢女便说出了开玩笑的事情，于是妻子很害怕，催促张璞赶快出发。谁知道船刚行到江心，却不能再前进了。全船的人都十分惊惧，就一起向江中扔东西，但是船还是不动。这时有人说："把女孩扔到江中，船就能前进了。"大家也都附和着说："山神的用意已经可以明白了。因为舍不得一个女儿而使一家都遭殃，这怎么行呢？"张璞说："我不忍心眼睁睁地看着女儿被扔进江中。"于是他就登上船的顶楼去睡了，让妻子把女儿沉到江中去。他的妻子使用张璞已故兄长的孤女代替了自己的女儿，把席子放在水面上，让女孩坐在上面，这样，船才开走了。张璞下来看见自己的女儿还在船上，生气地说："我还有什么脸面活在世上！"就又把自己的女儿扔进水里。等他们渡到对岸的时候，远远望见两个女孩站在岸下。有个小吏站在岸边，对张璞说："我是庐山神的主簿。庐山神向你拜谢道歉，他知道鬼神不能和你女儿婚配，又钦佩你的道义，所以把两个女孩全部送回来了。"后来张璞问女儿，女儿说："我当时只看见漂亮的房屋和官吏士兵，没感觉到自己是在水中。"

建康郡的小吏曹著，被庐山之神的使者接了去，庐山神把自己名叫婉的女儿嫁给了他。曹著老是心神不定，多次请求下山。婉儿泪流满面，作了一首诗和他告别，并把高级丝织品所做的裤子衣衫赠给了他。

80　宫亭湖①孤石庙，尝有估客至都，经其庙下，见二女子，云："可为买两量丝履，自相厚报。"估客至都，市好丝履，并箱盛之。自市书刀②亦内箱中。既还，以箱及香，置庙中而去，忘取书刀。至河中流，忽有鲤鱼跳入船内，破鱼腹，得书刀焉。

81　南州人有遣吏献犀簪于孙权者，舟过宫亭庙而乞灵焉。神忽下教曰："须汝犀簪。"吏惶遽，不敢应。俄而犀簪已前列矣,神复下教曰:"俟汝至石头城③,返汝簪。"吏不得已,遂行。自分失簪且得死罪。比达石头,忽有大鲤鱼,长三尺,跃入舟。剖之得簪。

[注释]

①宫亭湖:古彭泽湖的别称,因湖旁庐山下有宫亭庙而得名,后发展而为今鄱阳湖。②书刀:古人在竹简上写字,常用来削改的刀。③石头城:又名石首城,简称石城。故址在今江苏南京市清凉山。

[译文]

宫亭湖畔有座孤石庙,曾经有一个贩运货物的商人到都城去,经过这庙下的时候,看见两位姑娘对他说:"希望你能给我们买两双丝鞋来,我们一定会重谢你。"这商人到了都城,买好丝鞋,把它们合装在一只箱子里,他自己买了一把写字时用来削改竹简的书刀也放在箱子里。既已返回,他就把箱子和线香放在庙里走了,却忘了取出书刀。他的船刚行到河中央,忽然有一条鲤鱼跳进船舱里。他把鱼肚子剖开,竟从那里面得到了书刀。

南州人派小吏给孙权进献犀牛角制成的簪子,船经过彭泽湖边的宫亭庙,这小吏就到庙中乞求神灵保佑。可那神灵忽然传话说:"我要你的犀牛角簪子。"这小吏惊恐万状,不敢答应。过了一会儿,犀牛角簪子已经放到神像的前面了,那神灵又传话说:"等你到了石头城,我把簪子还给你。"这小吏也无可奈何,就怏怏不乐地走了。他自料丢了这簪子,将会被判处死刑。哪知等他的船到了石头城,忽然有一条大鲤鱼,长三尺,跳进船里。他把鱼肚剖开,便得到了这簪子。

82 郭璞过江,宣城①太守殷祐引为参军。时有一物,大如水牛,灰色,卑脚,脚类象,胸前尾上皆白,大力而迟钝,来到城下。众咸怪焉。祐使人伏而取之。令璞作卦,遇"遁"②之

"蛊"③，名曰"驴鼠"。卜适了，伏者以戟刺，深尺余。郡纪纲上祠请杀之。巫云："庙神不悦。此是郏亭④驴山君使，至荆山，暂来过我。不须触之。"遂去，不复见。

[注释]

①宣城：郡名。治所在宛陵（今安徽宣城）。②遁：《周易》卦名。艮下乾上，卦义专讲进退之事。③蛊：《周易》卦名。巽下艮上，卦义讲伦理观念。④郏（gōng）亭：即宫亭湖。

[译文]

郭璞过了长江，宣城郡太守殷祐推荐他当了参军。当时有一个怪物，像水牛一样大，灰颜色，矮脚，脚与象相似，胸口前面以及尾巴上面都是白颜色，力气很大，但行动迟钝，来到宣城城下。老百姓看见了这怪物都觉得很奇怪。殷祐派人埋伏下来把它逮住了，让郭璞算卦，碰到的是"遁"卦与"蛊"卦，原来这怪物叫做"驴鼠"。卦刚算完，埋伏的人就用戟刺这怪物，刺进去有一尺多深。宣城郡的主簿到祠庙里去请求把它杀了。庙里的巫婆说："庙里的神灵对你们的做法很恼火。这是宫亭湖畔庐山神的使者，它要到荆山去，暂时来拜访我一下。你们不必去碰它。"于是这怪物就走了，从此再也没有人看见过它。

83 庐陵①欧明，从贾客，道经彭泽湖。每以舟中所有，多少投湖中，云："以为礼。"积数年。后复过，忽见湖中有大道，上多风尘。有数吏，乘车马来候明，云："是青洪君②使要。"须臾达，见有府舍，门下吏卒，明甚怖。吏曰："无可怖。青洪君感君前后有礼，故要君。必有重遗君者。君勿取，独求如愿耳。"明既见青洪君，乃求如愿。使逐明去。如愿者，青洪君婢也。明将归，所愿辄得，数年，大富。

[注释]

①庐陵：郡名，治所在石阳（今江西吉水东北）。②青洪君：彭泽湖之神。

[译文]

庐陵郡的欧明，跟随贩运货物的商人路过彭泽湖，总是把船里的东西或多或少地丢一点到湖里，说："把它作为我的礼物吧。"这样一直过了几年，后来他又经过彭泽湖，忽然看见湖中有一条大路，路上尘土很多。有几个小吏，乘着车、骑着马来迎接欧明，说是青洪君派他们来邀请他的。一会儿欧明便到了那里，只看见有官府房屋，门口还有差役把持，欧明很害怕。那小吏说："没有什么可害怕的。青洪君感激你前前后后赠送礼品，所以邀请你。他肯定有贵重的物品送给你，可你别拿，独独求个如愿就行了。"欧明见了青洪君，就向他要如愿。青洪君就让如愿跟着欧明走了。如愿，是青洪君的婢女。欧明带着如愿回家，他的愿望总是能实现，几年下来，他就极其富裕了。

84 益州之西，云南之东，有神祠①。剋山石为室，下有神奉祠之。自称黄公。因言此神，张良②所受黄石公之灵也。清净不宰杀。诸祈祷者，持一百钱，一双笔，一丸墨，置石室中。前请乞，先闻石室中有声，须臾，问来人何欲。既言，便具语吉凶，不见其形。至今如此。

85 永嘉中，有神见兖州③，自称樊道基。有姬，号成夫人。夫人好音乐，能弹箜篌④。闻人弦歌，辄便起舞。

[注释]

①益州：州名。汉武帝所置十三刺史部之一，辖境主要在今四川。云南：州名，西汉置，治所在今云南祥云。②张良：汉初大臣。高祖刘邦的重要谋士，助高祖得天下，封留侯。③兖州：汉武帝所置十三刺史部之一。辖境主要

在今山东。④箜篌：古代一种弦乐器。

[译文]

益州的西面，云南的东面，有一座神庙。在山崖上凿个洞作为供奉神灵的宝殿，宝殿下有个神像，人们供奉它。神自称黄公，于是人们说这庙的神灵，是张良所受教的黄石公的神灵。他喜欢清静素洁，不主张宰杀牲畜来祭他。来祈祷的人们，只要拿一百张纸，两支笔，一块墨放在那石洞中，便可以走上前去乞求了。先可以听见石洞中发出声音，过了一会儿，里边就问来祈祷的人有什么要求。等祈祷的人说完，他就一一告诉其中的吉凶，但看不见他的形体。这情况直到今天还是这样。

永嘉年间（307—313），有个神仙出现在兖州，自称是樊道基。有个妇女，号称成夫人。成夫人喜欢音乐，会弹箜篌，她听见别人奏乐歌唱，马上就跳起舞来了。

86　沛国戴文谋，隐居阳城山中。曾于客堂食际，忽闻有神呼曰："我天帝使者。欲下凭君，可乎？"文闻甚惊。又曰："君疑我也？"文乃跪曰："居贫，恐不足降下耳。"既而洒扫设位，朝夕进食甚谨。后于室内窃言之。妇曰："此恐是妖魅凭依耳。"文曰："我亦疑之。"及祠飨①之时，神乃言曰："吾相从，方欲相利，不意有疑心异议。"文辞谢之际，忽堂上如数十人呼声。出视之，见一大鸟五色，白鸠数十随之，东北入云而去。遂不见。

[注释]

①祠飨：祭祠神时祭献的食物。

[译文]

沛国的戴文谋，隐居在阳城山中。有一次他在客厅吃饭的时候，忽然听见有个神仙对他说："我是天帝的使者，想下凡来依靠你，可以吗？"戴文谋听后十分吃惊。那神仙又说："你怀疑我吗？"戴文谋便跪下来说："我很穷，恐怕不值得你下凡依靠吧。"接着戴文谋就把家中打扫干净，设立了这神仙的牌位，天天进献食物，十分谨慎。后来他在房间里偷偷地把这件事告诉了妻子，他妻子说："这恐怕是妖怪想依靠我们吧。"戴文谋说："我也怀疑他。"等到他再进献祭品的时候，那神仙便对他说："我跟随你，刚想帮你的忙，想不到你对我还有疑心，还说我的鬼话。"戴文谋正在向他道歉的时候，厅堂上忽然发出像几十个人在呼叫的声音。他出去一看，只见一只五色大鸟，有几十只白鸠跟随着它，飞进东北方的云中去了，从此就消失了。

87　麋竺[①]字子仲，东海朐人也[②]。祖世货殖，家赀巨万。常从洛归，未至家数十里，见路次有一好新妇，从竺求寄载。行可二十余里，新妇谢去，谓竺曰："我天使也。当往烧东海麋竺家。感君见载，故以相语。"竺因私请之。妇曰："不可得不烧。如此，君可快去。我当缓行。日中必火发。"竺乃急行归，达家，便移出财物。日中而火大发。

[注释]

①麋竺：三国蜀将，刘备拜为安汉将军。②东海：郡名，辖境在今山东、江苏交界处。朐（qú）：县名，治所在今江苏连云港附近。

[译文]

麋竺，字子仲，东海郡朐县人。他家祖祖辈辈经商，财产丰厚。有一次他从洛阳回家，在离家还有几十里的地方，在路上碰到一位漂亮的新娘，向他请求搭车。麋竺让她上车后，走了大约二十多里，新娘向他告别，对麋竺说："我是天使，要去烧掉东海郡麋竺的家。感激你让我搭了车，所以把这个消息告诉你。"麋竺听了后就向她求情，那新娘说："不烧是不可能的。这样吧，你可以赶快回去，我就慢慢地走来，但到中午一定要烧起来了。"糜竺就急忙赶回家，到家后，就搬出所有的财物。到了中午，大火就熊熊地燃烧起来了。

88　汉宣帝①时，南阳阴子方者②，性至孝，积恩好施，喜祀灶。腊日③晨炊，而灶神形见。子方再拜受庆。家有黄羊，因以祀之。自是已后，暴至巨富，田七百余顷，舆马仆隶，比于邦君④。子方尝言："我子孙必将强大。"至识三世，而遂繁昌。家凡四侯，牧守数十。故后子孙尝以腊日祀灶，而荐黄羊焉。

89　吴县张成，夜起，忽见一妇人立于宅南角，举手招成曰："此是君家之蚕室，我即此地之神。明年正月十五，宜作白粥，泛膏于上。"以后年年大得蚕。今之作膏糜像此。

[注释]

①汉宣帝：即刘询，西汉皇帝，前73至前49年在位。②南阳：郡名，辖境主要在今河南省西南部。阴子方：本事见《后汉书·阴识传》。③腊日：腊月最重大的节日，俗称"腊八节"。④邦君：指地方长官。

[译文]

汉宣帝的时候，南阳郡有个叫阴子方的人，本性极其孝顺，他积聚恩德，爱好施舍，喜欢祭灶。腊日那天做早饭的时候，灶神现出了原形，阴子方虔诚地向灶神拜了两次，请求能受到灶神的福佑。他家里有只黄羊，就用它来祭灶。自此以后，他一下子变成了大富翁，拥有耕田七百多顷，车马仆人，与地方长官一样多。阴子方曾经说："我的子孙一定会强大的。"到第三代阴识的时候，阴家就已繁荣了。家里共有四个人被封侯，做州郡一级官的有几十个。所以后来他的子孙常常在腊日祭灶，并献上黄羊做祭品。

吴县的张成，有一天夜里起床，忽然看见一个女子站在他住宅的南边，挥着手招呼张成说："这是你们家的养蚕房，我就是这里的神仙。明年正月十五,你应该煮一些白米粥,在这养蚕房上涂一层米膏。"以后张成每年都在那里获得很多的蚕。现在人们做糯米膏也像这样。

90　豫章有戴氏女,久病不差。见一小石,形象偶人。女谓曰:"尔有人形,岂神?能差我宿疾①者,吾将重汝。"其夜,梦有人告之:"吾将佑汝。"自后疾渐差。遂为立祠山下。戴氏为巫,故名戴侯祠。

91　汉阳羡长②刘玘,尝言:"我死当为神。"一夕饮醉,无病而卒。风雨失其柩。夜闻荆山,有数千人嗷声。乡民往视之,则棺已成冢。遂改为君山,因立祠祀之。

[注释]

①宿疾:早就患有的疾病。②阳羡:县名,汉置。故城在今江苏宜兴南。长:县长,汉时万户以下的县官称长,万户以上的称令。

[译文]

豫章郡有一个姓戴的女子,病了很久不痊愈。一次她看见一块小石头,形状像个木偶人。这女子就对它说:"你有人的形状,难道是神仙吗?你如果能使我这老病痊愈,我一定会从重酬谢你的。"那天夜里,这女子梦见有人告诉她:"我将保佑你。"从此以后她的毛病就渐渐好了。于是她就在山下为这小石头建造了一座庙宇,这姓戴的女子做了里面的巫婆,所以这庙取名为戴侯祠。

汉朝阳羡县令刘玘曾经说:"我死了会成仙。"一天晚上他喝醉了,没生什么病就死了。当时风雨大作,把他的棺材刮走了。那天夜里人们听见荆山上有几千个人的喊叫声,乡里的老百姓赶去一看,那棺材已经变成坟墓了。于是人们便将荆山改称为君山,同时建造了庙宇来祭祀他。

卷 五

92 蒋子文者,广陵①人也。嗜酒好色,挑达无度。常自谓己骨清,死当为神。汉末为秣陵尉,逐贼至钟山下,贼击伤额,因解绶缚之,有顷遂死。及吴先主②之初,其故吏见文于道,乘白马,执白羽,侍从如平生。见者惊走。文追之,谓曰:"我当为此土地神,以福尔下民。尔可宣告百姓,为我立祠。不尔,将有大咎。"是岁夏,大疫,百姓窃相恐动,颇有窃祠之者矣。文又下巫祝③:"吾将大启佑孙氏,宜为我立祠。不尔,将使虫入人耳为灾。"俄而小虫如尘虻,入耳皆死,医不能治。百姓愈恐。孙主未之信也。又下巫祝:"若不祀我,将又以大火为灾。"是岁,火灾大发,一日数十处。火及公宫。议者以为鬼有所归,乃不为厉,宜有以抚之。于是使使者封子文为中都侯,次弟子绪为长水校尉,皆加印绶。为立庙堂。转号钟山为蒋山,今建康东北蒋山是也。自是灾厉止息,百姓遂大事之。

[注释]

①广陵:郡名。治所在今江苏扬州。②吴先主:指三国吴主孙权。③巫祝:祠庙主持祭祀的人。

[译文]

蒋子文,是广陵郡人。他喜欢喝酒,爱好女色,轻薄放荡,不拘礼法，常常说自己的骨相清高，死了会成仙。汉朝末年他当了秣陵县县尉，有一次追击强盗来到钟山脚下，强盗打伤了他的前额，他就解下印绶缚住伤口，过了一会儿就死了。到孙权刚建立吴国的时候，他生前的同僚在路上碰见了蒋子文，看见他骑着白马，拿着白色羽扇，随从也像他活着的时候那样。他的同僚看见后大吃一惊，转身就逃。蒋子文紧追不放，对他说："我要做这里的土地神，把福祉带给老百姓，你可以告诉百姓，让他们为我建立祠庙。否则，他们就会有严重的灾难。"这年夏天，瘟疫大流行，老百姓都暗自惊惧，有很多人偷偷地祭祀他。蒋子文又传言巫祝："我将大大地保佑孙权，所以应该为我建立祠庙。不这样的话，我将让虫子钻进人的耳朵里成灾。"不多久，就有像飞蚁那样的小虫，一钻进人的耳朵里人就死，医生也没法治。老百姓更加恐慌了。孙权仍然没有相信他。他又传言巫祝说："如果不祭我，我又要用大火让你们遭殃了。"这一年，火灾严重，一天就有几十个地方被烧掉，火势还蔓延到王宫。朝中议事的人认为鬼有了归宿的地方，就不会再制造灾难了，所以应该采取一些措施安抚他。于是孙权便派了使者去封蒋子文为中都侯，封他的弟弟蒋子绪为长水校尉，都加赠印绶，并给他们建立庙宇，把钟山改称为蒋山，现在建康东北的蒋山就是这山。打这以后，灾难消失了，于是老百姓就隆重地供奉祭祀他。

93　刘赤父者，梦蒋侯召为主簿。期日促，乃往庙陈请："母老子弱，情事过切，乞蒙放恕。会稽魏过，多材艺，善事神，请举过自代。"因叩头流血。庙祝曰："特愿相屈。魏过何人，而有斯举？"赤父固请，终不许。寻而赤父死焉。

[译文]

有一个叫刘赤父的人，梦见蒋子文召他当主簿。约定他上任的日子十分紧迫,于是他就到蒋山庙里向蒋子文倾诉自己的困难,请求道:"我母亲年迈,儿子幼弱,情况实在很窘迫,求你多多宽恕。会稽郡的魏过,多才多艺,善于供奉神仙,我请求你提拔魏过来替代我。"接着他便拼命磕头,把头都磕破了。庙里的巫祝说:"蒋侯特地想委屈你就职。魏过是什么人,却有这种推举?"刘赤父坚决地请求他照顾,但他始终不同意。不久,刘赤父就死了。

94　咸宁①中,太常②卿韩伯子某、会稽内史王蕴子某、光禄大夫刘耽子某,同游蒋山庙。庙有数妇人像,甚端正。某等醉,各指像以戏,自相配匹。即以其夕,三人同梦蒋侯遣传教相闻,曰:"家子女并丑陋,而猥垂荣顾。辄刻某日,悉相奉迎。"某等以其梦指适异常,试往相问,而果各得此梦,符协如一。于是大惧。备三牲③,诣庙谢罪乞哀。又俱梦蒋侯亲来降己,曰:"君等既已顾之,实贪会对。克期垂及,岂容方更中悔。"经少时并亡。

[注释]

　①咸宁:西晋武帝司马炎年号,即275—279年。一说当指咸安、宁康年间,时在东晋,371—375年。②太常:官名。为九卿之一,掌宗庙礼仪并负责选试博士。③三牲:牛、羊、猪。古代称此三牲为太牢,用以祭祀。

[译文]

　晋武帝咸宁年间,太常卿韩伯的儿子韩某、会稽内史王蕴的儿子王某、光禄大夫刘耽的儿子刘某,一起游览蒋山庙,庙中有几个妇女的神像,容貌很端正。这三个人喝醉了,各人都指着这些妇女的神像开起玩笑来,任意挑了个和自己配夫妻。就在那天晚上,三个人一同梦见蒋侯派人传言说:"我家的闺女都生得很丑,你们却不顾屈辱前来光顾。我就定好某天,把你们都接了来吧。"这三个人因为那梦不同平常,所以试探着互相问问,果然各人都做了这个梦,梦见的事一模一样。于是他们十分恐惧,准备了牛、羊、猪等祭品,到蒋山庙谢罪,乞求蒋侯哀怜。接着他们又都梦见蒋侯亲自来对他们说:"你们既然已经眷念我的女儿,我实在想让你们成为夫妻。约定的日期已快到了,哪能中途变卦呢?"过了不久,这三个人都死了。

95 会稽鄮县①东野,有女子,姓吴,字望子,年十六,姿容可爱。其乡里有解鼓舞神者,要之便往。缘塘行,半路,忽见一贵人,端正非常。贵人乘船,挺力十余,整顿。令人问望子:"欲何之?"具以事对。贵人云:"今正欲往彼,便可入船共去。"望子辞不敢。忽然不见。望子既拜神座,见向船中贵人,俨然端坐,即蒋侯像也。问望子:"来何迟?"因掷两橘与之。数数形见,遂隆情好。心有所欲,辄空中下之。尝思噉鲤,一双鲜鲤随心而至。望子芳香,流闻数里,颇有神验,一邑共事奉。经三年,望子忽生外意,神便绝往来。

[注释]

①鄮(mào)县:县名,秦置,故治在今浙江宁波鄞州区。

[译文]

会稽郡鄮县东边的乡村里有个女子,姓吴,字望子,年龄十六岁,体态容貌长得十分可爱。有一次,她乡里有个祈神还愿的人邀请她,她就去了。她沿着河堤走到半路,忽然看见一个贵族,生得非常端正。这位贵族坐在船上,服侍他的随从仆人有十多个,都穿戴得十分整齐。这位贵族派人来问望子想到什么地方,望子把事情都告诉了他。这位贵族说:"我现在正要到他那里去,你可以到船上来咱们一起去。"望子推辞说不敢,那船却忽然不见了。望子拜过神座,只见刚才那船里的贵族,庄重端正地坐在那里,原来就是蒋侯的神像。他问望子为什么来得这么晚,一边说着一边还扔下两只橘子送给她。后来蒋侯屡次现出原形见她，两人的感情便渐渐深厚了。望子心里想要什么东西，那东西总会从空中掉下来。望子曾经想吃鲤鱼，一对新鲜鲤鱼便如愿而来。望子的好名声，流传到很远，且非常灵验，因此全县的人都供奉她。过了三年，望子忽然见异思迁了，蒋神就和她断绝了往来。

96　陈郡谢玉为琅邪内史[①]，在京城。所在虎暴，杀人甚众。有一人，以小船载年少妇，以大刀插着船，挟暮[②]来至逻所。将出语云："此间顷来甚多草秽[③]，君载细小，作此轻行，大为不易。可止逻宿也。"相问讯既毕，逻将适还去。其妇上岸，便为虎将去。其夫拔刀大唤，欲逐之。先奉事蒋侯，乃唤求助。如此当行十里，忽如有一黑衣为之导。其人随之，当复二十里，见大树。既至一穴，虎子闻行声，谓其母至，皆走出。其人即其所杀之。便拔刀隐树侧住。良久，虎方至。便下妇着地，倒牵入穴。其人以刀当腰斫断之。虎既死，其妇故活。向晓[④]能语。问之，云："虎初取，便负着背上。临至而后下之。四体无他，止为草木伤耳。"扶归还船，明夜，梦一人语之曰："蒋侯使助，汝知否？"至家，杀猪祠焉。

[注释]

①陈郡：辖境相当于今豫东、豫南及安徽近三十个县市的广大地区。谢玉：晋无谢玉，疑为谢琰，即谢安之子，曾任琅邪内史。②挟暮：处在傍晚时分。③草秽：此处当指老虎。④向晓：快到天亮的时候。

[译文]

陈郡人谢玉（琰）任琅邪郡内史，有一次他逗留在京城。那地方老虎横行，吃了很多人。有一个人，用小船载着年轻的妻子，把大刀插在船上，黄昏时候来到巡逻哨所。巡逻的将官出来告诉他说："这里近来常有老虎出没，你带着家眷，作这样轻率的旅行，实在太危险了。你可以在巡逻哨所过夜。"他们互相通问行礼后，巡逻的将官就回去了。他妻子刚上岸，便被老虎衔走了。她丈夫拔刀大喊，想追上去。因为他过去曾供奉过蒋侯，所以就呼唤着蒋子文的名字求他帮助。像这样大约走了十里，忽然像有一个身穿黑衣服的人给他引路。他紧跟着这个黑衣人大概又走了二十里，便看见一棵大树。再向前走，一会儿便来到一个洞穴口，洞穴里的小老虎听见脚步声，以为是它们的母亲回来了，就都跑了出来。那人便走上去把它们杀了，接着又拔刀隐蔽在树旁。待了好长一段时间，那母老虎才到，便把那女人扔在地上，倒拖着拉进洞中。那人用刀把老虎拦腰砍断了。老虎已经死了，他的妻子才活了下来，到拂晓的时候就能讲话了。他问妻子，妻子回答说："老虎刚抓住我，便把我背在背上。等到了这儿才又把我放下来。我的手、脚没什么其他的伤害，只是被草木刮伤了一点罢了。"那人就扶着妻子回到船上。第二天晚上，他梦见一个人对他说："蒋侯派我帮助你，你知道不知道？"他回到家里，就杀了猪来祭祀蒋子文。

97　淮南全椒县①有丁新妇者，本丹阳②丁氏女。年十六，适全椒谢家。其姑③严酷，使役有程，不如限者，仍便笞捶不可堪。九月九日，乃自经死。遂有灵响，闻于民间。发言于巫祝曰："念人家妇女，作息不倦，使避九月九日，勿用作事。"见形，著缥衣，戴青盖，从一婢，至牛渚津，求渡。有两男子，共乘船捕鱼，仍呼求载。两男子笑，共调弄之，言："听我为妇，当相渡也。"丁妪曰："谓汝是佳人，而无所知。汝是人，当使汝入泥死；是鬼，使汝入水。"便却入草中。须臾，有一老翁乘船载苇。妪从索渡。翁曰："船上无装，岂可露渡。恐不中载耳。"妪言："无苦。"翁因出苇半许，安处不着船中，径渡之至南岸，临去，语翁曰："吾是鬼神，非人也，自能得过。然宜使民间粗相闻知。翁之厚意，出苇相渡，深有惭感，当有以相谢者。若翁速还去，必有所见，亦当有所得也。"翁曰："恐燥湿不至④，何敢蒙谢。"翁还西岸，见两男子覆水中。进前数里，有鱼千数，跳跃水边，风吹至岸上。翁遂弃苇，载鱼以归。于是丁妪遂还丹阳。江南人皆呼为丁姑。九月九日，不用作事，咸以为息日也。今所在祠之。

[注释]

①全椒县：魏晋时属淮南郡，治所在今安徽。②丹阳：县名，汉属丹阳郡，治所在今安徽当涂。③姑：《说文》曰："姑，夫母也。"即婆母。④燥湿不至：意思是照顾不周到。燥湿，等于说"冷暖"。

[译文]

淮南郡全椒县有个姓丁的媳妇，本是丹阳县丁家的女儿，十六岁时，嫁给了全椒县谢家。她的婆婆严厉冷酷，让她干活都有定额，不如期完成，就是一顿鞭打。丁氏不能忍受这样的折磨，就在九月初九上吊自杀了。于是便有种种神灵的应验在民间流传。听说有一次，她借巫祝之口发话说："我怜念别人家的媳妇，整天劳动，从不休息，所以请让她们避开九月初九这一天，不要再干活。"听说还有一次，丁氏现出了原形，穿着淡青色的衣服，撑着青黑色的伞，身后跟着一个婢女，到牛渚津求船家摆渡。有两个男人，在同一条船上捕鱼，她就招呼他们，求他们把她渡过河去。这两个男人嬉笑着，一起调戏她，说："你如果顺从我们做我们的老婆，我们就把你渡过去。"丁氏说："我以为你们是好人，你们却什么道理都不懂。你们如果是人，应该让你们陷进污泥而死；如果是鬼，就让你们葬身水中。"说完就退到草丛中去了。一会儿，有一个老人划船装运芦苇，丁氏向他求渡。老人说："船上没有船篷，哪能让你露天渡过河去呢？我这敞篷船恐怕不适合你乘坐吧。"丁氏说："不怕受苦。"老人就把芦苇卸去了一半左右，把她们安顿在船中，一直把她们渡到南岸。丁氏临别时对老人说:"我是鬼神,不是凡人,我自己也能过河的。我这样做,是想让民间百姓都对我有所了解。你一番厚意,竟卸去芦苇来渡我过河,我真不好意思,我当然要拿些东西来感谢你。如果你马上回去,必然有所见,也会有所得。"老人说:"恐怕对你的冷暖都没照顾好,哪敢接受你的感谢!"老人回到西岸,看见两具男尸伏在水上。再向前行了几里,便有近千条鱼在水边乱跳,风把它们都吹到了岸上。老人就扔掉船上的芦苇,装上鱼回家去了。于是丁氏就回到丹阳县去了。江南的人都称呼她为丁姑。每年九月初九,人们不再干活,大家都把这一天当做休息的日子。现在人们还在她出生的地方祭祀她。

98　散骑侍郎[①]王祐,疾困,与母辞诀。既而闻有通宾者,曰:"某郡某里某人。"尝为别驾,祐亦雅闻其姓字,有顷,奄然来至,曰:"与卿士类,有自然之分,又州里,情便款然。今年国家有大事,出三将军,分布征发。吾等十余人,为赵公明府参佐[②]。至此仓卒,见卿有高门大屋,故来投。与卿相得,大不可言。"祐知其鬼神,曰:"不幸疾笃,死在旦夕。遭卿,以性命相托。"答曰:"人生有死,此必然之事。死者不系生时贵贱。吾今见领兵三千,须卿,得度簿相付。如此地难得,不宜辞之。"祐曰:"老母年高,兄弟无有,一旦死亡,前无供养。"遂欷歔[③]不能自胜。其人怆然曰:"卿位为常伯,而家无余财。向闻与尊夫人辞诀,言辞哀苦,然则卿国士也,如何可令死?吾当相为。"因起去:"明日更来。"其明日又来。祐曰:"卿许活吾,当卒恩否?"答曰:"大老子业已许卿,当复相欺耶!"见其从者数百人,皆长二尺许,乌衣军服,赤油为志。祐家击鼓祷祀。诸鬼闻鼓声,皆应节起舞,振袖,飒飒有声。祐将为设酒食,辞曰:"不须。"因复起去,谓祐曰:"病在人体中,如火。当以水解之。"因取一杯水，发被灌之。又曰："为卿留赤笔十余枝，在荐下，可与人，使簪之。出入辟恶灾，举事皆无恙。"因道曰："王甲李乙，吾皆与之。"遂执祐手，与辞。时祐得安眠，夜中忽觉，乃呼左右，令开被："神以水灌我，将大沾濡。"开被而信，有水在上被之下，下被之上，不浸，如露之在荷。量之，得三升七合。于是疾三分愈二。数日大除。凡其所道当取者，皆死亡；唯王文英，半年后乃亡。所道与赤笔人，皆经疾病及兵乱，皆亦无恙。初有妖书云："上帝以三将军赵公明、钟士季④，各督数鬼下取人。"莫知所在。祐病差，见此书，与所道赵公明合。

[注释]

①散骑侍郎：即散骑常侍，职责是在皇帝左右规谏过失，以备顾问。②赵公明：《真仙通鉴》所载八部鬼帅之一，领鬼兵亿万周行人间。参佐：部下，僚属。此指鬼职。③歔欷：抽泣，抽噎。④钟士季：名会，颍川长社（今河南长葛）人。三国时魏国谋士、将领，曹魏大臣钟繇的儿子。后被杀，此为鬼将。

[译文]

散骑侍郎王祐病得很厉害，便与母亲诀别。过了一会儿，他听见有个通报客人姓名的人传话说："客人是某某郡某某乡的某某人。"这个人曾做过别驾从事史，王祐平时也曾听见过他的姓名。不久，那人忽然来临，对王祐说："我与你都是读书人，当然有缘分；又与你同乡，感情就更为诚挚融洽了。今年国家有大事，派出了三位将军，分别到各地征集民间的人力和物资。我们一批十几个人，是赵公明的部下，仓促来到这里，看见你有高门大屋，所以来投奔你。和你结交，好得没话说了。"王祐知道他们是鬼神，就说："我不幸病重，死日就在眼前。现在碰上你，我就求你救我一命。"那人回答说："人生有死，这是必然的事。死人不依靠在世时的贵贱。我现在带兵三千,需要你来统帅,如果你答应,我就考虑把档案簿册交给你。像这样的机会实在难得,你不该推辞。"王祐说:"我老母亲年寿已高,又没有兄弟,一旦我死了,眼前就没人供养我母亲了。"说到这儿便泣不成声了。那人悲哀地说:"你担任侍中这样的高官,家里却没有积余。刚才听见你与母亲诀别,说的话十分可怜。这样看来,你是国家的高士,怎么可以让你死呢?我一定为你尽力帮忙。"说着便起身要走了,并告诉王祐:"我明天再来。"到明天,那人又来了。王祐说:"你答应让我活下去,真的会给我这样的恩惠吗?"那人回答说:"我已经答应了你,难道还会欺骗你?"只见他的随从几百个,都只有二尺左右长,穿着黑色的军装,用红色的油漆画上了标志。王祐家里击鼓祈祷,祭享他们。那些鬼听见鼓声,都随着它的节奏翩翩起舞,他们挥动着衣袖,发出飒飒的声响。王祐将给他们置办酒宴,那人拒绝说:"不必了。"便又起身要走,并对王祐说:"你的毛病在身体中,热得像火一样,要用水来消除它。"接着他就拿了一杯水,掀开被褥浇在上面。又对王祐说:"给你留下红笔十几枝,放在席子底下,可以送给人,让他们当做簪子用。这样,进进出出就能避过灾祸,做什么事都能顺顺当当。"接着他又说:"王甲、李乙,我都与他们结交了。"于是就握着王祐的手向他告别。当时王祐还能安然睡着,夜里忽然醒来,便招呼身边的人,让他们掀开被子说:"鬼神用水来浇我,我的被子都快湿透了。"边上的人掀开被子一看,果真有水,但这水在上面一条被子的底下,在下面一条被子的上面,并没有渗到被子里,就像露水在荷叶上一样。量了一下,共三升七合。于是王祐的毛病好了三分之二,又过了几天就痊愈了。凡是那人说过要带走的人,都死了,只有王文英,到半年以后才死去。按他的说法而给了笔的人,虽都经历了疾病和战乱,也都太平无事。起初,曾经有妖书说:"上帝派出赵公明、钟会等三个将军,各人统领几万个鬼下来捉人。"当时没有人知道这些鬼在哪里。王祐病愈后,看见这妖书,与他所碰到的那个人所说的赵公明完全吻合。

99 汉下邳①周式,尝至东海,道逢一吏,持一卷书,求寄载。行十余里,谓式曰:"吾暂有所过,留书寄君船中,慎勿发之。"去后,式盗发视书,皆诸死人录。下条有式名。须臾,吏还,式犹视书。吏怒曰:"故以相告,而忽视之。"式叩头流血。良久,吏曰:"感卿远相载,此书不可除卿名。今日已去,还家,三年勿出门,可得度也。勿道见吾书。"式还不出,已二年余,家皆怪之。邻人卒亡,父怒,使往吊之。式不得已,适出门,便见此吏。吏曰:"吾令汝三年勿出,而今出门,知复奈何。吾求不见,连累为鞭杖,今已见汝,无可奈何。后三日日中,当相取也。"式还,涕泣具道如此。父故不信,母昼夜与相守。至三日日中时,果见来取,便死。

[注释]

①下邳:古县名,治所在今江苏睢宁西北。

[译文]

汉代下邳县的周式,曾经到东海郡去,在路上碰上一个小吏,拿着一卷书,请求搭船。船行了十多里,他对周式说:"我暂时要去拜访一个人,这书就留下寄存在你的船里,你千万别打开看。"这小吏走了以后,周式偷偷地翻阅那书,都是各个死人的名录。下面的条目中有周式的名字。一会儿,这小吏就回来了,周式却还在看书。这小吏生气地说:"刚才我已经告诫你别看书,你却把我的话视为儿戏。"周式连忙向他磕头求饶,磕得血都流出来了。过了很久,这小吏说:"我虽然感激你老远让我搭船到这儿,但这书上你的名字却不可以除去。今天你离开我以后,赶快回家去,三年别出门,这样就可以逃过一死。千万别说你看见了我的书。"周式回家后一直闭门不出,已经两年多了,家里的人都感到很奇怪。他的邻居忽然死去,他父亲对他不出门很恼火,就偏偏让他到邻居家去吊丧。周式不得不去,哪知刚出家门,就看到那小吏。那小吏说:"我叫你三年别出门,你今天却出门了,我知道了又有什么办法呢?我如果向上级请求说没看见你,就会受连累遭到鞭打。今天已经看见你了,我也无可奈何了。到第三天的中午,要来捉你的。"周式回家,痛哭流涕地把这些话都告诉给了家里人。他父亲坚决不相信,他母亲日日夜夜守着他。到第三天中午,果然看见有人来捉周式,周式就死了。

100 南顿①张助,于田中种禾,见李核,欲持去。顾见空桑中有土,因植种,以馀浆溉灌。后人见桑中反复生李,转相告语。有病目痛者,息阴下,言:"李君令我目愈,谢以一豚。"目痛小疾,亦行自愈。众犬吠声,盲者得视,远近翕赫。其下车骑常数千百,酒肉滂沱。间一岁余,张助远出来还,见之惊云:"此有何神,乃我所种耳。"因就斫之。

101 王莽②居摄,刘京③上言:"齐郡④临淄县亭长辛当,数梦人谓曰:'吾天使也,摄皇帝当为真。即不信我,此亭中当有新井出。'亭长起视,亭中果有新井,入地百尺。"

[注释]

①南顿:古县名,治所在今河南项城西。②王莽:字巨君,汉元帝皇后的侄子。西汉末凭外戚身份而执政。元始五年(5年)毒死平帝,自称假皇帝而摄政。初始元年(8年)称帝。本事见《汉书·王莽传》。③刘京:道士,封广饶侯。④齐郡:汉置,今山东临淄。

[译文]

南顿县的张助在田间种庄稼,看见一颗李子的核,想捡了扔掉它。回头看见桑树洞中有泥土,就把它种在里面,并拿喝剩下来的茶水浇灌它。后来有人看见桑树中反而又长出李树来，便互相传开了。有一个患眼痛病的人，在李树荫下歇息，便对李树祈祷说："李树神，你如果使我的眼病痊愈，我就用一头猪来酬谢你。"眼痛是小病，也就自行痊愈了。正是"众犬吠声"，人们竟道听途说，将眼痛痊愈传成了瞎子恢复了视力，远近轰动。李树下的车马常有几千几百，供奉的酒肉多得铺满地。隔了一年多，张助出远门回来，看见这情景吃惊地说："这里有什么神明？不过是我种的李树罢了。"于是他就把李树砍了。

王莽暂居皇帝之位处理政务，刘京上言进奏说："齐郡临淄县亭长辛当，几次梦见有个人对他说：'我是天上的使者，上帝让我传旨，摄政皇帝应该做真皇帝。你如果不相信我，这亭屋中一定有口新井出现。'亭长起床去察看，亭屋中果然有口新井，深一百尺。"

卷 六

102 妖怪者，盖精气之依物者也。气乱于中，物变于外。形神气质，表里之用也。本于五行①，通于五事②。虽消息③升降，化动万端，其于休咎之征，皆可得域而论矣。

[注释]

①五行：谓金、木、水、火、土。②五事：指貌、言、视、听、思。③消息：生灭、盛衰，即指增损。

[译文]

妖怪，是阴阳元气所依附的物体。精气充斥物体内部，物体的外形发生了变化。形体和气质，是物体外在和内在的体现。它们以金、木、水、火、土五行为本源，与容貌、言谈、观察、聆听、思考等五种事情相联系。虽然它们生灭盛衰，变化多端，但它们在祸福的征兆上，都可以在一定的范围内加以论定。

103 夏桀之时，厉山①亡。秦始皇之时，三山②亡。周显王三十二年，宋大邱社亡。汉昭帝之末，陈留、昌邑③社亡。京房《易传》④曰："山默然自移，天下兵乱，社稷亡也。"故会稽山阴琅邪中有怪山，世传本琅邪东武⑤海中山也。时天夜，风雨晦冥，旦而见武山在焉。百姓怪之，因名曰怪山。时东武县山，亦一夕自亡去。识其形者，乃知其移来。今怪山下见有东武里，盖记山所自来，以为名也。又交州脆州山移至青州。凡山徙，皆不极之异也。此二事，未详其世。《尚书·金縢》⑥曰："山徙者，人君不用道士，贤者不兴。或禄去公室，赏罚不由君，私门成群，不救；当为易世变号。"说曰："善言天者，必质于人；善言人者，必本于天。故天有四时，日月相推，寒暑迭代。其转运也。和而为雨，怒而为风，散而为露，乱而为雾，凝而为霜雪，张而为虹蜺。此天之常数也。人有四肢五脏，一觉一寐，呼吸吐纳，精气往来；流而为荣卫，彰而为气色，发而为声音。此亦人之常数也。若四时失运，寒暑乖违，则五纬⑦盈缩，星辰错行，日月薄蚀，彗孛流飞，此天地之危诊也；寒暑不时，此天地之蒸否也；石立土踊，此天地之瘤赘也；山崩地陷，此天地之痈疽也；冲风暴雨，此天地之奔气也；雨泽不降，川渎涸竭，此天地之焦枯也。"

[注释]

①厉山：传说是华夏始祖炎帝神农的诞生地，坐落在湖北省随州厉山镇九龙山南麓。②三山：指蓬莱、方丈、瀛洲三座仙山。③陈留：古县名，治所在今河南省开封市陈留镇。昌邑：古县名，治所在今山东巨野东南。④京房《易传》：即《京氏易传》。书名，汉京房撰。其书论变卦、气候、阴阳之说，开后世钱卜之法。⑤东武：古县名，治所在今山东诸城。⑥《尚书·金縢》：引文出自《洪范》，而非《金縢》。⑦五纬：谓金、木、水、火、土五星。

[译文]

夏桀的时候，厉山消失了。秦始皇的时候，三仙山也消失了。周显王三十二年（前337），宋国的大丘土地庙消失了。汉昭帝末年，陈留郡昌邑县的土地庙消失了。京房撰写的《易传》说："山悄悄地自己迁移，天下就有战乱，国家就会灭亡。"过去会稽郡山阴县琅邪山中有座怪山，相传它原是琅邪郡东武县海中的山。那一天夜里，风雨交加，天色阴暗，第二天早上便看见东武县的山在这里了。百姓感到很奇怪，就称呼它叫怪山。当时东武县的山，也在这一天晚上自行消失了。了解那座山的形状的人，才知道它是从东武县迁移来的。现在怪山下还可以看见东武里，大概是为了记住这山是从那里来的，所以把东武作为名字。还有，交州的脆州山迁移到了青州。凡是山丘迁移，都是不正常的怪事。这两件山丘迁移的事情，已经不能详细地知道它们发生的时代了。《尚书·金縢》说："山丘迁移，是因为君主不任用有道德的人，贤能的人不能被提拔，或者是官职的任命权脱离了皇室，赏罚的施行已经由不得君主，权贵成群，这样的政治局面已无法挽救；肯定要改朝换代变更年号了。"有人议论说："善于谈论大自然的，一定以人事为本体；善于评判人事的，一定以大自然为基础。所以大自然有四季的变化，太阳、月亮相互推移，寒冬炎暑轮流交替。当大自然运转的时候，调和起来就成为雨，奋发起来就成为风，发散下去就成为露，迷乱起来就成为雾，凝固起来就成为霜和雪，树立起来就成为虹霓，这是大自然的常规。人有四肢五脏，或醒或睡，呼气吸气，吐故纳新，元气往复，流动起来就成为血气，显现出来就成为气色，发表出来就成为声音，这也是人的常规。如果四季失去了正常的运行，冬夏的变换违背了常规，那就会造成金、木、水、火、土五星的运行超前或滞后，星辰运行错乱，日食月食紧接不断，扫帚星漫天乱飞，这是大自然危险的症状；冬夏不按时到来，这是大自然上升的热气被闭塞了的反应；山石耸立，泥土翻起，这是大自然所生的瘤子赘疣；山陵崩塌，土地下陷，这是大自然所生的毒疮；狂风暴雨，这是大自然中奔腾的元气；老不下雨，山川河流干涸，这是大自然枯焦的象征。"

104　商纣①之时，大龟生毛，兔生角。兵甲将兴之象也。

105 周宣王②三十三年,幽王③生。是岁有马化为狐。

106 晋献公二年,周惠王居于郑。郑人入玉府,多脱化为蜮④,射人。

107 周隐王二年⑤四月,齐地暴长,长丈余,高一尺五寸。京房《易妖》⑥曰:"地四时暴长。占:春夏多吉,秋冬多凶。"历阳之郡,一夕沦入地中而为水泽,今麻湖是也。不知何时。《运斗枢》⑦曰:"邑之沦,阴吞阳,下相屠焉。"

[注释]

①商纣:商代最后一个君主,以凶残暴虐而亡国。②周宣王:西周国王。姬姓,名静。③幽王:周宣王之子,前781—前771年在位,历史上有名的荒淫之君。④蜮(yù):陆德明《经典释文》:"状如鳖,三足。一名射工,俗呼之水弩。在水中含沙射人,一曰射人影。"⑤周隐王二年:按《史记》当作"周赧王二年",即前313年。⑥《易妖》:京房易学著作之一,已佚。⑦《运斗枢》:书名。《春秋纬》之一,已佚。

[译文]

商纣王的时候,大乌龟身上长毛,兔子头上长角。这是战争即将发生的征兆。

周宣王三十三年(前795),周幽王出生。这一年有马变成狐狸。

晋献公二年(前675),周惠王住在郑国。郑国人到藏玉的府库中拿了很多玉,这些玉很多变成了蜮,含沙射人。

周隐王二年四月,齐国的土地突然猛长,长出了一丈多长,高一尺五寸。京房撰写的《易妖》说:"土地在四季中突然猛长,如果占卜的话,春、夏季多吉利,秋、冬季多凶险。"历阳郡,在一个晚上陷入地下而成为湖泊,现在的麻湖便是原先的历阳郡,但不知道这事发生在什么时候。《运斗枢》上说:"城镇的下沉,是阴气吞没阳气的缘故,阴阳之气在地下互相残杀啊。"

108　周哀王①八年，郑有一妇人，生四十子。其二十人为人，二十人死。其九年，晋有豕生人。吴赤乌②七年，有妇人，一生三子。

109　周烈王六年③，林碧阳君之御人④，产二龙。

110　鲁严公⑤八年，齐襄公⑥田于贝邱，见豕，从者曰："公子彭生也。"公怒，射之。豕人立而啼。公惧，坠车伤足，丧屦。刘向⑦以为近豕祸也。

111　鲁严公时，有内蛇与外蛇斗郑南门中，内蛇死。刘向以为近蛇孽也。京房《易传》曰："立嗣子疑，厥妖蛇居国门斗。"

[注释]

①周哀王（？—前441）：姬姓，名去疾，为周贞定王长子。即位后三个月为弟姬叔袭杀，葬处不明。②赤乌：吴大帝孙权年号。③周烈王（？—前369）：姬姓，名喜，为周安王之子，安王死后继位，前375—前369年在位，后病死，葬处不明。又称周夷烈王。④御人：侍女。⑤鲁严公："严公"当为"庄公"，此避汉讳作"严"，事载于《春秋·庄公八年》。⑥齐襄公（？—前686）：春秋时齐国第十四位国君。⑦刘向：原名更生，字子政。西汉经学家、目录学家、文学家。沛县（今属江苏）人。楚元王刘交四世孙。

[译文]

周哀王八年，郑国有一个妇女，生了四十个孩子。其中二十个长大成人，二十个死了。周哀王九年，晋国有头猪生了个人。吴国赤乌七年（244），有个妇女，一胎生了三个孩子。

周烈王六年（前370），林碧阳君的侍女生了两条龙。

鲁庄公八年（前686），齐襄公在贝邱打猎，看见一头猪，随从说："这是公子彭生。"齐襄公发火了，便拿箭射它。那头猪竟像人一样站起来啼叫。齐襄公十分恐惧，从车上摔下来跌伤了脚，丢了鞋子。刘向认为这是猪生的祸殃。

鲁庄公的时候，在郑国的南门口有城内的蛇与城外的蛇相斗，结果城内的蛇死了。刘向认为这是蛇生的灾祸。京房写的《易传》说："把别人的儿子立为自己的继承人而疑虑不定，那怪异的事情就是蛇在国都城门内相斗。"

112　鲁昭公十九年，龙斗于郑时门之外洧渊①。刘向以为近龙孽也。京房《易传》曰："众心不安，厥妖龙斗其邑中也。"

113　鲁定公②元年，有九蛇绕柱。占以为九世庙不祀。乃立炀宫。

114　秦孝公③二十一年，有马生人。昭王二十年，牡马生子而死。刘向以为皆马祸也。京房《易传》曰："方伯④分威，厥妖牡马生子。上无天子，诸侯相伐，厥妖马生人。"

[注释]

①时门：郑国的城门。洧（wěi）：水名，即今河南双洎河。②鲁定公：即姬宋，为春秋诸侯国鲁国君主之一，是鲁国第二十五任君主。在位十五年。③秦孝公（前381—前338）：战国时期秦国杰出的君主。名渠梁，秦献公之子。④方伯：方士之长，一说诸侯之长。

[译文]

鲁昭公十九年（前523），有龙在郑国时门之外的洧水深渊中搏斗。刘向认为这是龙孽的灾祸。京房写的《易传》说："人心不稳定，那怪异事情的凶兆就是龙在国中相斗。"

鲁定公元年（前509），有九条蛇盘绕在柱子上。占卜的结果认为是有九世祖庙没人来祭祀。于是就建造了炀宫。

秦孝公二十一年（前341），有匹马产下人来。秦昭王二十年（前287），有匹雄马因为生小马而死了。刘向认为这都是马生的灾祸。京房写的《易传》说："诸侯分享天子威势，那怪异事情的征兆是雄马生小马。上面没有天子，诸侯互相征伐，那怪异事情的征兆就是马生人。"

115　魏襄王十三年，有女子化为丈夫。与妻，生子。京房《易传》曰："女子化为丈夫，兹谓阴昌，贱人为王；丈夫化为女子，兹谓阴胜阳，厥咎亡。"一曰："男化为女，宫刑①滥；女化为男，妇政行也。"

116　秦孝文王五年，游朐衍②，有献五足牛。时秦世大用民力，天下叛之。京房《易传》曰："兴繇役，夺民时，厥妖牛生五足。"

[注释]

①宫刑：亦称"腐刑"，古代五刑之一，是破坏生殖器和生殖机能的刑罚。②朐（qú）衍：战国时为北戎之地。

[译文]

魏襄王十三年（前306），有个女人变成了男人，给他配了个妻子，他妻子便生下了孩子。京房写的《易传》说："女人变成男人，这叫做阴气昌盛，下贱的人要做君主；男人变成女人，这叫做阴气胜过阳气，那灾祸就是国家要灭亡。"另一种说法是："男人变成女人，是施宫刑没有节制的结果；女人变成男人，妇女就会执政。"

秦孝文王五年（前333），孝文王到朐衍巡视，有人向他进献五只脚的牛。当时秦国大量征用民间的人力财力，天下的人都背叛他。京房写的《易传》说："大兴徭役，抢占农时，那怪异事情的征兆就是牛生五只脚。"

117　秦始皇二十六年，有大人，长五丈，足履六尺，皆夷狄服。凡十二人，见于临洮。乃作金人十二以象之。

118　汉惠帝二年，正月癸酉旦，有两龙现于兰陵①廷东里温陵井中。至乙亥夜去。京房《易传》曰："有德遭害，厥妖龙见井中。"又曰："行刑暴恶，黑龙从井出。"

[注释]

①兰陵：古县名。战国楚置，治所在今山东苍山西南。

[译文]

秦始皇二十六年（前221），曾出现过巨人，身高五丈，脚上的鞋子长六尺，都穿着少数民族的服装。这种人一共有十二个，出现在临洮县。于是就铸造了十二个铜像来体现他们的形象。

汉惠帝二年（前193）正月癸酉那天早上，有两条龙出现在兰陵县廷东里温陵的井中，到三天后乙亥那天夜里才离去。京房的《易传》说："有德的人被害，那怪异事情的征兆就是龙出现在井中。"又说："施行刑罚残酷暴虐，就会有黑龙从井中出来。"

119　汉文帝十二年，吴地有马生角，在耳前，上向。右角长三寸，左角长二寸，皆大二寸。刘向以为马不当生角，犹吴不当举兵向上也。吴将反之变云。京房《易传》曰："臣易上，政不顺，厥妖马生角。兹谓贤士不足。"又曰："天子亲伐，马生角。"

120　文帝后元五年六月，齐雍城门外有狗生角。京房《易传》曰："执政失，下将害之，厥妖狗生角。"

[译文]

汉文帝十二年（前168），吴郡有马长出了角，角长在耳朵的前面，向上竖起。右边的角长三寸，左边的角长二寸，粗细都是二寸。刘向认为马不应该长角，就好像吴王不应该兴兵来对待皇上。这马长角是吴国将要叛乱时的反常现象。京房《易传》说："臣下要取代君主，政治不顺，那怪异事情的征兆就是马长角。这是贤能的人不满足的象征。"又说："天子亲自征伐，马就长角。"

汉文帝后元五年（前159）六月，齐国雍城门外有狗长角。京房《易传》说："执政的人有失误，臣下将要危害他，那怪异事情的征兆就是狗长角。"

121　汉景帝元年九月，胶东下密人年七十余，生角。角有毛。京房《易传》曰："冢宰专政，厥妖人生角。"《五行志》以为人不当生角，犹诸侯不敢举兵以向京师也。其后遂有七国之难。至晋武帝泰始五年，元城人年七十，生角。殆赵王伦①篡乱之应也。

[注释]

①赵王伦：即司马伦，封赵王。永康元年（300）起兵杀贾后，又废惠帝自立。

[译文]

汉景帝元年（前156）九月，胶东国下密县有个人年纪七十多岁，头上长角。角上有毛。京房《易传》说："宰相专制，那怪异事情的征兆就是人头上长角。"《五行志》认为人不应当长角，就好像诸侯不敢兴兵去讨伐京城。此后就有吴楚七国的叛乱。到晋武帝泰始五年（269），元城有个人七十岁，头上长角，这大概就是赵王司马伦篡权变乱的应验。

122　汉景帝三年，邯郸有狗与彘交，是时赵王①悖乱，遂与六国反，外结匈奴以为援。《五行志》以为：犬兵革失众之占，豕北方匈奴之象。逆言失听，交于异类，以生害也。京房《易传》曰："夫妇不严，厥妖狗与豕交，兹谓反德，国有兵革。"

[注释]

①赵王：即刘遂，景帝时参与吴楚七国之乱，兵败自杀。

[译文]

汉景帝三年（前154），邯郸有一只狗和猪交配。这时赵王叛乱，就与吴、楚等六国一起造反，对外还结交匈奴作为后援。《五行志》以为：狗是军事上失去支援的征兆，猪是北方匈奴的象征。逆耳的话听不进去，和不同类的异族匈奴结交，因而生出灾祸来。京房《易传》说："男女关系不谨慎，那怪异事情的征兆就是狗和猪交配，这是违反道德的，国家将有战争。"

123　景帝三年十一月，有白颈乌与黑乌，群斗楚国吕县①。白颈不胜，堕泗水中，死者数千。刘向以为近白黑祥也。时楚王戊②暴逆无道，刑辱申公，与吴谋反。乌群斗者，师战之象也。白颈者小，明小者败也。堕于水者，将死水地。王戊不悟，遂举兵应吴，与汉大战，兵败而走，至于丹徒③，为越人所斩。堕泗水之效也。京房《易传》曰："逆亲亲，厥妖白黑乌斗于国中。"燕王旦④之谋反也，又有一乌一鹊，斗于燕宫中池上，乌堕池死。《五行志》以为楚、燕皆骨肉藩臣，骄恣而谋不义，俱有乌鹊斗死之祥。行同而占合，此天人之明表也。燕阴谋未发，独王自杀于宫，故一乌而水色者死；楚炕阳举兵，军师大败于野，故乌众而金色者死。天道精微之效也。京房《易传》曰："颛征劫杀，厥妖乌鹊斗。"

[注释]

①楚国：汉代诸侯国，治所在今江苏铜山。吕县：楚国属县，在今铜山北。②楚王戊：即刘戊，高祖之孙，封楚王，参与叛乱，兵败而死。③丹徒：县名，今江苏省镇江市丹徒区。④燕王旦：即刘旦，汉武帝第四子，封燕王。与宗室刘长、刘泽及大臣上官桀、桑弘羊等图谋夺取帝位，失败后自杀。

[译文]

汉景帝三年(前154)十一月,有白脖子的乌鸦和黑乌鸦在楚国的吕县成群地搏斗。白脖子乌鸦没有胜利,掉进了泗水之中,死亡的有几千只。刘向认为这是白黑的征兆。当时楚王刘戊暴逆天道,使用腐刑来侮辱他的老师申公培,并与吴王策划叛乱。乌鸦成群搏斗,是军队打仗的象征。白脖子的乌鸦体形小,表明小的一方要失败。它们掉到水里去,表明楚王将死在水乡。楚王刘戊没有领悟这一点,就起兵响应吴王,与汉帝大战,结果兵败而逃,一直逃到丹徒县,被越国人杀死了。这是白脖子乌鸦掉进泗水去的效验啊。京房《易传》说:"背叛骨肉之亲,那怪异事情的征兆就是白乌鸦与黑乌鸦在国内相斗。"燕王刘旦阴谋叛乱的时候,又有一只乌鸦与一只喜鹊,在燕国王宫内的水池上搏斗,结果乌鸦掉进水里死了。《五行志》认为楚王、燕王都是有骨肉之亲的诸侯王,但却骄横放肆而策划不义之事,都具有乌鸦与喜鹊相斗而死的征兆。行为相同而征验相合,这是天象和人事之间默契的表现。燕王的阴谋没有暴露,只是燕王一个人在王宫中自杀了,所以一只黑色的("水色"指黑色)乌鸦掉到水池中死了;楚王公开起兵,军队在战场上大败,所以乌鸦众多而带有白色("金色"指白色)的死了。这是自然规律极其精细的效验。京房《易传》说:"专擅征伐劫杀,那怪异事情的征兆就是乌鸦与喜鹊相斗。"

124 景帝十六年,梁孝王田北山,有献牛足上出背上者。刘向以为近牛祸。内则思虑霿①乱,外则土功过制,故牛祸作。足而出于背,下奸上之象也。

125 汉武帝太始四年七月,赵有蛇从郭外入,与邑中蛇斗孝文庙下,邑中蛇死。后二年秋,有卫太子②事,自赵人江充起。

[注释]

①霥（méng）：天色昏暗。此指朝廷昏乱。②卫太子：一作戾太子，即刘据，汉武帝长子。赵人江充诬告卫太子宫中埋木人以巫蛊武帝，太子很恐惧，杀江充。武帝发兵追捕，太子兵败自杀。史称"巫蛊之祸"。

[译文]

汉景帝十六年（前141），梁孝王在北山打猎，有人献上脚从背脊向上长的牛。刘向认为这是牛生的灾祸。在内部考虑事情蒙昧昏乱，在外部大兴土木超过了规定，所以牛的灾祸就发生了。脚长在背脊上，是下级侵犯上级的征兆。

汉武帝太始四年（前93）七月，汉代所置封国的赵国有条蛇从城外游进来，与城内的蛇在孝文帝庙下搏斗，城内的蛇死了。后来第二年的秋天，发生了卫太子的巫蛊之祸，这事情是由于赵国人江充引起的。

126　汉昭帝元凤元年九月，燕有黄鼠，衔其尾，舞王宫端门中。王往视之，鼠舞如故。王使吏以酒脯祠，鼠舞不休，一日一夜死。时燕王旦谋反，将死之象也。京房《易传》曰："诛不原情，厥妖鼠舞门。"

127　昭帝元凤三年正月，泰山芜莱山南，汹汹有数千人声。民往视之，有大石自立。高丈五尺，大四十八围①，入地深八尺，三石为足。石立后，有白乌数千集其旁。宣帝中兴之瑞也。

[注释]

①围：量词，计量圆周的约略单位。指两只胳膊合围起来的长度，也指两只手的拇指和食指围起来的长度。

[译文]

汉昭帝元凤元年（前80）九月，汉代所置封国的燕国有黄鼠衔着自己的尾巴，在王宫南面的正门中跳舞。燕王去看它，黄鼠跳舞如故。燕王派官吏用酒肉来祭它，黄鼠便跳个不停，跳了一天一夜就死了。当时燕王刘旦策划叛乱，这是他即将死亡的象征。京房《易传》说："诛杀不顾情面，那怪异事情的征兆就是老鼠在门内跳舞。"

汉昭帝元凤三年（前78）正月，泰山郡芜莱山南麓，一片嘈杂声好像几千个人的样子。人们赶去一看，只见有大石头自己耸立起来。高一丈五尺，大四十八围，埋入地下的部分有八尺深，以三块石头作为它的基脚。这大石头耸立起来后，有白色的乌鸦几千只聚集在它的旁边。这是汉宣帝中兴的吉兆。

128　昭帝时，上林苑①中大柳树断，仆地。一朝起立，生枝叶。有虫食其叶，成文字，曰："公孙病已立。"

129　昭帝时，昌邑王贺②见大白狗冠方山冠而无尾。至熹平③中，省内冠狗带绶，以为笑乐。有一狗突出，走入司空府门。或见之者，莫不惊怪。京房《易传》曰："君不正，臣欲篡，厥妖狗冠出朝门。"

[注释]

①上林苑：古宫苑名。秦始皇建都咸阳时营造。②昌邑王贺：即汉废帝刘贺（前92—前59），汉朝第九个皇帝，汉武帝刘彻的孙子，昌邑哀王刘髆的儿子。十九岁即位，当了二十七天皇帝，是汉朝历史上在位时间最短的皇帝。因荒淫无度、不保社稷而被废去，分封到了今天的江西省永修县，史称汉废帝。③熹平：东汉皇帝汉灵帝刘宏的第二个年号（172—178）。

[译文]

汉昭帝的时候，上林苑中一棵大柳树被折断，倒在地上。有一天它又直立起来，长出了树枝树叶。当时有虫子吃它的叶子，形成文字，是："公孙病已立。"

汉昭帝的时候，昌邑王刘贺看见一条大白狗戴着祭祀宗庙时乐人所戴的方山冠却没有尾巴。到熹平年间,禁宫之内给狗戴帽子、佩带印绶,将此作为娱乐。当时,有一条狗突然跑出来,奔进司空衙门,看见这情景的人,没有不惊奇的。京房《易传》说:"国君行为不端正,臣下要篡权,那怪异事情的征兆就是狗戴了帽子跑出朝门。"

130 汉宣帝黄龙元年,未央殿辂铃中雌鸡化为雄,毛衣变化,而不鸣不将,无距。元帝初元元年,丞相府史家,雌鸡伏子,渐化为雄,冠距鸣将。至永光①中,有献雄鸡生角者。《五行志》以为王氏之应。京房《易传》曰:"贤者居明夷②之世,知时而伤,或众在位,厥妖鸡生角。"又曰:"妇人专政,国不静;牝鸡雄鸣,主不荣。"

[注释]

①永光:西汉皇帝汉元帝刘奭(shì)的第二个年号,前43—前39年。②明夷:《周易》六十四卦之一,坤上离下。此卦象贤者不通,忧谗畏讥,不敢显其明智。

[译文]

汉宣帝黄龙元年(前49),未央宫辂铃厩内的雌鸡变成了雄鸡,毛色都变了,但不啼叫,也不率领鸡群,脚爪后面也没有一般公鸡那种突出来像脚趾似的鸡距。汉元帝初元元年(前48),丞相府史家的母鸡孵蛋,却渐渐变成了公鸡,长出了公鸡的鸡冠、鸡距,报晓啼叫,健壮好斗。到永光年间有人献上长角的雄鸡。《五行志》认为这是王莽篡权的应验。京房《易传》说:"贤能的人处在政治黑暗的乱世,识时务反会遭到伤害,那种招摇撞骗迷惑众人的人占据了职位,那怪异事情的征兆就是鸡长角。"又说:"妇女独擅政权,国家不得安宁;雌鸡像雄鸡一样啼鸣,主人不会兴旺。"

131 宣帝之世，燕、岱之间①，有三男共取一妇，生四子。及至将分妻子而不可均，乃致争讼。廷尉②范延寿断之曰："此非人类，当以禽兽，从母不从父也。请戮三男，以儿还母。"宣帝嗟叹曰："事何必古。若此，则可谓当于理而厌人情也。"延寿盖见人事而知用刑矣，未知论人妖将来之验也。

[注释]

①燕、岱之间：指今河北、山东之间的地区。②廷尉：官名。掌刑狱，为九卿之一。

[译文]

汉宣帝的时候，在燕、岱两地之间，有三个男人合娶一个老婆，生了四个孩子。等到要分家的时候便不能平均分老婆孩子了，以至于打起官司来。廷尉范延寿断案说："这已经不是人类的事了，该用对待禽兽的办法来处理，孩子跟母亲而不跟父亲。请杀了这三个男的，把孩子还给母亲。"汉宣帝叹息说："断案的事情为什么一定要依照古代的规定呢？像范延寿这样，虽然说是符合道理但却压抑了人之常情。"范延寿大概是观察了人情世故才知道判刑的，他还不知道根据人事上的反常现象及将来的应验来判罪。

132 汉元帝永光二年八月，天雨草而叶相樛结，大如弹丸。至平帝元始三年正月，天雨草，状如永光时。京房《易传》曰："君吝于禄，信衰贤去，厥妖天雨草。"

133 元帝建昭五年，兖州刺史浩赏，禁民私所自立社。山阳橐①茅乡社②，有大槐树，吏伐断之。其夜，树复立故处。说曰："凡枯断复起，皆废而复兴之象也。是世祖③之应耳。"

[注释]

①山阳：郡名。橐（tuó）：县名，当在今山东济宁东南。②社：相当于"里"的基层行政单位。③世祖：此指东汉光武帝刘秀。

[译文]

汉元帝永光二年（前42）八月，天上像下雨一样下草，草叶子互相缠绕，像弹丸一样大小。到汉平帝元始三年（3年）正月，天上又落草，草的形状就像永光时落下的那样。京房《易传》说："君主吝啬俸禄，信用衰减，贤能的人离去，那怪异事情的征兆就是天落草。"

汉元帝建昭五年（前34），兖州刺史浩赏，取缔老百姓私自设立的祭神的神社。山阳郡橐县茅乡的神社内有一棵大槐树，官吏砍断了它。那天夜里，槐树又耸立在原来的地方。有人解说道："凡是枯树、断树复活，都是衰败后又恢复兴盛的象征。这是世祖光武帝中兴的应验。"

134　汉成帝建始四年九月，长安城南，有鼠衔黄藁、柏叶上民冢柏及榆树上为巢，桐柏①为多。巢中无子，皆有干鼠矢数升。时议臣以为恐有水灾。鼠盗窃小虫，夜出昼匿。今正昼去穴而登木，象贱人将居贵显之占。桐柏，卫思后②园所在也。其后赵后③自微贱登至尊，与卫后同类。赵后终无子而为害。明年，有鸢焚巢杀子之象云。京房《易传》曰："臣私禄罔干，厥妖鼠巢。"

[注释]

①桐柏：地名，在今河南南阳。②卫思后：汉武帝的皇后。初为平阳公主家歌女，后入宫，生戾太子。因巫蛊之祸被废而自杀。③赵后：即赵飞燕。初为歌舞女，成帝时入宫，为婕妤，后立为皇后。平帝即位后被废为庶人而自杀。

[译文]

汉成帝建始四年（前29）九月，在长安城南，有老鼠衔了稻麦秸秆、柏树叶爬上老百姓坟墓边的柏树和榆树上做窝，在桐柏做的窝最多。窝中没有小老鼠，都只有干硬的几升老鼠屎。当时朝廷上议事的大臣认为可能会有水灾发生。老鼠，是偷窃的小动物，它总是夜里出来，白天隐藏。现在在光天化日之下离开洞穴而爬上树木，象征着地位卑贱的人将占据高贵显赫的位置。桐柏，是卫思后陵园所在地。从那以后，赵皇后从低下的地位登上了最高的地位，与卫皇后一样。赵皇后终于因为没有儿子而被废自杀。第二年，听说有老鹰烧掉了窝、杀死了小鹰的现象。京房《易传》说："臣下私设爵禄而不向国家求取俸禄，那怪异事情的征兆就是老鼠在树上做窝。"

135 成帝河平元年，长安男子石良、刘音相与同居。有如人状在其室中，击之，为狗，走出。去后，有数人披甲持弓弩至良家。良等格击，或死或伤，皆狗也。自二月至六月乃止。其于《洪范》①，皆犬祸，言不从之咎也。

136 成帝河平元年二月庚子，泰山山桑谷②，有鸢③焚其巢。男子孙通等，闻山中群鸟鸢鹊声，往视之，见巢燃，尽堕池中，有三鸢鷇④烧死。树大四围，巢去地五丈五尺。《易》曰："鸟焚其巢，旅人先笑，后号咷。"后卒成易世之祸云。

137 成帝鸿嘉四年秋，雨鱼于信都⑤，长五寸以下。至永始元年⑥春，北海⑦出大鱼，长六丈，高一丈，四枚。哀帝建平三年，东莱平度出大鱼，长八丈，高一丈一尺，七枚。皆死。灵帝熹平二年，东莱海出大鱼二枚，长八九丈，高二丈余。京房《易传》曰："海数见巨鱼，邪人进，贤人疏。"

138 成帝永始元年二月，河南⑧街邮樗树⑨生枝如人头，眉目须皆具，亡发耳。至哀帝建平三年十月，汝南西平遂阳乡有材仆地，生枝如人形，身青黄色，面白，头有髭发，稍长大，凡长六寸一分。京房《易传》曰:"王德衰,下人将起,则有木生为人状。"其后有王莽之篡。

139　成帝绥和二年二月,大厩⑩马生角,在左耳前,围长各二寸。是时王莽为大司马,害上之萌,自此始矣。

140　成帝绥和二年三月,天水⑪平襄,有燕生雀,哺食至大,俱飞去。京房《易传》曰:"贼臣在国,厥咎燕生雀,诸侯销。"又曰:"生非其类,子不嗣世。"

[注释]

①《洪范》:《尚书》篇名。刘向作《洪范五行传论》皆参以谶纬、天人感应之说。②山桑谷:泰山之山谷名。③鸢(yuān):即鸱鸢,俗称鹞鹰。④㲉(kòu):需要母鸟哺食的雏鸟。⑤信都:古县名,汉置,治所在今河北冀州。⑥永始元年:即前16年。汉成帝刘骜的第五个年号。⑦北海:秦汉后泛称塞北大泽。⑧河南:郡名,治所在今河南洛阳市东北。⑨樗(chū)树:即臭椿。⑩大厩:天子养马的地方。⑪天水:郡名,治所在平襄(今甘肃通渭西北)。

[译文]

汉成帝河平元年(前28),长安的男子石良、刘音同住在一个房间里。他们看见有个像人样的怪物在他们的房间里,就打它,它便变成了狗跑了出去。它出去以后,便有几个人穿着盔甲拿着弓箭来到石良家。石良等与他们搏斗,他们有的死、有的伤,原来都是狗。从二月一直搏斗到六月才结束。这种情况按照《洪范》的观点来看,都是狗作的灾祸,是不听从意见而惹的祸殃啊。

汉成帝河平元年二月庚子日,泰山的山桑谷有老鹰焚烧自己的巢。男子孙通等听见山里老鹰、乌鹊等群鸟的声音,便前去观看,只见鸟巢燃烧着,都落到水池里去了,有三只雏鹰被烧死。那有鸟巢的树粗四围,鸟巢离地面五丈五尺。《易经》说:"鸟自焚它的巢,旅行的人先前快乐得哈哈笑,然后便大哭号啕。"后来终于酿成了改朝换代的灾祸。

汉成帝鸿嘉四年（前17）秋季，信都国落下鱼雨，鱼不到五寸长。到永始元年（前16）春天，渤海出现大鱼，长六丈，高一丈，共四条。汉哀帝建平三年（前4），东莱郡平度县出现大鱼，长八丈，高一丈一尺，共七条。但鱼都死了。汉灵帝熹平二年（173），东莱郡海中出现大鱼两条，长八九丈，高二丈多。京房《易传》说："海中屡次出现大鱼，邪恶的人被提拔，贤能的人被疏远。"

汉成帝永始元年二月，河南郡大道旁驿站内的臭椿树长出的树枝像人头，眉毛、眼睛、胡须都具备，只是没有头发罢了。到汉哀帝建平三年十月，汝南郡西平县遂阳乡有树木倒在地上，长出的树枝像人的形状，身上是青黄色，面孔雪白，头上有胡须、头发，后来渐渐长大，共长六寸一分。京房《易传》说："君王道德衰败，下面的人将兴起，就有树木长成人的样子。"那以后就有王莽的篡权。

汉成帝绥和二年（前7）二月，大马圈里的马长出角来，角长在左耳的前面，周长和长度各二寸。这时候王莽任大司马，他害皇上的念头，就是从这个时候开始的。

汉成帝绥和二年三月，天水郡平襄县有燕子生麻雀，燕子把它们喂养到大，它们便都飞走了。京房《易传》说："叛乱的臣子在国内，如果那凶兆是燕子生麻雀，那么诸侯将会被消灭。"又说："生下来的后代不是自己的同类，那么儿子就不能继承父亲的事业。"

141　汉哀帝建平三年，定襄①有牡马生驹，三足，随群饮食。《五行志》以为：马，国之武用；三足，不任用之象也。

142　哀帝建平三年，零陵②有树僵地③，围一丈六尺，长十丈七尺。民断其本，长九尺余，皆枯。三月，树卒自立故处。京房《易传》曰："弃正作淫，厥妖木断自属。妃后有颛④，木仆反立，断枯复生。"

143 哀帝建平四年四月，山阳方与⑤女子田无啬生子。未生二月前，儿啼腹中。及生，不举，葬之陌上。后三日，有人过，闻儿啼声，母因掘收养之。

144 哀帝建平四年夏，京师郡国民，聚会里巷阡陌⑥，设张博具⑦歌舞，祠西王母。又传书曰："母告百姓，佩此书者不死。不信我言，视门枢下，当有白发。"至秋乃止。

145 哀帝建平中，豫章有男子化为女子，嫁为人妇，生一子。长安陈凤曰："阳变为阴，将亡继嗣，自相生之象。"一曰："嫁为人妇，生一子者，将复一世乃绝。"故后哀帝崩，平帝没，而王莽篡焉。

[注释]

①定襄：郡名，汉置。辖地在今内蒙古长城以北等地。②零陵：郡名，治所在今广西全州西南。③僵地：倒在地上。④妃后有颛：指妃子皇后专权。颛，通"专"。⑤方与：古县名。属山阳郡。故治在今山东鱼台北。⑥里巷阡陌：指乡里街道。阡陌指田间小路。纵者（南北方向）称"阡"，横者（东西方向）称"陌"。⑦博具：战国至汉代流行的一种游戏，常用来赌胜负的一种棋局。

[译文]

汉哀帝建平三年（前4），定襄郡有雄马生下小马，这小马三只脚，跟着马群一起吃喝。《五行志》认为：马，是国家打仗时的重要工具；三只脚，是不能被任用的象征。

汉哀帝建平三年，零陵郡有棵树倒在地上，周长一丈六尺，长十丈七尺。老百姓锯断它的根，长九尺多，都枯干了。过了三个月，这棵树突然自己耸立在原来的地方。京房《易传》说："抛弃正道而作乱,那怪异的事情是树断了自己会连接起来。妃子皇后有了专宠,树木倒了又会重新竖立起来,断了、枯了还会复活。"

汉哀帝建平四年(前3)四月,山阳郡方与县的女子田无啬生小孩。在产前两个月的时候,这孩子就在母亲的腹中啼哭,等生下来后,田无啬便不去养育他,而把他埋葬在路边。过了三天,有个人经过那里,竟然听见那孩子的哭声,于是他的母亲就把他挖出来加以收养了。

汉哀帝建平四年夏天,京城以及郡国的老百姓在里弄与道路上聚会,设置博戏棋具,载歌载舞来祭祀西王母。又传递书信说:"西王母告诉老百姓,佩带这书信的就不会死去。如果不相信我的话,看看门的转轴下,一定有白头发。"这种活动到秋天才告结束。

汉哀帝建平年间(前6—前3),豫章郡有个男人变成了女人,嫁给人家作媳妇,生了一个孩子。长安人陈凤说:"男人变成女人,将要失去传宗接代的继承人,这是自行相生的象征。"另一种说法是:"嫁给人家当媳妇,生了一个孩子,这暗示着将再过一世就断代。"所以后来汉哀帝逝世,汉平帝被毒死,而王莽篡夺了帝位。

146 汉平帝元始元年二月,朔方广牧女子赵春病死,既棺殓,积七日,出在棺外。自言见夫死父,曰:"年二十七,汝不当死。"太守谭以闻。说曰:"至阴为阳,下人为上,厥妖人死复生。"其后王莽篡位。

147 汉平帝元始元年六月,长安有女子生儿,两头两颈,面俱相向,四臂共胸,俱前向,尻上有目,长二寸所。京房《易传》曰:"'睽孤,见豕负涂。'厥妖人生两头。下相攘善①,妖亦同。人若六畜首目在下,兹谓亡上,政将变更。厥妖之作,以谴失正,各象其类。两颈,下不一也;手多,所任邪也;足少,下不胜任,或不任下也。凡下体生于上,不敬也;上体生于下，媟嬻②也；生非其类，淫乱也；人生而大，上速成也；生而能言，好虚也。群妖推此类。不改，乃成凶也。"

148　汉章帝元和元年，代郡高柳乌生子，三足，大如鸡，色赤，头有角，长寸余。

[注释]

①攘善：掠夺别人的功绩据为己有。②媟嬻（xiè dú）：轻慢冒失，行为放荡。

[译文]

汉平帝元始元年二月，朔方郡广牧县女子赵春病死了，已经入棺，过了七天，却在棺材外出现了。她自己说见到了死去的公公，对她说："年纪才二十七岁，你不应该死。"朔方太守谭把这件事向上作了汇报。有人解说道："极盛的阴气转变为阳气，地位低下的人占据上位，那怪异的事情就是死而复生。"那以后就有王莽篡夺皇位的事。

汉平帝元始元年六月，长安有个女人生儿子，两个头两个脖子，面孔互相对着，四条手臂共同长在一个胸膛上，都向前，臀部长着眼睛，长二寸左右。京房《易传》说："'做事乖违感到孤立，看见猪背上涂满泥土。'那反常的现象是人长两个头。臣民互相排斥善良，那反常现象与此相同。人或马、牛、羊、鸡、狗、猪等六畜的头和眼睛长在下面，这叫做没有上面，它预示政权将会变动。那反常的现象出现，是为了谴责君主丧失了正道，这些反常现象分别象征君主相应的失误。两个脖子，象征臣下不齐心；手多，象征被任用的人邪恶；脚少，象征臣下不能胜任官职，或君主没有任用下面的人。凡是下部的器官长在上部，象征不恭敬；上部的器官长在下部，象征轻慢亵狎；生出不是同类的东西，象征淫乱；人生下来就长大，象征皇上迅速成功；生下来就会说话，象征皇上喜欢虚言。各种反常现象可依此推论出君主的事情。如果君主还不改正错误，就会酿成灾祸了。"

汉章帝元和元年（84），代郡高柳的乌鸦生下一只小乌鸦，三只脚，像鸡一样大，毛色赤红，头上有角，长一寸多。

149　汉桓帝即位，有大蛇见德阳殿上。洛阳市令①淳于翼曰："蛇有鳞，甲兵之象也。见于省中，将有椒房大臣②受甲兵之象也。"乃弃官遁去。到延熹二年，诛大将军梁冀，捕治家属，扬兵京师也。

150　汉桓帝建和三年，秋七月，北地廉雨肉，似羊肋，或大如手。是时梁太后③摄政，梁冀专权，擅杀诛太尉李固、杜乔④，天下冤之。其后梁氏诛灭。

[注释]

①市令：官名，职责为管理市场。②椒房大臣：椒房为皇后所居之殿，也用以称皇后。皇后之亲而为大臣者，即称椒房大臣。③梁太后：汉顺帝皇后，梁冀之妹。顺帝崩，立冲帝，她临朝摄政。④李固、杜乔：李固，东汉大臣，冲帝时任太尉，与大将军梁冀参录尚书事。后为梁冀所诬杀。杜乔，东汉大臣，顺帝时为大司农，后亦因梁冀谗言下狱而死。

[译文]

汉桓帝即位，有条大蛇出现在德阳殿上。洛阳市令淳于翼说："蛇身上有鳞片，这是铠甲兵器的象征。出现于皇宫内，是将有皇后亲人当大官的遭受军队诛杀的象征。"因此他就丢下市令的官职逃跑了。到延熹二年（159），汉桓帝诛灭了梁皇后的哥哥大将军梁冀，逮捕惩治他的家属，在京城中动用了兵力。

汉桓帝建和三年（149）秋季七月，北地郡廉县落下肉雨，这些肉像羊的肋条肉，有的像手板一样大。这时候梁太后执政，梁冀独擅大权，擅自诛杀太尉李固、杜乔，天下的人都认为他们是冤屈的。在那以后，梁家就被诛灭了。

151　汉桓帝元嘉中,京都妇女作愁眉、啼妆、堕马髻、折腰步、龋齿笑。愁眉者,细而曲折。啼妆者,薄拭目下,若啼处。堕马髻者,作一边。折腰步者,足不在下体。龋齿笑者,若齿痛,乐不欣欣。始自大将军梁冀妻孙寿所为,京都翕然①,诸夏效之。天戒若曰:"兵马将往收捕,妇女忧愁,踧眉啼哭;吏卒掣顿,折其腰脊,令髻邪倾;虽强语笑,无复气味也。"到延熹二年,冀举宗合诛。

152　桓帝延熹五年,临沅县②有牛生鸡,两头四足。

[注释]

①翕然:形容言论、行为一致。②临沅县:汉置,在今湖南常德县西。

[译文]

汉桓帝元嘉年间(151—153),京城的妇女流行愁眉、啼妆、堕马髻、折腰步、龋齿笑。愁眉,就是把眉毛画得细而且曲折。啼妆,就是眼睛下的粉擦得薄一些,好像哭过了一样。堕马髻,就是把发髻梳在一边。折腰步,就是走路的时候做出双脚承受不了下身的样子。龋齿笑,就是笑的时候好像牙齿痛,虽然内心很高兴,也不尽情地放声大笑。这些做法源自大将军梁冀的妻子孙寿,京城中的妇女都如此模仿,连各个封国的妇女也都仿效这些做法。上天的禁戒这样说:"兵马将去收捕,所以妇女忧虑发愁,皱着眉头啼哭;官兵来牵掣强夺,将折断她们的腰关节,使她们的发髻倾斜;她们即使强颜欢笑,已不再有什么意思了。"到延熹二年(159),梁冀整个宗族都被诛灭了。

汉桓帝延熹五年(162),临沅县有头牛生了一只鸡,两个头四只脚。

153　汉灵帝数游戏于西园中,令后宫采女为客舍主人,身为估服,行至舍间,采女下酒食,因共饮食,以为戏乐。是天子将欲失位,降在皂隶①之谣也。其后天下大乱。古志有曰:"赤厄②三七。"三七者,经二百一十载,当有外戚之篡,丹眉之妖。篡盗短祚,极于三六,当有飞龙之秀,兴复祖宗。又历三七,当复有黄首之妖③,天下大乱矣。自高祖建业,至于平帝之末,二百一十年,而王莽篡。盖因母后之亲。十八年而山东贼樊子都等起,实丹其眉,故天下号曰"赤眉"。于是光武以兴祚,其名曰秀。至于灵帝中平元年而张角④起,置三十六万⑤,徒众数十万,皆是黄巾,故天下号曰"黄巾贼"。至今道服由此而兴。初起于邺,会于真定,诳惑百姓曰:"苍天已死,黄天立。岁名甲子年,天下大吉。"起于邺⑥者,天下始业也;会于真定也。小民相向跪拜趋信,荆扬尤甚。乃弃财产,流沉道路,死者无数。角等初以二月起兵,其冬十二月悉破。自光武中兴,至黄巾之起,未盈二百一十年,而天下大乱,汉祚废绝。方应三七之运。

[注释]

①皂隶:古代对贱役或差役的称谓。②赤厄:汉朝为火德,颜色为赤。所以汉朝的厄运称为赤厄。③黄首之妖:指黄巾起义。④张角(?—184):钜鹿(今河北宁晋)人,黄巾起义军首领,太平道创始人。张角早年信奉黄老学说,对在汉代十分流行的谶纬之学深有研究,对民间医术、巫术也很熟悉。⑤万:当作"方"。⑥邺:古都邑名。故址在今河北临漳县西南邺镇东。

[译文]

东汉灵帝刘宏多次在西花园中游戏,他叫后宫的下等宫女扮作旅馆的主人,他自己身穿商人的衣服,来到这旅馆里,让这些宫女端出酒菜,与她们一起饮食,把这当做娱乐。这是天子快要失去皇位,下降到奴仆地位的流言。从那以后天下就大乱了。古书上有记载说:"赤色厄运三七。"所谓三七,就是说经过二百一十年,会有外戚的篡权,以及红眉毛的妖孽。篡权的乱臣贼子国统短暂,最多维持三六之数即十八年，就会有飞龙之秀现身即贤君刘秀，复兴祖宗的事业。又经过二百一十年，又会有黄头的妖孽，天下就大乱了。从汉高祖建立帝业，到汉平帝末年，经历了二百一十年而有王莽篡权，这是凭借了皇后之亲。过了十八年而山东盗贼樊崇等起兵，用丹砂涂在他们的眉毛里，所以天下都把他们叫做"赤眉"。在这个时候光武帝起来复兴汉朝的国运，他的名字叫秀。到汉灵帝中平元年（184）而张角起兵，他把军队分设为三十六方，徒党几十万，都戴黄色的头巾，所以天下称为"黄巾贼"，传到今天的道教服装便是从这时兴起来的。张角等人开始在邺县起兵，后来到真定会师，欺骗迷惑百姓说："青天已经死去，黄天就要建立，那一年是甲子年，天下大吉。"从邺县起兵，象征天下的基业重新开始。到真定会师的时候，百姓都向他们下跪行礼，投奔他们，信奉他们的教义，荆州、扬州的老百姓特别厉害，竟至于抛弃了家产，奔波在路上，死的人数不清。张角等开头在二月起兵，那年冬天十二月便全部被摧毁了。从光武帝中兴，到黄巾军起兵，还不满二百一十年，而天下大乱，汉朝的国统废止。这实在是应验了"三七"的气数。

154　灵帝建宁中，男子之衣，好为长服，而下甚短。女子好为长裾①，而上甚短。是阳无下而阴无上，天下未欲平也。后遂大乱。

155　灵帝建宁三年春，河内有妇食夫，河南有夫食妇。夫妇阴阳二仪，有情之深者也。今反相食，阴阳相侵，岂特日月之眚②哉！灵帝既没，天下大乱，君有妄诛之暴，臣有劫弑之逆，兵革相残，骨肉为雠，生民之祸极矣。故人妖为之先作。而恨不遭辛有、屠乘③之论，以测其情也。

[注释]

①裙(jū):此指下衣,《后汉书》作"裾"。古代称上衣为衣,下衣为裳。②眚(shěng):此指日食,古时认为日食是灾异的象征。③辛有、屠乘:辛有是周朝大夫。屠乘当作"屠黍",是晋太史,见晋乱而出奔周。

[译文]

汉灵帝建宁年间(168—172),喜欢把男人的上衣做得很长,而下衣做得很短。女人喜欢做长裙子,而上衣做得很短。这是阳气没有下而阴气没有上,天下不会太平。后来天下果然大乱了。

汉灵帝建宁三年(170)春天,河内郡发生了妻子吃丈夫的事,河南郡发生了丈夫吃妻子的事。夫妻是阴阳双方相配的事物中最有深情的。现在夫妻之间反而互相吞食,这是阴阳双方在互相侵犯,这哪里只是皇帝皇后的失误呢!汉灵帝死了,天下大乱,君主有妄乱诛杀臣民的暴虐行为,臣下有劫持杀害君主的叛逆行径,君臣起兵互相残杀,骨肉之亲成为仇人,人民的灾难到了极点,所以人类的怪事因此而预先发生了。遗憾的是没有碰上辛有、屠黍所发表的那种预言,用来推测那以后的情况啊。

156 灵帝熹平二年六月,雒阳民讹言:虎贲寺①东壁中有黄人,形容须眉良是。观者数万,省内悉出,道路断绝。到中平元年二月,张角兄弟起兵冀州,自号"黄天"。三十六方,四面出和,将帅星布,吏士外属。因其疲餒②,牵而胜之。

157 灵帝熹平三年,右校③别作中,有两槔树,皆高四尺许。其一株,宿昔暴长,长一丈余,粗大一围,作胡人状,头目鬓须发俱具,其五年十月壬午,正殿侧有槐树,皆六七围,自拔倒竖,根上枝下。又中平中,长安城西北六七里,空树中,有人面,生鬓。其于《洪范》,皆为木不曲直④。

[注释]

①虎贲寺：古寺名，在洛阳。②疲馁（něi）：疲倦而又饥饿。③右校：官署名。秦汉置右校、左校等职官，掌工徒。④木不曲直：《后汉书·五行志》："谓木失其性而为灾。"

[译文]

汉灵帝熹平二年（173）六月，洛阳的老百姓谣传说："虎贲寺的东墙中有黄人，容貌胡须眉毛部分看得清清楚楚。"去看的人有几万，连宫中的人也都出去看，道路都被堵塞了。到中平元年（184）二月，张角兄弟在冀州起兵，自称"黄天"。他们分兵三十六方，各地都出来响应，将军元帅星罗棋布，官吏也都在外地归附他们。因为他们后来疲乏饥饿了，所以才被牵制住打败了。

汉灵帝熹平三年，右校作坊中有两棵臭椿树，高度都在四尺左右。其中的一棵一下子猛长，长长了一丈多，长粗了一围，变成了外国人的形状，头、眼睛、鬓角、胡须、头发都具备。熹平五年（176）十月壬午日，正殿旁边的槐树，都有六七围大小，竟然会自己拔起来倒竖着，树根向上树枝向下。还有中平年间（184—189），在长安城西北六七里远的老树洞中，那树干长成了人的面孔，还长着鬓发。这些事以《洪范》的观点来看，都是树木不能正常地弯曲或伸直。

158　灵帝光和元年，南宫①侍中寺，雌鸡欲化为雄，一身毛皆似雄，但头冠尚未变。

159　灵帝光和二年，洛阳上西门外女子生儿，两头，异肩共胸，俱前向。以为不祥，堕地弃之。自是之后，朝廷霿②乱，政在私门③，上下无别，二头之象。后董卓④戮太后，被以不孝之名，放废天子，后复害之。汉元以来，祸莫逾此。

160　光和四年，南宫中黄门寺⑤，有一男子，长九尺，服白衣。中黄门解步呵问:"汝何等人!白衣妄入宫掖!"曰:"我,梁伯夏后。天使我为天子。"步欲前收之,因忽不见。

161 光和七年,陈留济阳、长垣,济阴,东郡冤句、离狐界中,路边生草,悉作人状,操持兵弩,牛马龙蛇鸟兽之形,白黑各如其色,羽毛、头目、足翅皆备,非但彷佛,像之尤纯。旧说曰:"近草妖也。"是岁有黄巾贼起,汉遂微弱。

[注释]

①南宫:汉宫殿名,故址在今河南洛阳东。②霾:天色昏暗。此指朝廷昏乱。③政在私门:谓国家政权由豪权之臣专断。④董卓:东汉权臣。本为凉州豪强,率兵入洛阳,戮太后,废少帝,又挟持献帝西迁长安,纵火焚洛阳周围数百里,专断朝政,残暴专横。⑤中黄门寺:中黄门官署。中黄门为宦官,属少府。

[译文]

汉灵帝光和元年(178),南宫的侍中府内有只母鸡快要变成雄鸡了,全身的毛都像雄鸡,但头和鸡冠尚未变化。

汉灵帝光和二年,洛阳上西门外有个女人生了个孩子,两个头,两对肩膀同长在一个胸膛上,都向前。那女人认为不吉利,所以孩子一落地就把他抛弃了。从此之后,朝廷昏乱,政权落到了权贵手中,君主与臣下没有区别,这是两个头的象征。后来董卓毒杀何太后,将不孝的罪名加在汉少帝身上,废除放逐了少帝,后来又把他毒杀了。汉朝建立以来,灾祸没有比这更厉害的了。

光和四年,南宫的中黄门官署内,有一个男人,长九尺,穿白色的衣服。中黄门解步责问道:"你是什么人?竟敢穿了白衣服乱闯宫廷!"那人说:"我,是梁伯夏的后代,天帝派我来做天子。"解步想上前逮住他,他却忽然不见了。

光和七年,陈留郡的济阳县、长垣县,济阴郡和东郡的冤句县、离狐县地界中,路边生出的草都长成人的形状,还拿着兵器弓箭,有的草长成牛马龙蛇鸟兽的形状,或白或黑都像它们应有的颜色,羽毛、头、眼睛、脚、翅膀都具备,不只是仿佛近似,而是像得特别纯正。过去有人解释说:"这是草在作怪。"这一年有黄巾强盗起兵,汉朝从此就衰弱了。

162　灵帝中平元年,六月壬申,雒阳男子刘仓,居上西门外。妻生男,两头共身。至建安中,女子生男,亦两头共身。

163　中平三年八月中,怀陵①上有万余雀,先极悲鸣,已因乱斗相杀,皆断头,悬着树枝枳棘。到六年,灵帝崩。夫陵者,高大之象也。雀者,爵也。天戒若曰:"诸怀爵禄而尊厚者,还自相害,至灭亡也。"

[注释]

①怀陵:汉冲帝陵,在河南洛阳东北。

[译文]

汉灵帝中平元年(184)六月壬申日,洛阳有个住在上西门外的男子刘仓,他的妻子生了个儿子,两个头同长在一个身体上。到建安年间(196—220),有个女子生了个儿子,也是两个头同长在一个身体上。

中平三年八月中,怀陵上有一万多只麻雀,开始非常悲哀地鸣叫,接着便胡乱地搏斗,互相残杀,结果都断了头,悬挂在树枝与荆棘丛上。到中平六年,汉灵帝逝世。陵,是高大的象征。雀,就是爵。上天的禁戒这样说:"各个享有爵位俸禄而尊贵的人,很快会自相残害,直到灭亡。"

164　汉时,京师宾婚嘉会,皆作魁㯯①,酒酣之后,续以挽歌。魁㯯,丧家之乐;挽歌,执绋②相偶和之者。天戒若曰:"国家当急殄悴,诸贵乐皆死亡也。"自灵帝崩后,京师坏灭,户有兼尸虫而相食者。魁櫑、挽歌，斯之效乎？

165　灵帝之末，京师谣言曰："侯非侯，王非王。千乘万骑上北邙③。"到中平六年，史侯④登蹑至尊，献帝未有爵号，为中常侍段圭等所执，公卿百僚，皆随其后，到河上，乃得还。

[注释]

①魁櫑（lěi）：即"傀儡"。②绋（fú）：古代出殡时拉棺材用的大绳。③北邙：亦作"北芒"，即邙山，在河南洛阳市北。汉代王侯贵族多葬在北邙山。④史侯：东汉少帝刘辩的初称。

[译文]

汉朝的时候，京城里在迎宾结婚等吉利美好的宴会上，都吹奏傀儡，饮酒尽兴以后，就接着唱挽歌。傀儡，是丧失家园时奏的乐曲；挽歌，是扶着牵引棺材的绳索下葬时相互应和而唱的歌。上天的禁戒这样说："国家马上要遭殃了，所以各种受推崇的音乐都是死亡之曲。"自从汉灵帝死了以后，京城被摧毁，家门中有吞食尸体的虫再自相吞食的。奏傀儡、唱挽歌，是这些事的应验吗？

汉灵帝末年，京城流传的歌谣说："侯不是侯，王不是王，千乘万骑上北邙（此指不吉利的事）。"到中平六年（189），史侯登上了最高的位子，汉献帝当时还没有爵号，被中常侍段圭等劫持，公卿百官，都只好跟在他的后面，一直被劫持到黄河边上，才被尚书卢植等追回。

166　汉献帝初平中，长沙有人姓桓氏，死，棺敛月余，其母闻棺中有声，发之，遂生。占曰："至阴为阳，下人为上。"其后曹公①由庶士起。

167　献帝建安七年，越巂②有男子化为女子。时周群③上言："哀帝时亦有此变，将有易代之事。"至二十五年，献帝封山阳公。

[注释]

①曹公：指曹操。②越巂（xī）：县名，在四川省。今作"越西"。③周群：字仲直，习占候之学。

[译文]

汉献帝初平年间（190—193），长沙有个人姓桓，死了，已经入棺一个多月了，他母亲却听见棺材中有声音，打开棺材，这人就活了。占卜的结果说："极盛的阴气转变为阳气，地位低下的人就占据上位。"后来曹操便由一个普通的军士起家立业。

汉献帝建安七年（202），越巂县有个男人变成了女人。当时周群上言说："哀帝时也有这种变化，这预示着将要有改朝换代的事。"到建安二十五年（220），汉献帝被封为山阳公。

168 建安初，荆州①童谣曰："八九年间始欲衰，至十三年无孑遗。"言自中兴以来，荆州独全，及刘表为牧，民有丰乐，至建安九年当始衰。始衰者，谓刘表妻死，诸将并零落也。十三年无孑遗者，表又当死，因以丧败也。是时华容②有女子，忽啼呼曰："将有大丧。"言语过差，县以为妖言，系狱。月余，忽于狱中哭曰："刘荆州今日死。"华容去州数百里，即遣马里验视，而刘表果死。县乃出之。续又歌吟曰："不意李立为贵人。"后无几，曹公平荆州，以涿郡李立字建贤为荆州刺史。

[注释]

①荆州：东汉州名，治所汉寿县，在今湖南汉寿北。②华容：古县名，治所在今湖北潜江西南。

[译文]

汉献帝建安初年，荆州流行的童谣说："建安八九年间开始要衰落了，到十三年就没有什么遗留了。"这是说汉代从中兴以来，仅荆州能保全，等到刘表任荆州牧以后，老百姓还能丰衣足食欢天

卷六 135

喜地,但到建安九年(204)便要开始衰落了。所谓开始衰落,是指刘表的妻子死去,各位将领也都零落衰亡。所谓十三年没有什么遗留,是指刘表又要死了,因而荆州就要衰败了。这时候华容县有个女子,忽然哭着呼叫说:"将有大的丧事。"她的话说得太过分了,县里认为她制造妖言惑众,所以把她逮捕入狱。过了一个多月,她忽然在狱中哭着说:"刘荆州(刘表)今天死了。"华容县距离荆州有几百里,县里就马上派骑士去验看,刘表果然死了,县里就把她放了出来。她接着又吟唱道:"想不到李立成了地位显赫的人物。"后来没过多少时候,曹操攻破荆州,便任命涿郡人李立(字建贤)当了荆州刺史。

169 建安二十五年正月,魏武①在洛阳起建始殿,伐濯龙树而血出。又掘徒梨,根伤而血出。魏武恶之,遂寝疾,是月崩。是岁为魏文黄初元年。

170 魏黄初元年,未央宫中,有鹰生燕巢中,口爪俱赤。至青龙②中,明帝为凌霄阁,始构,有鹊巢其上。帝以问高堂隆,对曰:"诗云:'惟鹊有巢,惟鸠居之。'今兴起宫室,而鹊来巢,此宫室未成,身不得居之象也。"

[注释]

①魏武:即魏武帝曹操。②青龙:233—237年,魏明帝曹叡年号。

[译文]

建安二十五年(220)正月,魏武帝曹操在洛阳修建始殿,砍伐濯龙园中的树木,那树木竟然流出血来。又掘梨树搬迁,那梨树的根被碰伤了也流出血来。曹操很厌恶这件事,于是就卧病不起,当月就死了。这一年是魏文帝黄初元年。

魏文帝黄初元年(220),未央宫中有老鹰出生在燕子巢里,嘴和脚爪都呈红色。到青龙年间,魏明帝建造凌霄阁,刚开始架屋,就有喜鹊在那上面做巢。魏明帝拿这件事去问高堂隆,高堂隆回答说:"《诗经·召南·鹊巢》说:'惟鹊有巢,惟鸠居之。'现在你兴建宫室而喜鹊却来做巢,这是房屋还没有落成,而你自己已不能去居住的象征。"

171 魏齐王嘉平初,白马河①出妖马,夜过官牧边鸣呼,众马皆应。明日,见其迹大如斛,行数里,还入河。

172 魏景初元年,有燕生巨㲉于卫国李盖家,形若鹰,吻似燕。高堂隆曰:"此魏室之大异,宜防鹰扬之臣于萧墙之内。"其后宣帝②起,诛曹爽,遂有魏室。

[注释]

①白马河:在今河北饶阳县南。②宣帝:即司马懿,三国魏重臣。嘉平元年,其杀皇族曹爽,专国政。

[译文]

魏齐王嘉平初年,白马河出现怪马,那马夜间经过官府的马厩旁嘶叫,群马都应和着嘶叫。第二天,人们看见它的脚印像斗斛一样大,绵延几里,仍然回到白马河里去了。

魏景初元年(237),有只燕子在卫国李盖的家里生了只体形巨大的幼燕,形状像老鹰,嘴喙像燕子。高堂隆说:"这是魏王朝的大怪事,应该在宫廷内防范大展雄才之臣。"在那以后,晋宣帝司马懿发动了政变,诛杀了曹爽,从而控制了魏王朝。

173 蜀景耀①五年,宫中大树无故自折。谯周②深忧之,无所与言,乃书柱曰:"众而大,期之会;具而授,若何复。"言曹者,大也。众而大,天下其当会也。具而授,如何复有立者乎?蜀既亡,咸以周言为验。

[注释]

①景耀：三国蜀后主刘禅的年号（258—263）。②谯周：字允南，三国巴西西充（今四川阆中西南）人，通经学。

[译文]

蜀后主景耀五年（262），蜀国宫廷中的大树无缘无故地自己折断了。谯周深深地为此忧虑，但又没有什么人可以和他谈论这件事，于是他就在柱子上写道："众而大，期之会；具而授，若何复。"这是说曹魏王朝是强大的。兵多人众而势力强大，天下的人到时候会聚集在他周围；曹氏具备了这样的条件因而把天下给了曹氏，怎么能再存在建立刘家王朝的人呢？蜀汉灭亡以后，人们都认为谯周的话得到了应验。

174　吴孙权太元元年八月朔，大风。江海涌溢，平地水深八尺。拔高陵①树二千株，石碑差动，吴城两门飞落。明年，权死。

175　吴孙亮五凤元年六月②，交阯稗草化为稻。昔三苗③将亡，五谷变种。此草妖也。其后亮废。

[注释]

①高陵：指孙坚墓。②孙亮：字子明，孙权第七子，孙权死后即位，后被废。五凤是其年号（254—256）。③三苗：我国古代部族名。原居长江中游以南一带。

[译文]

吴国孙权太元元年（251）八月初一，刮大风，江海泛滥，平地上的积水有八尺深，刮倒了孙权父亲孙坚墓地高陵上的树二千棵，陵园里的石碑都歪斜了，吴国京城的两扇大门也被吹落了下来。第二年，孙权就死了。

吴国孙亮五凤元年（254）六月，交阯郡有稗草变成了稻子。

从前三苗部族即将灭亡的时候，五谷变了种。这些都是发生在草类上的怪事。后来，孙亮就被废除了。

176　吴孙亮五凤二年五月，阳羡①县离里山大石自立。是时，孙皓②承废故之家，得复其位之应也。

177　吴孙休永安四年，安吴③民陈焦，死七日复生，穿冢出。乌程孙皓承废故之家，得位之祥也。

178　孙休后，衣服之制，上长下短。又积领五六，而裳④居一二。盖上饶奢，下俭逼；上有馀，下不足之象也。

[注释]

①阳羡：古县名。在今江苏宜兴南。②孙皓：三国吴国末帝。③安吴：县名。在今安徽泾县西南。④裳：下身的衣服或裤子。

[译文]

吴国孙亮五凤二年（255）五月，阳羡县离里山的大石头自己耸立起来。这是孙皓继承废旧的家业，能恢复其帝位的预兆。

吴国孙休永安四年（261），安吴县的百姓陈焦，死了七天又活了，他打通坟墓爬了出来。这是乌程侯孙皓继承废旧的家业而获得帝位的征兆。

从孙休以后，衣服的规格，上衣长下衣短。同时，穿五六件上衣，下衣只穿一二条。这大概是上面富饶奢侈，下面贫穷拮据；上面财富有余，下面财富不足的征兆。

卷 七

179 初,汉元、成之世,先识之士有言曰:"魏年有和,当有开石于西三千余里,系五马,文曰'大讨曹'。"及魏之初兴也,张掖①之柳谷有开石焉。始见于建安,形成于黄初,文备于太和。周围七寻②,中高一仞。苍质素章,龙马③、麟鹿④、凤皇⑤、仙人之象,粲然咸著。此一事者,魏、晋代兴之符也。至晋泰始三年⑥,张掖太守焦胜上言:"以留郡本国图校今石文,文字多少不同。谨具图上。"案其文有五马象:其一,有人平上帻,执戟而乘之;其一,有若马形而不成。其字有"金",有"中",有"大司马",有"王",有"大吉",有"正",有"开寿";其一成行,曰"金当取之"。

[注释]

①张掖:郡名。所辖在今甘肃永昌以西、高台以东。即今张掖西北。②寻:八尺为一寻。③龙马:龙首马身的神马。④麟鹿:即麒麟,神兽。⑤凤皇:即凤凰。⑥晋泰始三年:即267年。泰始,晋武帝年号(265—274)。

[译文]

当初,在汉元帝、汉成帝的时代,有预见的人士曾说过这样的话:"魏朝的年号有太和,那时候在西边三千多里的地方会有裂开的石头,上面有五匹马的图案,石头上还有文字,那文字是'大讨曹'。"等到魏国刚兴起的时候,张掖郡的柳谷有裂开的石头。这石头在建安年间(196—220)开始出现,在黄初年间(220—226)形成,在太和年间(227—232)花纹图像就齐备了。它的周长有七寻,当中高一仞(七尺或八尺为一仞)。青色的质地,白色的花纹,龙马、麒麟、凤凰、仙人的图像,都清楚地附着在上面。这一情况,是魏朝废替、晋朝兴起的符命。到晋朝泰始三年,张掖郡太守焦胜上奏说:"拿留在郡府的本国图谶校对现在石头上的花纹图形,文字的多少不同。现在我谨把这些花纹都描摹在此,呈上请阅。"考察那花纹图形,可以看到有五匹马的形象:其中一匹马,有一个人戴着平的包头布巾,手握着戟骑在它身上;其中一匹,有点像马的形状,但又不完全像马。那图上的字有"金",有"中",有"大司马",有"王",有"大吉",有"正",有"开寿";其中有一些字排成一行,是"金当取之"(金德的晋王朝将会取代魏王朝)。

180 晋武帝泰始初,衣服上俭下丰,著衣者皆厌腰①。此君衰弱、臣放纵之象也。至元康②末,妇人出两裆,加乎交领之上,此内出外也。为车乘者,苟贵轻细,又数变易其形,皆以白篾为纯,盖古丧车之遗象。晋之祸征也。

181 胡床③、貊槃④,翟⑤之器也;羌煮、貊炙,翟之食也。自太始以来,中国尚之。贵人富室,必畜其器,吉享嘉宾,皆以为先。戎⑥、翟侵中国之前兆也。

[注释]

①厌腰:在腰身处把上衣掩进下衣里。②元康:晋惠帝年号(291—299)。③胡床:又称交床,交椅。④貊槃(mò pán):一种北方少数民族所用盛水的盘子。⑤翟(dí):泛指古代中国北方各族。⑥戎:西戎,主要指出河西走廊的广大西域地区,今新疆及中亚诸国。古有南蛮、东夷、北狄、西戎之说。

[译文]

晋武帝泰始初年,衣服上身做得短小,下身做得长大,穿上衣的人都在腰身处把上衣掩进下衣里。这是君主衰弱、臣下放纵的象征。到元康末年,女人把背心穿在外面,加在有领的衣服上,这是内装穿到了外装上。那时做车子的,草率地迎合世俗而崇尚轻小,又屡次改变它的形状,都用白色的竹篾为镶边,这是古代灵车留下来的形制。这些都是晋朝将要遭受灾难的征兆。

胡床、貊槃,是北狄的器具;羌煮、貊炙,是北狄的食物。从晋武帝泰始年间(265—274)以后,中国推崇这些东西。贵族豪富之家,一定备有胡床、貊槃等器具。祭祀请客,都把羌煮、貊炙等先端出来。这是西戎、北狄入侵中国的先兆。

182 晋太康四年,会稽郡蟛蚑①及蟹,皆化为鼠。其众覆野,大食稻为灾。始成,有毛肉而无骨,其行不能过田塍。数日之后,则皆为牝②。

183 太康五年正月,二龙见武库井中。武库者,帝王威御之器所宝藏也。屋宇邃密,非龙所处。是后七年,藩王相害。二十八年,果有二胡僭窃神器,皆字曰"龙"。

[注释]

①蟛蚑(péng qí),螃蟹的一种,体小,或作"蟛蜞",生活在水边泥穴中。②牝:本指雌性的鸟或兽,这里指雌老鼠。

[译文]

晋太康四年(283),会稽郡的蟛蜞和蟹都变成了老鼠。这众多的老鼠遍布田野,大量啃食水稻,造成了严重的灾荒。它们刚变成老鼠的时候,有毛有肉而没有骨头,它们爬行起来还不能越过田埂。几天以后,便都变成了雌老鼠。

太康五年(284)正月,有两条龙出现在武库的井里。武库,是储藏帝王威武之器的宝地，房屋幽深隐蔽，不是龙呆的地方。这事发生后七年，诸侯王互相残害（指八王之乱）。又过了二十八年，果然有两个胡人石勒、石虎企图窃取帝位，他们的字都是"龙"（石勒字世龙，石虎字季龙）。

184　晋武帝太康六年，南阳获两足虎。虎者，阴精而居乎阳，金兽也。南阳，火名也。金精入火而失其形，王室乱之妖也。其七年十一月景辰，四角兽见于河间。天戒若曰："角，兵象也；四者，四方之象。当有兵革起于四方。"后河间王遂①连四方之兵，作为乱阶。

185　太康九年，幽州②塞北有死牛头语。时帝多疾病，深以后事为念，而付托不以至公，思瞀乱③之应也。

[注释]

①河间王遂：即司马遂，字子伯。②幽州：古九州及汉十三刺史部之一。汉治所蓟县，故址在今北京市广安门附近。辖境相当于今北京市、河北北部、辽宁南部及朝鲜西北部。③瞀乱：精神错乱。

[译文]

晋武帝太康六年（285），南阳郡有人猎取到两只脚的老虎。老虎，是处于阳间的阴气之精，是金兽（五行中的金，相应的野兽为白虎）。南阳，是火的名称。金的精气进入火而丧失了它原有的形状，这是晋王室变乱的凶兆。太康七年（286）十一月丙辰日，在河间国出现四只角的野兽。上天的警戒这样说："角，是用兵的象征；四，是四方的象征。所以一定会有战乱发生在四方。"后来河间王司马遂连结四方的军队，成了祸乱的来源之一。

太康九年（288），幽州边塞北之地有死亡的牛头说话。当时晋武帝经常生病，深深地挂念他的后事，但他却不以大公无私的态度来托付治国大权。这死牛头说话就是他思想昏乱的应验。

186 太康中,有鲤鱼二枚现武库屋上。武库兵府,鱼有鳞甲,亦是兵之类也。鱼既极阴,屋上太阳①,鱼现屋上,象至阴以兵革之祸干太阳也。及惠帝②初,诛皇后父杨骏③,矢交宫阙。废后为庶人,死于幽宫。元康之末,而贾后专制,谤杀太子,寻亦诛废。十年之间,母后之难再兴,是其应也。自是祸乱构矣。京房《易妖》曰:"鱼去水,飞入道路,兵且作。"

[注释]

①太阳:即至阳,"阳"的极限。②惠帝:司马衷,字正度,是晋武帝司马炎的次子,290年至306年在位。③杨骏:字文长,晋武帝皇后父。

[译文]

太康年间(280—289),有两条鲤鱼出现在武库的屋面上。武库是藏兵器的库房;鱼有鳞甲,也是兵器的象征。鱼是极盛的阴气,而屋面上是极盛的阳气,鱼出现在屋面上,象征极阴因为兵乱的灾祸而冲犯了极阳。到晋惠帝初年,诛杀晋武帝杨皇后父亲杨骏,乱箭在宫殿之中飞来飞去,又把杨皇后废黜为平民,把她害死在隐蔽的宫室中。元康末年,贾后独揽大权,诽谤并杀害了太子,不久贾后也被废黜杀死。十年之间,皇后的灾难发生了两次,这便是鱼出现在武库屋上的应验。从那个时候起,晋王朝的祸乱便已造成了。京房《易妖》说:"鱼离开了水,飞到道路上,将会有兵乱发生。"

187 初作屐者,妇人圆头,男子方头。盖作意欲别男女也。至太康中,妇人皆方头屐,与男无异。此贾后①专妒之征也。

188 晋时,妇人结发者,既成,以缯急束其环,名曰撷子髻。始自宫中,天下翕然化之也。其末年,遂有怀、惠之事②。

[注释]

①贾后：贾南风，西晋惠帝的皇后。惠帝暗弱无能，国家政事，皆由贾后干预。自此，西晋政局便处于动荡不安中。②怀、惠之事：指晋怀帝、晋惠帝先后被刘曜（十六国时期前赵国君）俘到平阳，后均被杀。

[译文]

刚开始做木屐的时候，把妇女的做成圆头，把男人的做成方头。这种做法大概是想把男、女区别开来。到太康年间（280—289），妇女都做方头的木屐，与男人没有什么两样。这是贾后专制嫉妒的征兆。

晋朝的时候，妇女梳发髻的，已梳成，又用丝绸紧扎发环，人们把它叫做撷子髻。这种发髻开始出现在皇宫内，后来全国都仿效它。到那晋朝末年，就有怀帝、惠帝被杀之事。

189　太康中，天下为《晋世宁》之舞。其舞，抑手以执杯盘而反复之。歌曰："晋世宁，舞杯盘。"反复，至危也。杯盘，酒器也。而名曰"晋世宁"者，言时人苟且饮食之间，而其智不可及远，如器在手也。

190　太康中，天下以毡为绋头及络带、袴口。于是百姓咸相戏曰："中国其必为胡①所破也。"夫毡，胡之所产者也，而天下以为绋头、带身、袴口，胡既三制之矣，能无败乎！

[注释]

①胡：古代泛指居住在北方和西方的少数民族。

[译文]

太康年间，全国都跳《晋世宁》的舞蹈。跳那种舞蹈，手向下拿着杯盘再把杯盘颠来倒去，口中唱道："晋代安宁，舞弄杯盘。"颠来倒去，是极其危险的。杯盘，是饮酒用的器具。把这种舞叫做"晋世宁"，是说当时的人只图吃喝玩乐，而他们的智谋不可能考虑到远大的事情，就像酒器握在手中那样。

太康年间，全国都用毛毡做头巾和腰带、裤脚口。于是老百姓都开玩笑说："中国一定会被胡人攻破。"毛毡，是北胡出产的东西，而全国拿它来做头巾、腰带、裤脚口，那么胡人已经从三个地方控制了中国，中国能不失败吗！

191　太康末，京洛为《折杨柳》之歌，其曲始有兵革苦辛之辞，终以擒获斩截之事。自后杨骏①被诛，太后幽死，杨柳之应也。

192　晋武帝太熙元年，辽东有马生角，在两耳下，长三寸。及帝晏驾②，王室毒于兵祸。

[注释]

①杨骏：字文长，弘农华阴人。晋武帝武悼皇后杨芷之父。②晏驾：古代帝王死亡的讳语。

[译文]

太康末年，洛阳唱《折杨柳》的歌曲，这曲子开始有战乱痛苦的词句，最后以擒捉斩杀的事情结束。到后来，杨骏被杀，杨太后也被幽禁而死，这是"折杨柳"的应验啊。

晋武帝太熙元年（290），辽东郡有马长角，长在两只耳朵下面，长三寸。到晋武帝逝世，朝廷便遭到了兵乱的毒害。

193　晋惠帝元康中，妇人之饰有五佩兵。又以金、银、象角、玳瑁①之属，为斧、钺、戈、戟而载之，以当笄。男女之别，国之大节，故服食异等。今妇人而以兵器为饰，盖妖之甚者也。于是遂有贾后之事。

[注释]

①玳瑁（dài mào）：龟鳖目海龟科的一种。又称十三鳞。古名瑇瑁，纹

甲。主要生活于海洋，以鱼、软体动物和海藻为食。

[译文]

晋惠帝元康年间（291—299），妇女的饰品有仿照五种兵器形状而制成的。又用金、银、象牙、兽角、玳瑁之类，做成斧、钺、戈、戟而佩带它，把它当做簪子。男女之间的分别，是国家的重大礼节，所以穿的吃的男女都不同。现在妇女以兵器作为饰品，这是极其反常的事。因此便有贾后荒淫暴虐的事情。

194　晋元康三年闰二月，殿前六钟皆出涕，五刻①乃止。前年贾后杀杨太后于金墉城，而贾后为恶不悛，故钟出涕，犹伤之也。

195　惠帝之世，京洛有人，一身而男女二体②，亦能两用人道，而性尤好淫。天下兵乱，由男女气乱而妖形作也。

[注释]

①刻：时间单位。古代用漏壶计时，一昼夜共一百刻。②一身而男女二体：即两性人，也称阴阳人。

[译文]

晋元康三年（293）闰二月，洛阳太极殿前的六只大钟都流泪，到五刻时才停止。前年贾后把杨太后杀死在金墉城，而贾后做了恶事不思悔改，所以大钟流泪，好像在为她忧伤。

晋惠帝的时候，洛阳有个人，一个身体上长着男、女二种器官，既能与女人进行交媾，也能与男人进行交媾，而他的本性特别爱好淫乱。天下的战乱，是由于男、女的元气混乱而怪现象出现的缘故。

196　惠帝元康中，安丰①有女子曰周世宁，年八岁，渐化为男。至十七八，而气性成。女体化而不尽，男体成而不彻，畜

卷七　147

妻而无子。

197 元康五年三月，临淄②有大蛇，长十许丈，负二小蛇，入城北门，径从市入汉阳城景王祠中，不见。

[注释]

①安丰：郡名。三国魏黄初元年（220）分庐江郡置，治所在安丰（今安徽霍丘西南）。②临淄：古城名，在今山东淄博东北。

[译文]

晋惠帝元康年间（291—299），安丰郡有个姑娘叫周世宁，八岁的时候，逐渐变成男人。到十七八岁，她的气质性情发育成熟，她身上的女性器官变化了但没有完全化除，而男性器官长成了却没有完全长好，结果娶了妻子而没有子女。

元康五年（295）三月，临淄县出现一条大蛇，长十多丈，背着两条小蛇，游进临淄县城的北门，径直穿过街市进入汉阳城景王祠中，便不见了。

198 元康五年三月，吕县有流血，东西百余步。其后八载，而封云①乱徐州，杀伤数万人。

199 元康七年，霹雳②破城南高禖③石。高禖，宫中求子祠也。贾后妒忌，将杀怀、愍，故天怒贾后，将诛之应也。

[注释]

①封云：西晋时张昌起义军将领。②霹雳：惊雷。③高禖：神名，祭祀高禖来祈求子嗣。

[译文]

元康五年三月，吕县发现流淌的鲜血，从东到西长一百多步。那以后八年，封云起兵攻打徐州，杀伤了几万人。

元康七年（297），霹雳击破了城南高禖庙前的石头。高禖，是皇宫内祈求生儿子的祠庙。当时贾后妒忌，将要杀掉怀帝、愍帝，所以老天怨恨贾后,这霹雳击石便是贾后将要诛杀怀帝、愍帝的应验。

200　元康中,天下始相效为乌杖,以柱掖。其后稍施其镦①,住则植之。及怀、愍之世,王室多故,而中都丧败。元帝以藩臣,树德东方,维持天下,柱掖之应也。

201　元康中,贵游子弟②相与为散发倮身之饮,对弄婢妾。逆之者伤好,非之者负讥,希世之士,耻不与焉。胡、狄侵中国之萌也。其后遂有二胡之乱。

[注释]

①镦(duì):杖末的平底金属套。②贵游子弟:上流社会的子弟。

[译文]

元康年间(291—299),天下的人开始互相仿效制作长的拐杖,用来支撑胳肢窝。那拐杖的末端稍微冒上一个平底的铜套,立住时就用它支撑着。到怀帝、愍帝的时候,晋王朝多事变,而京都败亡。晋元帝以诸侯王的身份,在东方建功立业,维持晋王朝的统治,这是拐杖支撑胳肢窝的应验。

元康年间,显贵闲荡的公子少爷互相结伙披头散发、赤身裸体来喝酒,调戏玩弄婢女小妾。不顺从他们的就伤害情谊,责怪他们的就遭到讽刺,迎合世俗的人士,都以不参与这种事为耻。这是胡人、北狄入侵中国的苗头。那以后就有两个胡人(石勒、石虎)作乱。

202　惠帝太安元年,丹阳湖熟县夏架湖,有大石,浮二百步而登岸。百姓惊叹,相告曰:"石来!"寻而石冰①入建邺。

203　太安元年四月,有人自云龙门入殿前,北面再拜曰:"我当作中书监②。"即收斩之。禁庭尊秘之处,今贱人竟入,而门卫不觉者,宫室将虚,下人逾上之妖也。是后帝迁长安,宫阙遂空焉。

[注释]

①石冰:西晋时张昌起义军将领。②中书监:中书省长官,魏晋时置。与中书令职务相等而位次略高。

[译文]

晋惠帝太安元年(302),在丹阳郡湖熟县夏架湖,有块大石头漂浮了二百步又登上湖岸。百姓惊叹不已,互相传话说:"石头来了!"不久,张昌的部将石冰攻进了建邺。

太安元年四月,有个人从云龙门进宫一直来到大殿之前,朝北拜了两次说:"我应该任中书监。"朝廷马上就把他逮住杀了。宫廷是尊严秘密的地方,现在下贱的人竟能闯进去而守门人没发觉,这是宫廷将空虚、下贱的人将超越皇上的凶兆。后来晋惠帝迁徙到长安,皇宫果然空虚了。

204 太安中,江夏功曹①张骋所乘牛忽言曰:"天下方乱,吾甚极②为。乘我何之?"骋及从者数人皆惊怖,因绐③之曰:"令汝还,勿复言。"乃中道还。至家,未释驾。又言曰:"归何早也?"骋益忧惧,秘而不言。安陆县有善卜者,骋从之卜。卜者曰:"大凶。非一家之祸,天下将有兵起,一郡之内,皆破亡乎!"骋还家,牛又人立而行。百姓聚观。其秋,张昌④贼起,先略江夏,诳曜百姓。以汉祚复兴,有凤凰之瑞,圣人当世,从军者皆绛抹头,以彰火德之祥。百姓波荡,从乱如归,骋兄弟并为将军都尉。未几而败。于是一郡破残,死伤过半,而骋家族矣。京房《易妖》曰:"牛能言,如其言,占吉凶。"

[注释]

①江夏:古郡名。西汉高祖置,治所在今湖北云梦。功曹:官名,亦称

功曹史。西汉始置,为郡守、县令的主要佐吏。②极:疲困。③绐:欺骗,欺诈。④张昌:西晋时农民起义军首领,后为晋军镇压。

[译文]

太安年间(302—303),江夏郡功曹张骋拉车的牛忽然说道:"天下将要大乱,我很疲惫了。你让我拉着车到什么地方?"张骋和他的几个随从都惊恐万状,就哄骗它说:"让你回去,你别再说话了。"于是就半路而回。回到家中,还没有卸下车驾,牛又说道:"为什么要这么早就回来呢?"张骋更加害怕了,便沉默不言。安陆县有个善于占卜的人,张骋去叫他占卜。占卜的人说:"非常不吉利。这不是一家一户的灾难,而是国家将有战乱发生,整个郡都要毁灭啊!"张骋回到家里,牛又像人一样站起来行走,百姓都来围观。那年秋天,张昌起兵造反,先占据了江夏郡,欺骗迷惑老百姓。说什么因为汉朝的国统又要兴盛了,所以有凤凰来临的吉兆,圣人将要当道。参军的人都戴红头巾,用来显示火德的吉兆。老百姓人心动荡,跟着他造反就像回家一样平常,张骋兄弟两人都任将军都尉的职务。不久就失败了。于是整个郡都被摧毁,死伤的人数超过了一半,而张骋一家被灭族了。京房《易妖》说:"牛能说话,事情按照它说的一样,能预测吉凶。"

205 元康、太安之间,江淮之域,有败屩①自聚于道,多者至四五十量。人或散去之,投林草中。明日视之,悉复如故。或云见狸衔而聚之。世之所说:"屩者,人之贱服,而当劳辱,下民之象也。败者,疲弊之象也。道者,地里②,四方所以交通,王命所由往来也。今败屩聚于道者,象下民疲病,将相聚为乱,绝四方而塞王命也。"

[注释]

①屩(juē):草鞋。②地里:《开元占经》、《太平御览》中"里"均作

"理",当据正。

[译文]

元康、太安年间(291—303),长江、淮河流域,有破麻鞋自己积聚在道路上,多的地方竟达四五十双。人们有时把它们丢散开来,扔进树林草丛中。明天再去看它们,又都恢复成老样子。有人说看见野猫衔了把它们积聚在一起。社会上的说法是:"麻鞋,是人的低下的服装,应当劳苦受辱,它是平民百姓的象征。破,是穷乏破败的象征。道路,是土地的纹理,各地靠它来交往,帝王的命令靠它来传送。现在破麻鞋积聚在道路上,象征着老百姓疲乏困苦,将互相聚集起来造反,断绝各地的交往而堵住圣旨的传达啊。"

206 晋惠帝永兴元年,成都王①之攻长沙也,反军于邺,内外陈兵。是夜,戟锋皆有火光,遥望如悬烛,就视则亡焉。其后终以败亡。

207 晋怀帝永嘉元年②,吴郡吴县万详婢生一子,鸟头,两足马蹄,一手无毛,尾黄色,大如碗。

[注释]

①成都王:即司马颖,晋武帝第十六子。②晋怀帝:司马炽(284—313),字丰度,西晋第三任皇帝,307—313 年在位。永嘉为其年号。

[译文]

晋惠帝永兴元年(304),成都王司马颖攻占长沙,又带兵返回邺城,城内城外陈设军队。这天夜里,兵器的锋刃上都有火光,远看像挂着的蜡烛,走近看便没有了。后来他终于失败被杀。

晋怀帝永嘉元年(307),吴郡吴县万详的婢女生了一个孩子,长着鸟的头,两只形如马蹄的脚,一只没有汗毛的手,尾巴黄色,像碗一样大。

208　永嘉五年，抱罕①令严根婢产一龙、一女、一鹅。京房《易传》曰："人生他物，非人所见者，皆为天下大兵。"时帝承惠帝之后，四海沸腾，寻而陷于平阳②，为逆胡所害。

209　永嘉五年，吴郡嘉兴③张林家，有狗忽作人言曰："天下人俱饿死。"于是果有二胡之乱，天下饥荒焉。

[注释]

①抱罕：古县名，又作"枹罕"。故治在今甘肃临夏东北。②平阳：古县名，治所在今山西临汾。③嘉兴：县名，在今浙江嘉兴南。

[译文]

永嘉五年（311），抱罕县县令严根的婢女生了一条龙、一个女孩、一只鹅。京房《易传》说："人生下其他的东西，不是人们所见过的，都是天下有大战的征兆。"当时晋怀帝继承晋惠帝的皇位之后，国内如同沸水翻滚，不久他便陷落在平阳，被叛逆的胡人杀害了。

永嘉五年，吴郡嘉兴县张林的家中，有只狗忽然说起人的话来，说："天下的人都要饿死。"于是果然有"二胡"即石勒、刘曜的兵乱，国内出现了饥荒。

210　永嘉五年十一月，有螺鼠①出延陵②。郭璞筮之，遇"临"之"益"。曰："此郡之东县，当有妖人欲称制者，寻亦自死矣。"

211　永嘉六年正月，无锡县欻有四枝茱萸③树，相樛而生，状若连理。先是，郭璞筮延陵螺鼠，遇"临"之"益"，曰："后当复有妖树生，若瑞而非，辛螫④之木也。傥有此，东西数百里，必有作逆者。"及此生木。其后吴兴徐馥作乱，杀太守袁琇。

[注释]

①蝘(yǎn)鼠：即蝘蜓、壁虎，一种爬行动物。②延陵：古县名。西晋太康二年（281）分曲阿县置，治所在今江苏丹阳西南。③茱萸：一种植物，茱萸主要有两类：一类是山茱萸科的山茱萸，一类是茴香科植物吴茱萸，因为产于吴地（今江浙一带）质量最好，因而得名。可用来辟除邪恶之气，古时常用作防疫的民间药。④辛螫：毒虫刺螫人，此指辛辣而有毒。

[译文]

永嘉五年（311）十一月，有蝘鼠出现在延陵县。郭璞为此占了个卦，遇到的是"临"卦变为"益"卦。就说："这郡的东边县内，会出现想称帝的妖孽之人，不久也就自取灭亡。"

永嘉六年（312）正月，无锡县忽然有四棵茱萸树相互缠绕而长，形状如同连理枝。在这以前，郭璞曾占卜延陵县的蝘鼠，遇到"临"卦变为"益"卦，便说："以后还会有怪树长出来，好像是吉祥的征兆实际上却不是，而是辛辣带毒的树木。如果有这种树出现，在它东西几百里之内便一定会出现叛逆的人。"到这时真的长出了这种树木。那以后，吴兴郡功曹徐馥起兵造反，杀了太守袁琇。

212　永嘉中，寿春城内有豕①生人，两头，而不活。周馥②取而观之。识者云："豕，北方畜，胡、狄象。两头者，无上也。生而死，不遂也。天戒若曰：'易生专利之谋，将自致倾覆也。'"俄为元帝所败。

213　永嘉中，士大夫竞服生笺单衣。识者怪之，曰："此古练缞③之布，诸侯所以服天子也。今无故服之，殆有应乎？"其后怀、愍晏驾。

[注释]

①寿春：县名，故址在今安徽寿县。豕，猪。②周馥：字祖宣，晋惠帝

时任平东将军。③练纕(xiāng)：一种质地细疏的丧服。

[译文]

永嘉年间（307—313），寿春城内有头猪生下一个人，这人两个头，但没能活下来。周馥曾取来观看。有见识的人说："猪，是北方的牲畜，胡、狄的象征。两个头，是没有皇上的象征。生下来就死，是不成功的象征。上天告诫说：'容易想出专门利己的计谋，将自招灭亡。'"不久，胡、狄就被晋元帝打败了。

永嘉年间，士大夫都争着穿生丝细布做的单衣。有见识的人对此感到很奇怪，说："这是古代做丧服的布，是诸侯为天子服丧时穿的啊。现在没有发生什么事故却穿它，恐怕会有什么应验吧？"后来怀帝、愍帝就死了。

214 昔魏武军中，无故作白帢①。此缟素②凶丧之征也。初，横缝其前以别后，名之曰"颜"，帢传行之。至永嘉之间，稍去其缝，名"无颜帢"。而妇人束发，其缓弥甚，纵之坚不能自立，发被于额，目出而已。无颜者，愧之言也。覆额者，惭之貌也。其缓弥甚者，言天下亡礼与义，放纵情性，及其终极，至于大耻也。其后二年，永嘉之乱③，四海分崩，下人悲难，无颜以生焉。

[注释]

①白帢(qiā)：一种白色的帽子。②缟(gǎo)素：白色丧服。③永嘉之乱：魏晋之际，在北方汉族人口锐减的情况下，胡族内迁形成高潮，且势力越来越大。与此同时，西晋王朝却祸起萧墙。在统治集团内部，西晋诸王为争夺中央最高权力，发生了一连串的相互残杀和战争，历时十六年之久，史称"八王之乱"。永嘉五年（311），匈奴兵攻陷西晋京师洛阳，俘虏了晋怀帝，纵兵烧掠，杀王公士民三万余人，史称"永嘉之乱"。

[译文]

过去魏武帝曹操的军队中，无缘无故地做起白色便帽来。这是白色的丧服,是不吉利的征兆。开始做这种白帽子的时候,横向缝住它的前面用来与它的后面相区别,大家把它称为有帽舌头的便帽,当时便流行这种帽子。到永嘉年间,渐渐地不做那种缝了,并把它叫做没有帽舌头的便帽。而妇女扎头发,那宽松的程度更厉害,发髻的硬度不能使自己竖立,头发都披在前额上,只有眼睛露出来而已。"无颜",是惭愧之辞。盖住了前额,是惭愧的容貌。那宽松的程度更厉害,是说天下已没有礼制和合宜的道德规范,随心所欲,及至到那终极,会受到奇耻大辱。从那以后才二年,永嘉时期的战乱,便使国家分崩离析,老百姓悲苦遭殃,没有面子再生活在那社会里了。

215 晋愍帝建兴四年,西都倾覆,元皇帝始为晋王,四海宅心。其年十月二十二日,新蔡①县吏任乔妻胡氏,年二十五,产二女,相向,腹心合,自腰以上,脐以下,各分。此盖天下未一之妖也。时内史吕会上言:"按《瑞应图》云:'异根同体,谓之连理;异亩同颖,谓之嘉禾。'草木之属,犹以为瑞,今二人同心,天垂灵像,故《易》云:'二人同心,其利断金。'休显见生于陕东之国,盖四海同心之瑞。不胜喜跃,谨画图上。"时有识者哂之。君子曰:"知之难也。以臧文仲②之才,独祀爰居焉。布在方册,千载不忘。故士不可以不学。古人有言:'木无枝谓之瘣③,人不学谓之瞽④。'当其所蔽,盖阙如也。可不勉乎!"

[注释]

①新蔡:县名,治所在今河南新蔡。②臧文仲:春秋时鲁国执政。③瘣(huì):内伤致病。④瞽(gǔ):瞎眼。

[译文]

晋愍帝建兴四年(316),西都长安覆灭,晋元帝开始当晋朝皇帝，国内归心。那年十月二十二日，新蔡县县吏任乔的妻子胡氏，二十五岁，生下两个女儿，互相面对着，腹部和心都合在一起，从腰以上、脐以下，各人分开。这大概是天下不统一的凶兆。当时内史吕会禀告说："按《瑞应图》上说：'不同的根而同长一个枝干，叫做连理；不同的禾苗合长一个穗子，叫做嘉禾。'草木之类，尚且把它看做是吉祥的征兆，现在两个人同一个心，这是上天降下来的神异现象，所以《易经》说：'两个人同心，那锋利的程度可以斩断金属。'吉利的征兆出现在陕东的封地，这大概是国内同心的吉兆。我压不住喜悦和激动的心情，谨把这两个女孩的形状画成图呈上。"当时有见识的人都笑他。君子评论说："通晓事理实在很难啊。用臧文仲的才智去办事，尚且祭祀那海鸟。这种事记录在书籍上，千年万代永远不会被人们忘记。所以人不能不学习。古代的人说过这样的话：'树木没有枝叶叫做槀，人不学习叫做瞽。'对自己不了解的东西，就该留着不下判断。人可以不努力学习吗？"

216　晋元帝建武元年六月，扬州大旱。十二月，河东地震。去年十二月，斩督运令史①淳于伯，血逆流，上柱二丈三尺，旋复下流四尺五寸。是时淳于伯冤死，遂频旱三年。刑罚妄加，群阴不附，则阳气胜之。罚又冤气之应也。

[注释]

①督运令史：官名。监督漕运，掌管文书，为丞相属官。

[译文]

晋元帝建武元年（317）六月，扬州大旱。十二月，河东郡地震。去年十二月，斩杀督运令史淳于伯，他的血倒流，喷上柱子二丈三尺，接着又向下流淌了四尺五寸。这时淳于伯冤屈而死，所以就连旱三年。刑罚滥用，各种阴气就不归附，那么阳气就胜过它了。连旱三年的惩罚，也就是那冤气的报应。

217　晋元帝建武元年七月，晋陵①东门有牛生犊，一体两头。京房《易传》曰："牛生子，二首一身，天下将分之象也。"

218　元帝太兴元年四月，西平②地震，涌水出。十二月，庐陵、豫章、武昌、西陵地震，涌水出，山崩。此王敦③陵上之应也。

[注释]

①晋陵：古县名，治所在今江苏常州市。②西平：古县名，治所在今湖北宜昌。③王敦：字处仲，东晋大臣。

[译文]

晋元帝建武元年（317）七月，在晋陵城的东门有头牛生了一头小牛，一个身体两个头。京房《易传》说："牛生小牛，两个头一个身体，是天下将分裂的征兆。"

元帝太兴元年（318）四月，西平郡地震，水往上冒出来。十二月，庐陵郡、豫章郡、武昌郡、西陵等地发生地震，水往上冒出来，山岭崩塌。这是王敦凌驾于皇上的应验。

219　太兴元年三月，武昌太守王谅①有牛生子，两头八足，两尾共一腹。不能自生，十余人以绳引之。子死，母活。其三年，后苑中有牛生子，一足三尾，生而即死。

220　太兴二年，丹阳郡吏濮阳演马生驹，两头，自项前别。生而死。此政在私门，二头之象也。其后王敦陵上。

[注释]

①王谅：字幼成，丹阳人。

[译文]

太兴元年（318）三月，武昌郡太守王谅有头母牛生下一头小牛，两个头八条腿，两条尾巴长在同一个腹部上。这母牛分娩时不能自己生产,十多个人便用绳子把小牛拉了出来。结果小牛死了,母牛活下来了。太兴三年(320),后苑中有头牛生小牛,一只脚三条尾巴,生下来就死了。

太兴二年(319),丹阳县小吏濮阳演的马生下一匹小马,两个头,在脖子的前面分开,生下来就死了。这是政权落到权贵手中,有两个元首的象征。那以后便有王敦凌驾于皇上。

221　太兴初,有女子,其阴在腹,当脐下。自中国来至江东,其性淫而不产。又有女子,阴在首,居在扬州。亦性好淫。京房《易妖》曰:"人生子,阴在首,则天下大乱;若在腹,则天下有事;若在背,则天下无后。"

222　太兴中,王敦镇武昌,武昌灾,火起,兴众救之,救于此而发于彼,东西南北数十处俱应,数日不绝。旧说所谓"滥灾妄起,虽兴师不能救"之谓也。此臣而行君,亢阳失节。是时王敦陵上,有无君之心,故灾也。

[译文]

太兴初年,有个女子,她的阴户长在腹部,正对肚脐底下。她从中原来到江南,生性淫乱而不生孩子。那时还有一个女子,阴户长在头上,住在扬州,她的本性也是喜欢纵欲淫乱。京房《易妖》说:"人生下女儿,阴户长在头上,那么国家就会大乱;如果长在腹部,那么国家就有事故发生;如果长在背上,那么国家就没有继承人了。"

太兴年间(318—321),王敦镇守武昌,武昌发生了火灾。大火燃烧起来,王敦便发动群众救火,但这儿扑灭了,那儿却又燃烧起来,四面八方几十个地方都烧了起来,烧了几天也没熄灭。这就是过去所说的"泛滥的灾祸胡乱地发生,即使发动军队也无法挽救"的情况吧。这是臣下行君主之事、阳气太盛失去了节制而造成的。这时王敦凌驾于皇上,有无视君主的野心,所以才发生这样的火灾。

223 太兴中,兵士以绛囊缚紒①。识者曰:"紒在首为乾,君道也。囊者为坤,臣道也。今以朱囊缚紒,臣道侵君之象也。"为衣者,上带短,才至于掖;著帽者,又以带缚项,下逼上,上无地也。为裤者,直幅无口,无杀,下大之象也。寻而王敦谋逆,再攻京师。

224 太兴四年,王敦在武昌,铃下仪仗②生花,如莲花,五六日萎落。说曰:"《易》说:'枯杨生花,何可久也。'今狂花生枯木,又在铃阁之间,言威仪之富,荣华之盛,皆如狂花之发,不可久也。"其后王敦终以逆命,加戮其尸。

[注释]

①紒(jì):束发,活用指束成的头发,即发髻。②仪仗:古代用于仪卫的兵仗。

[译文]

太兴年间(318—321),士兵用红布袋拴住发髻。有见识的人说:"发髻在头上为乾,象征君道。口袋为坤,象征臣道。现在用红布袋束住发髻,这是臣下侵犯君主的征兆。"当时做衣服的,上边的衣带做得很短,才到达胳肢窝;戴帽子的,又用帽带缚住脖子。这是下面逼迫上面,上面无地自容的象征。当时做裤子的,直接用整幅宽的布做裤脚口,从裤腿到裤脚口尺寸不减小,这是下边壮大的象征。不久王敦策划叛乱,又攻打京城,这便是这些奇装异服的应验啊。

太兴四年(321),王敦在武昌的时候,帅府的仪仗上开出花来,那花朵像莲花,过了五六天就凋谢了。有人解说道:"《易经》的卦辞解释说,'干枯的杨树开花,哪能长久呢?'现在失常的奇花长在干枯的木头上,又在帅府中,这是说礼仪之多,荣华之盛,都像失常之花的开放，不可能长久的。"后来王敦终于因为违抗晋明帝之命，死后尸体还受了刑戮。

225 旧为羽扇柄者，刻木象其骨形，列羽用十，取全数也。初，王敦南征，始改为长柄，下出可捉，而减其羽，用八。识者尤之曰："夫羽扇，翼之名也。创为长柄，将执其柄，以制其羽翼也；改十为八，将未备夺已备也。此殆敦之擅权，以制朝廷之柄，又将以无德之材，欲窃非据①也。"

226 晋明帝太宁初②，武昌有大蛇，常居故神祠空树中。每出头，从人受食。京房《易传》曰："蛇见于邑，不出三年，有大兵，国有大忧。"寻有王敦之逆。

[注释]

①非据：非分占有。②晋明帝：即司马绍，元帝之子。太宁：晋明帝年号，323—326年。

[译文]

过去做羽毛扇的柄，把木头刻成扇子的骨架，编排的羽毛用十根，这是采用完备的数字。当初，王敦向南出征的时候，开始把扇柄改为长柄，下端突出一段以便用手握住，而且减少了扇子的羽毛，只用八根。有见识的人非议说："羽毛扇，是一个表示羽翼的名称。王敦创造出长柄，是要握住扇柄，来控制它的羽翼；把十根改成八根，是让未完备的数字取代已经完备的数字。这大概是暗示着王敦独擅大权，来控制朝廷的所有权力；又凭他那没有德行的才能，想窃取他不该占据的地位。"

晋明帝太宁初年，武昌有条大蛇，曾经栖息在旧神庙的树洞中，经常探出头来，从祭祀的人那里收受食物。京房《易传》说："蛇在城中出现，不出三年，就会有大的战乱，国家会有大的忧患。"不久就有王敦的叛逆。

卷 八

227 虞舜耕于历山①，得玉历②于河际之岩。舜知天命在己，体道不倦。舜龙颜大口，手握褒。宋均③注曰："握褒，手中有'褒'字，喻从劳苦，受褒饬，致大祚也。"

228 汤④既克夏，大旱七年。洛川竭。汤乃以身祷于桑林，剪其爪发，自以为牺牲⑤，祈福于上帝。于是大雨即至，洽于四海。

[注释]

①历山：因有"舜耕历山"的传说，全国自称历山的有二十余座。按《史记·五帝本纪》，历山在河东，即山西永济。②玉历：记载改朝换代日期的牌记符谶。③宋均：魏博士，东汉经学大师郑玄的弟子。④汤：商族首领，后起兵灭夏，建立商王朝。⑤牺牲：古代祭祀用的家畜。

[译文]

舜在历山耕地，在黄河边的岩石上拾到一只玉历。舜知道天神的意旨是把天下托付给自己，所以努力行道而不知疲倦。舜长得眉骨突起，嘴巴宽大，手握褒。宋均注解说："握褒，是手掌中握着'褒'字，说明他出身劳苦，但后来受到褒扬嘉奖，以致得到了大福。"

汤战胜了夏桀后，大旱七年，洛水都干涸了。汤就用自己作为祭品在桑林向上天祈祷，他剪掉了自己的指甲和头发，把自己当做祭祀的祭品，向上帝求福。于是大雨马上降临，全国都湿润了。

229　吕望钓于渭阳①，文王出游猎。占曰："今日猎得一兽，非龙非螭②，非熊非罴③。合得帝王师。"果得太公于渭之阳。与语，大悦，同车载而还。

230　武王伐纣，至河上④。雨甚，疾雷，晦冥，扬波于河。众甚惧，武王曰："余在，天下谁敢干余者！"风波立济。

[注释]

①吕望：即姜子牙，见卷四。渭阳：渭水之北。②螭（chī）：古代传说中的一种动物，蛟龙之类。③罴（pí）：一种熊，也叫马熊。④河上：黄河之畔。

[译文]

吕尚在渭河的北岸钓鱼，周文王出去打猎。打猎前的占卜结果说："今天猎获一只动物，不是龙不是螭，不是熊不是罴，而应该得到一个帝王的老师。"结果周文王在渭河的北岸发现了吕尚，与他交谈后，十分高兴，便让他与自己乘坐同一辆车回去了。

周武王讨伐商纣王，来到黄河边上。雨下得很大，雷声激越，天昏地暗，黄河内波涛翻滚。大家都很害怕，周武王说："我在，天下有谁敢来冒犯我！"风波马上平息了。

231　鲁哀公十四年，孔子夜梦三槐之间，丰、沛之邦，有赤氤气起，乃呼颜回、子夏同往观之。驱车到楚西北范氏街，见刍儿打麟，伤其左前足，束薪而覆之。孔子曰："儿来！汝姓为谁？"儿曰："吾姓为赤松，名时乔，字受纪。"孔子曰："汝岂有所见乎？"儿曰："吾所见一禽，如麇①，羊头，头上有角，其末有肉。方以是西走。"孔子曰："天下已有主也，为赤刘②，陈、项为辅。五星入井③，从岁星。"儿发薪下麟，示孔子。孔子趋而往，麟向孔子，蒙其耳，吐三卷图，广三寸，长八寸，每卷二十四字。其言："赤刘当起日周亡。赤气起，火耀兴，玄丘制命，帝卯金。"

[注释]

①麟：兽名。即獐。②赤刘：谓汉高祖刘邦，传说他是赤帝子。③五星入井：五星指木星、火星、土星、金星、水星五大行星。井指星名，二十八宿之一。

[译文]

鲁哀公十四年（前481），孔子在一个晚上梦见三棵槐树之间，在沛县的丰邑疆域内，有红色的天地之气升起，于是就叫了颜回、子夏一起去观看。他们赶着车来到楚国西北面的范氏街，看见有个割草的小孩在打麒麟，把那麒麟左侧的前脚都打伤了，还拿了一捆柴草把它盖了起来。孔子说："小孩过来！你的姓是什么？"这小孩说："我的姓是赤松，名时乔，字受纪。"孔子说："你是否看见了什么东西？"小孩说："我看见的东西是一只禽兽，像獐，长着羊头，头上有角，角的末端有肉。刚从这儿向西跑去。"孔子说："天下已经有了主人了，这主人是炎汉刘邦，陈涉、项羽只是辅佐。金、木、水、火、土五星进入井宿，跟着岁星。"小孩打开柴草下的麒麟，给孔子看。孔子小步快跑过去。麒麟面对孔子，遮蔽着它的耳朵，吐出三卷图，图宽三寸，长八寸，每卷有二十四个字。那文字是说："炎汉刘氏要兴起，周朝要灭亡。红色的天地之气上升，火德荣耀兴盛。孔子拟订了天命，那皇帝是刘姓。"

232　孔子修《春秋》，制《孝经》，既成，斋戒，向北辰而拜，告备于天。乃洪郁起白雾，摩地，赤虹自上而下，化为黄玉，长三尺，上有刻文。孔子跪受而读之，曰："宝文出，刘季握。卯金刀，在轸①北。字禾子，天下服。"

[注释]

①轸：星名，二十八宿之一。

[译文]

孔子修订《春秋》，制作《孝经》，已经完成后，便洁净身心，对着北极星下拜，向上天报告他的成功。于是天空便弥漫一阵白色的大雾，一直碰到地面，红色的虹霓从上面挂下来，变成了黄色的玉，长三尺，上面有雕刻着的文字。孔子跪着接受了这块玉，又诵读那上面的文字，念道："宝玉上的文字出世，天下要被刘季掌握。卯金刀之刘氏，出生在楚国之北。他的字是禾子之季，天下的人都归服。"

233 秦穆公①时，陈仓人掘地得物，若羊非羊，若猪非猪。牵以献穆公，道逢二童子。童子曰："此名为媪。常在地食死人脑。若欲杀之，以柏插其首。"媪曰："彼二童子名为陈宝，得雄者王，得雌者伯。"陈仓人舍媪，逐二童子。童子化为雉，飞入平林。陈仓人告穆公，穆公发徒大猎，果得其雌。又化为石，置之汧、渭之间。至文公时，为立祠陈宝。其雄者飞至南阳，今南阳雉县②是其地也。秦欲表其符，故以名县。每陈仓祠时，有赤光长十余丈，从雉县来，入陈仓祠中，有声殷殷如雄雉。其后光武起于南阳。

[注释]

①秦穆公（？—前621）：一作秦缪公，春秋时期秦国国君。②雉县：在今河南南召县南。

[译文]

秦穆公的时候，陈仓县有人挖地时得到一物体，像羊又不是羊，像猪又不是猪。他就牵了去献给秦穆公，在路上正巧碰到两个孩子。孩子说:"这东西名字叫媪,常常在地下吃死人的脑子。你如果要杀掉它,请用柏树插进它的头。"媪说:"那两个孩子名字叫陈宝。得到那雄的就能称王天下,得到那雌的就能称霸诸侯。"陈仓县这人就放弃了媪,追赶那两个孩子。那两个孩子便变成了野鸡,飞进了平原上的树林。陈仓县这人把这事告诉了穆公。穆公发动部下举行大规模的围猎,结果捕获了那只雌野鸡。但那雌野鸡却又变成了石头,所以秦穆公就把它放置在汧水和渭河之间。到文公的时候,还为它建立了庙宇,庙名陈宝。那只雄野鸡飞到南阳郡,现在的南阳郡雉县就是它降落的地方。秦国想表明自己受命于天的吉祥征兆,所以用它来命名那个县。每当陈仓县祭祀时,就有长十多丈的红光,从雉县那边过来。进入陈仓县的祠庙内,并有像雄野鸡发出的那种殷殷的声音。后来光武帝刘秀便发迹于南阳。

234 宋①大夫邢史子臣②明于天道。周敬王之三十七年,景公③问曰:"天道其何祥?"对曰:"后五十年,五月丁亥,臣将死。死后五年,五月丁卯,吴将亡。亡后五年,君将终。终后四百年,邾④王天下。"俄而皆如其言。所云"邾王天下"者,谓魏之兴也。邾,曹姓;魏亦曹姓,皆邾之后。其年数则错,未知邢史失其数耶?将年代久远,注记者传而有谬也?

[注释]

①宋:春秋战国时国名,子姓,有今河南东部和山东、江苏、安徽之地。②邢史子臣:人名,邢史为复姓。③景公:即宋景公,春秋时国君。④邾(zhū):春秋时国名,亦称邾娄,即"邹"。

[译文]

宋国大夫邢史子臣懂得天象占卜之术。周敬王三十七年(前483),宋景公问他说:"你懂得天象占卜,它可有什么吉凶的征兆?"邢史子臣回答说:"过五十年,五月丁亥日,我将死去。我死后五年的五月丁卯日,吴国将灭亡。吴国灭亡后五年,你将寿终。你逝世以后四百年,郫氏将统治天下。"后来发生的事情都像他说的那样。他所说的"郫氏将统治天下",是指魏王的兴起。郫氏,姓曹;魏王也姓曹,都是郫国曹氏的后裔。不过,他所说的年数却错了,不知道是邢史子臣失算了那数字呢,还是年代长久了,注解的人在传授过程中造成了错误?

235　吴以草创之国,信不坚固,边屯守将,皆质其妻子,名曰"保质①"。童子少年,以类相与娱游者,日有十数。孙休永安三年三月,有一异儿,长四尺余,年可六七岁,衣青衣,忽来从群儿戏。诸儿莫之识也,皆问曰:"尔谁家小儿,今日忽来?"答曰:"见尔群戏乐,故来耳。"详而视之,眼有光芒,爁爁外射。诸儿畏之,重问其故,儿乃答曰:"尔恐我乎?我非人也,乃荧惑星②也。将有以告尔:三公归于司马。"诸儿大惊,或走告大人。大人驰往观之。儿曰:"舍尔去乎!"耸身而跃,即以化矣。仰而视之,若曳一匹练以登天。大人来者,犹及见焉。飘飘渐高,有顷而没。时吴政峻急,莫敢宣也。后四年而蜀亡,六年而魏废,二十一年而吴平,是归于司马也。

236　都水③马武举戴洋为都水令史。洋请急④,还乡。将赴洛,梦神人谓之曰:"洛中当败,人尽南渡。后五年,扬州必有天子⑤。"洋信之,遂不去。既而皆如其梦。

[注释]

①保质:屯戍边境的将领留妻子儿女于都城作人质担保。三国时吴、魏皆有此制度,并设任子馆管理。②荧惑星:火星的别名。《史记·天官书》:"荧惑出则有兵,入则兵散。"③都水:官名,晋武帝设都水使者,掌管舟航及运部。④请急:请假。⑤天子:指晋元帝司马睿。

[译文]

吴国因为是初始建立的国家,信用靠不住,所以边防上驻守的将领,都把他们的妻子儿女作为人质留在京城,这些人员名叫"担保人质"。这样的儿童少年,因为同样做人质而在一起玩耍的,每天有十几个。孙休永安三年(260)三月,有一个奇异的小孩,长四尺多,年龄大约在六七岁,穿着青色的衣服,忽然来跟孩子们玩耍。孩子们没有一个认识他的,都问他:"你是谁家的小孩,今天忽然来这里?"他回答说:"看见你们成群结队地玩耍娱乐,所以我才来了。"仔细地打量他,只见他眼睛有光芒,闪闪向外发光。孩子们都怕他,又反复问他的来历,那孩子才回答说:"你们怕我吗?我不是人,而是火星。我有件事要告诉你们,刘、曹、孙三公归属于司马。"孩子们大吃一惊,有的跑去告诉了自己家的大人。大人便赶去看他。那孩子说:"我抛下你们走啦!"便纵身一跳,马上就消失了。抬头看他,只见他就像拖着一匹白色的熟绢上了天。跑过来的大人,还赶得上看见他。只见他飘飘荡荡渐渐地升高,过了一会儿就没有了。当时吴国的政局很紧张,所以没有人敢宣扬这件事。过了四年,蜀国灭亡了,过了六年,魏国被废黜了,又过了二十一年,吴国被平灭了。这就是那孩子所说的三公归属于司马。

主管河渠灌溉的都水马武提拔戴洋任都水令史。戴洋请假回家,将去洛阳,忽然梦见仙人对他说:"洛阳应当会陷落,人们全都渡江南下。再过五年,扬州一定会有天子。"戴洋相信这梦,就不去洛阳了。过了不久,发生的事都像他的梦一样。

卷 九

237 后汉中兴初,汝南有应妪者,生四子而寡。见神光照社。妪见光,以问卜人。卜人曰:"此天祥也。子孙其兴乎?"乃探得黄金。自是子孙宦学,并有才名。至玚①,七世通显。

238 车骑将军②巴郡冯绲,字鸿卿,初为议郎,发绶笥,有二赤蛇,可长二尺,分南北走。大用忧怖。许季山孙宪,字宁方,得其先人秘要。绲请使卜。云:"此吉祥也。君后三岁,当为边将,东北四五千里,官以东为名。"后五年,从大将军南征。居无何,拜尚书郎、辽东太守、南征将军。

[注释]

①玚:即应玚。东汉末文学家,字德琏,东汉南顿县(今项城)人。建安七子之一。②车骑将军:将军名号,汉文帝时始置。

[译文]

东汉中兴之初,汝南郡有一个姓应的妇人,生了四个孩子便成了寡妇。有一天,她看见一道神光射进土地庙。应妪看见了这光,便去问占卜的人。占卜的人说:"这是上天降下的好兆头啊。你的子孙大概要兴隆了吧!"于是她就在那神光照射处掏到了黄金。从此以后,她的子孙做官治学,都很有才华名声。到应玚的时候,前后七代人,都官位高、名声大。

车骑将军巴郡人冯绲,字鸿卿。他开始任议郎的时候,打开藏官印的箱子,看见箱内有两条赤练蛇,大约长二尺,分别向南北方游走了。他非常担忧恐惧。许季山的孙子许宪,字宁方,曾得到他先祖的秘诀。冯绲求他占卜。他说:"这是吉利的征兆。你在三年之后,会当上边关守将,在东北方四五千里,你的官名带有东字。"过了五年,冯绲跟随大将军南征。过了没多少时候,他就任尚书郎、辽东太守、南征将军。

239 常山张颢,为梁州牧。天新雨后,有鸟如山鹊,飞翔入市,忽然坠地,人争取之,化为圆石。颢椎破之,得一金印,文曰"忠孝侯印"。颢以上闻,藏之秘府①。后议郎汝南樊衡夷上言:"尧舜时旧有此官,今天降印,宜可复置。"颢后官至太尉。

[注释]

①秘府:古代皇宫中藏秘籍的地方。

[译文]

常山郡人张颢,当上了梁国的相("梁州牧"当作"梁相")。天刚下过雨,有一只鸟像山鹊,飞进街市,忽然落到地上,人们都争着去拾它,它却变成了圆圆的石头。张颢用锤子把它打破了,得到一枚金印,印文是"忠孝侯印"。张颢把这件事向上作了汇报,这枚金印便被收藏在秘府之中。后来议郎汝南郡人樊衡夷上奏说:"尧、舜时代曾经有过这种官职,现在上天降下这个官印,应该再设置这个官职。"张颢后来做官一直做到太尉。

240 京兆长安,有张氏,独处一室。有鸠自外入,止于床。张氏祝曰:"鸠来,为我祸也,飞上承尘①;为我福也,即人我怀。"鸠飞入怀。以手探之,则不知鸠之所在,而得一金钩。遂宝之。自是子孙渐富，资财万倍。蜀贾至长安，闻之，乃厚赂婢。婢窃钩与贾。张氏既失钩，渐渐衰耗。而蜀贾亦数罹穷厄，不为己利。或告之曰："天命也，不可力求。"于是赍钩以反张氏，张氏复昌。故关西②称张氏传钩云。

[注释]

①承尘：亦称藻井，即天花板。②关西：指函谷关及潼关以西地区。

[译文]

京兆长安县有个姓张的人，孤身一人住在一个房间里。有只鸠从外面飞进来，停在他的床上。张氏祈祷说："鸠过来听着！你如果给我带来灾祸，就飞到天花板上；你如果给我带来幸福，就飞进我的怀里。"鸠就飞进了他的怀里。他用手去摸取那只鸠，却不知那鸠到什么地方去了，但摸到了一只金钩，于是他就把它当做宝贝。从此以后，张氏的子孙渐渐富裕，财产增加了上万倍。蜀国有个商人到长安，听见这件事以后，就重金贿赂张家的婢女，婢女就偷了金钩把它送给这商人。张家失去了金钩以后，财产渐渐减少。而蜀国的商人也屡次遭到穷困，那金钩对自己并没有什么好处。有人告诉他说："这是上天的旨意，是不可以用人力来求得的。"于是他就把金钩送还给了张家，张家就又兴旺了。所以函谷关西边的人经常传颂这"张氏传金钩"的故事。

241 汉征和三年三月，天大雨。何比干①在家，日中，梦贵客车骑满门。觉以语妻。语未已，而门有老妪，可八十余，头白，求寄避雨。雨甚而衣不沾渍。雨止，送至门。乃谓比干曰："公有阴德，今天锡君策，以广公之子孙。"因出怀中符策，状如简，长九寸，凡九百九十枚，以授比干，曰："子孙佩印绶者，当如此算。"

[注释]

① 何比干：字少卿。武帝时为廷尉正。

[译文]

汉征和三年（前 90）三月，天上下着大雨。何比干呆在家里，中午的时候，他梦见高贵的宾客车马挤满了家门。醒来后他把梦告诉给妻子听，话还没有说完，却看见门口站着个老婆婆，大概八十多岁，头发全白了，来何比干家请求躲雨。雨下得很大，但她的衣服却一点也没淋湿。雨停了以后，何比干送她到门口，她就对何比干说："你暗中给人好处，所以我今天送给你一些符策，来拓宽你子孙的前途。"说完她就拿出怀中的符策，形状像竹简，长九寸，一共有九百九十枚，她把这些符策给了何比干，并对他说："你子孙佩带官印的，会像这符策上所写的那样。"

242　魏舒①字阳元，任城樊人也。少孤。尝诣野王②，主人妻夜产，俄而闻车马之声，相问曰："男也？女也？"曰："男。书之，十五以兵死。"复问："寝者为谁？"曰："魏公。"舒后十五载，诣主人，问所生儿何在，曰："因条桑，为斧伤而死。"舒自知当为公矣。

[注释]

①魏舒：西晋大臣。②野王：古县名，即今河南沁阳。

[译文]

魏舒，字阳元，任城郡樊县人。从小失去了父母。有一次他到野王县去，房主的妻子正好在那天夜里分娩，一会儿听见车马的声音，有人问："生男孩呢？还是生女孩？"另一人回答说："是男孩，请你把它写下来，这孩子十五岁时死在兵器上。"又问："睡在床上的是谁？"回答说："是魏公。"魏舒过了十五年，到主人家去，问生下的孩子在什么地方。主人回答说："因为整修桑树，被斧头砍伤死了。"魏舒便知道自己要当王公大人了。

243　贾谊①为长沙王太傅,四月庚子日,有鹏鸟飞入其舍,止于坐隅,良久乃去。谊发书占之,曰:"野鸟入室,主人将去。"谊忌之,故作《鹏鸟赋》②,齐死生而等祸福,以致命定志焉。

244　王莽居摄。东郡太守翟义,知其将篡汉,谋举义兵。兄宣,教授③,诸生满堂。群鹅雁数十,在中庭,有狗从外入,啮之,皆死。惊救之,皆断头。狗走出门,求不知处。宣大恶之。数日,莽夷其三族④。

[注释]

①贾谊:西汉政论家、文学家,洛阳人。曾被贬为长沙王太傅。②《鹏鸟赋》:赋篇名。贾谊被贬长沙,鹏鸟飞入其室,世俗认为鹏(猫头鹰)是不祥之鸟,贾谊因而感伤身世,作此赋以自慰。③教授:传授学业的人。④三族:谓父族、母族、妻族。

[译文]

贾谊做长沙王太傅,四月庚子日,有鹏鸟飞进他的住房,停在座位边上,很久才飞走。贾谊打开书来预测吉凶,书上说:"野鸟飞进房内,主人将要死去。"贾谊很忌讳这件事,所以写了《鹏鸟赋》,把死和生、祸与福看成是同等的事,用这种观点来安排自己的生命,确定自己的志向。

王莽暂居皇帝之位处理政务。东郡太守翟义知道他将要篡夺汉朝的大权,便策划发动正义的军队讨伐他。他的哥哥翟宣,是教授学业的人,他所教的学生坐满了课堂。一群鹅和雁几十只都在院子中,有条狗突然从门外进来,把它们都咬死了。翟宣慌忙去救它们,但都已经被狗咬断了头。狗跑出了门,翟宣出去寻找,也不知道它到了什么地方,翟宣很讨厌这件事。过了几天,王莽诛灭了他的三族。

245　魏司马太傅懿平公孙渊①，斩渊父子。先时，渊家数有怪，一犬着冠帻绛衣上屋；欸有一儿，蒸死甑中。襄平②北市生肉，长围各数尺，有头目口喙，无手足而动摇。占者曰："有形不成，有体无声，其国灭亡。"

[注释]

①公孙渊：三国魏辽东太守。后自立为燕王，置百官有司。魏派遣大将军司马懿征辽东，斩杀公孙渊父子。②襄平：古县名，在今辽宁辽阳市。

[译文]

魏国太傅司马懿平定了公孙渊，杀了公孙渊父子二人。开始的时候，公孙渊家多次发生奇怪的事，一只狗戴着帽子头巾穿着红衣裳爬上了屋顶；忽然又有一个孩子在锅中被蒸死了。襄平县北边市场上长出一块肉，长度和周长各有几尺，有头、眼睛、嘴巴，没有手、脚却摇摇晃晃的。占卜的人说："有形状而没有长成，有躯体而没有声音，发生这种怪事的国家就会灭亡。"

246　吴诸葛恪①征淮南归，将朝会之夜，精爽扰动，通夕不寐。严毕趋出，犬衔引其衣。恪曰："犬不欲我行也。"出仍入坐。少顷复起，犬又衔衣。恪令从者逐之。及入，果被杀。其妻在室，语使婢曰："尔何故血臭？"婢曰："不也。"有顷，愈剧。又问婢曰："汝眼目瞻视，何以不常？"婢蹶然起跃，头至于栋，攘臂切齿而言曰："诸葛公乃为孙峻所杀。"于是大小知恪死矣，而吏兵寻至。

247　吴成将邓喜，杀猪祠神，治毕悬之。忽见一人头，往食肉。喜引弓射，中之，咋咋作声。绕屋三日。后人白喜谋叛，合门被诛。

[注释]

①诸葛恪：三国吴大将军。辅立孙亮，专国政。后为皇族孙峻所杀。

[译文]

吴国诸葛恪出征淮南回来，将要朝见君主的那天晚上，心烦意乱，整个晚上都没睡着。第二天，他穿戴整齐后恭敬地小步快跑出门，狗咬住他的衣服拉着不放，诸葛恪说："狗不让我走啊。"出门后便又进门坐下。过了一会儿他又起身，狗又咬住他的衣服，诸葛恪叫随从赶走了狗。等他进宫后，果然被杀了。他妻子在家里，问她的丫鬟说："你为什么有血腥气？"丫鬟说："没有啊。"过了一会儿，血腥气更厉害了，她又问丫鬟说："你的眼睛向上看，为什么不同平常？"这丫鬟突然跳起来，头一直撞到梁上，挽起臂膀咬牙切齿地说："诸葛公竟被孙峻杀了。"于是一家老小都知道诸葛恪死了，而官兵一会儿就来了。

吴国的守将邓喜，杀了猪来祭神，祭祀完毕后就把猪挂了起来。忽然看见一个人头去吃肉，邓喜拉弓射他，把他射中了，那人头发出咋咋的声音，围绕邓喜的房子转了三天。后来有人告发邓喜谋反，他全家都被杀了。

248 贾充①伐吴时，常屯项城，军中忽失充所在。充帐下都督周勤，时昼寝，梦见百余人录充，引入一径。勤惊觉，闻失充，乃出寻索，忽睹所梦之道，遂往求之，果见充。行至一府舍，侍卫甚盛，府公南面坐，声色甚厉，谓充曰："将乱吾家事者，必尔与荀勖②。既惑吾子，又乱吾孙。间使任恺③黜汝而不去，又使庾纯詈汝而不改，今吴寇当平，汝方表斩张华，汝之暗戆，皆此类也。若不悛慎，当旦夕加诛。"充因叩头流血。府公曰："汝所以延日月而名器若此者，是卫府之勋耳。终当使系嗣死于钟虡之间，大子毙于金酒之中，小子困于枯木之下。荀勖亦宜同。然其先德小浓，故在汝后。数世之外，国嗣亦替。"言毕命去。充忽然得还营，颜色憔悴，性理昏错，经日乃复。至后，谥死于钟下，贾后服金酒而死，贾午考竟，用大杖终。皆如所言。

[注释]

①贾充：西晋大臣，字公闾，平阳襄陵（今山西襄汾东北）人。②荀勖（xù）：西晋大臣。任侍中，封济北郡公，拜中书监，进光禄大夫，领秘书监，守尚书令。③任恺：西晋大臣，任侍中。

[译文]

贾充讨伐吴国的时候，曾经驻扎在项城，有一天军营中忽然不见了贾充。贾充的部下都督周勤，当时在午睡，梦见一百多个人逮捕了贾充，把他带进一条小路。周勤惊醒了，听说不见了贾充，就出去寻找，忽然看见他做梦时所见到的那条路，就沿着这条路去找他，果然看见了贾充。周勤来到一所府第，只见那侍从警卫的人很多，府第的主人朝南坐着，说话的声音和容貌很严厉，对贾充说："将扰乱我家事情的，必定是你与荀勖。你们既迷惑了我的儿子，又搅昏了我的孙子。我暗中让任恺贬退你而你不退下去，又让庾纯责备你而你不改。现在吴国的敌寇要平息了，你又要上奏杀张华。你的昏乱愚昧，都是属于这一类的事。如果你还不悔改，还不谨慎，我就马上把你杀了。"贾充因而不停地磕头，头上都流出血来了。府第主人说："你之所以能苟延生命而有这样的名望地位，只是因为你有护卫我府第的功劳罢了。但最终还是要让你的继承人死在钟架之间，让你的大孩子死在金酒之中，让你的小孩子困死在干枯的木头之下。荀勖也应该得到同样的下场，但他祖先的德行稍微深厚一点，所以对他的处罚排在你的后面。几代以后，他封地的继承人也要被废黜。"府第主人说完就命令贾充离去。贾充忽然回到了军营，面色憔悴，神态错乱，过了几天才恢复正常。到后来，贾谥死在钟下，贾后饮服金酒而死，贾午被拷问，用大棒打死在狱中。这些事都像府第主人所说的那样。

249 庾亮字文康，鄢陵人。镇荆州。登厕，忽见厕中一物，如方相①，两眼尽赤，身有光耀，渐渐从土中出。乃攘臂以拳击之，应手有声，缩入地。因而寝疾。术士戴洋曰："昔苏峻事，公于白石祠中祈福，许赛其牛，从来未解，故为此鬼所考，不可救也。"明年，亮果亡。

[注释]

①方相：古代逐疫辟邪之神。

[译文]

庾亮，字文康，鄢陵县人。他镇守荆州的时候，有一次上厕所，忽然看见厕所中有一个怪物，形状像驱疫辟邪的神像方相，两眼通红，身上闪烁发光，渐渐地从泥土中钻出来。庾亮就捋起袖子，伸出胳膊，用拳头打它，随着手起拳落的响声，那怪物叫了一声，便退进泥土中去了。庾亮因此而卧病不起。方士戴洋对庾亮说："过去苏峻起兵作乱的时候，你在白石祠中求福，答应用那牛来酬神，但你从来没有去还愿，所以被这鬼惩罚，你已经无法挽救了。"第二年，庾亮果然死了。

250 东阳刘宠，字道和，居于湖熟。每夜，门庭自有血数升，不知所从来。如此三四。后宠为折冲将军，见遣北征。将行，而炊饭尽变为虫。其家人蒸粆，亦变为虫。其火愈猛，其虫愈壮。宠遂北征。军败于坛丘，为徐龛①所杀。

[注释]

①徐龛：晋太山太守，叛降石勒，后又降晋，被石虎捉拿。

[译文]

东阳郡人刘宠,字道和,住在湖熟县。每天夜里,他门前的空地上总有几升血,不知道是从什么地方来的。像这样的事发生了三四次。后来,刘宠任折冲将军,被派往北方打仗。将要出发的时候,烧的饭都变成了虫。他家里的人蒸的干粮,也都变成了虫。火愈猛,那虫就愈壮。刘宠就到北方去打仗了,结果部队在坛丘吃了败仗,他被徐龛杀掉了。

卷 十

251 汉和熹邓皇后,尝梦登梯以扪天,体荡荡正清滑,有若钟乳状,乃仰嗽饮之。以讯诸占梦,言:"尧梦攀天而上,汤梦及天舐之,斯皆圣王之前占也。吉不可言。"

[译文]

东汉和帝邓皇后(谥号为"熹"),曾经梦见自己登着梯子去摸天,那天体平坦宽广,非常清凉滑爽,有点像钟乳石的样子,她就仰头吸进那清新的空气。她向占梦的人询问梦的吉凶,占梦的说:"尧曾经梦见自己抓着天向上爬,汤曾经梦见自己碰到了天而舔它,这都是当圣王的预兆。你的梦吉利得没话说了。"

252 孙坚夫人吴氏,孕而梦月入怀,已而生策。及权在孕,又梦日入怀。以告坚曰:"妾昔怀策,梦月入怀;今又梦日,何也?"坚曰:"日月者,阴阳之精,极贵之象。吾子孙其兴乎?"

[译文]

孙坚的夫人吴氏,怀孕时梦见月亮进入她的怀里,后来就生了孙策。等到怀着孙权的时候,她又梦见太阳进入她的怀里。她把这件事告诉给孙坚说:"我过去怀孙策,梦见月亮进入我的怀里;今天又梦见太阳进入我的怀里,这是为什么呢?"孙坚说:"太阳和月亮,是阴阳的精气,是极其显贵的象征。我们的子孙大概要兴旺了吧?"

253 汉蔡茂①字子礼,河内怀人也。初在广汉②,梦坐大殿,极上有禾三穗,茂取之,得其中穗,辄复失之。以问主簿郭贺,贺曰:"大殿者,官府之形象也;极而有禾,人臣之上禄也;取中穗,是中台③之象也。于字,禾失为秩,虽曰失之,乃所以禄也。兖职有阙,君其补之。"旬月而茂征焉。

[注释]

①蔡茂:西汉末征试博士,拜议郎,迁侍中。东汉又任议郎,再任广汉太守。②广汉:郡名,东汉时置,治所在今四川广汉北。③中台:三台之一,此指司徒。朝廷最高官职,掌管国家的土地和人民,辅佐皇帝综合治理全国政务。后世称丞相。

[译文]

汉代的蔡茂,字子礼,河内郡怀县人。当初他在广汉郡,梦见自己坐在大殿上,那大殿的正脊梁上有三穗谷子,蔡茂便去取它,拿到了那中间的一穗,却马上又失掉了。他把这梦告诉了主簿郭贺,询问这梦的吉凶,郭贺说:"大殿,是官府的形象;正脊梁上有谷子,是臣子中最高的俸禄,你拿到了中间的一穗,这是中台司徒或司空的象征。从文字字形来看,'禾''失'合起来是'秩',因此,虽说是'失'掉了'禾'穗,但实际上是你有了'秩',这可是赖以取得俸禄的品级等第啊。皇上的政务如果有失误,你一定要补救它啊。"一个月后,蔡茂就被征用了。

254 周揽啧者,贫而好道。夫妇夜耕,困息卧,梦天公过而哀之,敕外有以给与。司命①按录籍,云:"此人相贫,限不过此。惟有张车子应赐钱千万,车子未生,请以借之。"天公曰:"善。"曙觉,言之。于是夫妇戮力,昼夜治生,所为辄得,赀至千万。先时有张妪者,尝往周家佣赁,野合有身,月满当孕,便遣出外,驻车屋下。产得儿。主人往视,哀其孤寒,作粥糜食之。问:"当名汝儿作何?"妪曰:"今在车屋下而生,梦天告之,名为车子。"周乃悟曰:"吾昔梦从天换钱,外白以张车子钱贷我,必是子也。财当归之矣。"自是居日衰减。车子长大,富于周家。

[注释]

①司命:神名。掌管人的生死的神。

[译文]

周擥啧这个人,安贫乐道。有一次,他夫妻二人夜间耕种,疲倦了便歇下来睡着了,梦见天帝来看望他们并很怜悯他们,天帝命令外边的小吏给他们一些钱财。司命神查阅了一下簿籍,说:"这人的面相贫穷,按规定不能再超过现在这境况了。只有张车子应该受赐成千上万的钱,现在张车子还没有生下来,请把这钱先借给周擥啧吧。"天帝说:"好。"天亮时周擥啧醒来,便把这梦说了出来。于是夫妻两人齐心协力,日夜经营家业,做什么事总有收益,财产积累到成千上万。前些时候有个张妪,曾经到周家做佣人,因为和别人私通而怀了孕,孕期已满该分娩了,就被打发出了周家,她住在车棚底下,生了个儿子。主人去看望她,哀怜她孤苦寒酸,就烧了粥给她吃,问她:"该给你的儿子起个什么名字?"张妪说:"今天在车棚底下生了他,我梦见天帝告诉我,这孩子的名字叫车子。"周擥啧便恍然大悟,说:"我过去梦见自己从天帝那里借钱,司命神说拿张车子的钱借给我,这张车子一定是这个孩子了。这笔资产要归还给他了。"从此周家的收入每天都减少。张车子长大后,比周家更富裕。

255　夏阳①卢汾,字士济,梦入蚁穴,见堂宇三间,势甚危豁。题其额曰"审雨堂"。

256　吴选曹令史刘卓,病笃,梦见一人,以白越单衫与之,言曰:"汝著衫污,火烧便洁也。"卓觉,果有衫在侧。污辄火浣之。

257　淮南②书佐刘雅,梦见青刺蜴,从屋落其腹内。因苦腹痛病。

[注释]

①夏阳:古县名,秦置,在今陕西韩城南。②淮南:东汉置郡。治所在寿春(今安徽寿县)。

[译文]

夏阳县的卢汾,字士济,梦见自己进入蚂蚁洞中,看见厅堂三间,形状十分高大开阔,他就在它的匾额上题写了"审雨堂"三个字。

吴国选曹令史刘卓,病得很重,梦见一个人,拿了件白越布做的单衣送给他,对他说道:"你穿这件单衣穿脏了,只要用火烧一下就干净了。"刘卓醒来,果然有件单衣放在身边。他穿脏了总是用火来洗它。

淮南郡书佐刘雅,梦见一只青色的蜥蜴,从屋上掉进了他的腹中。他因而患上腹痛病,很痛苦。

258　后汉张奂为武威①太守。其妻梦帝与印绶,登楼而歌,觉以告奂,奂令占之,曰:"夫人方生男,后临此郡,命终此楼。"后生子猛。建安中,果为武威太守,杀刺史邯郸商,州兵围急,猛耻见擒,乃登楼自焚而死。

259　汉灵帝梦见桓帝怒曰:"宋皇后有何罪过,而听用邪孽,使绝其命?渤海王悝既已自贬,又受诛毙。今宋氏及悝,自诉于天，上帝震怒，罪在难救。"梦殊明察。帝既觉而恐，寻亦崩。

[注释]

①武威：郡名，东汉时治所在姑臧（今甘肃武威）。

[译文]

东汉的张奂任武威太守。他的妻子梦见自己佩带着张奂的印绶，登楼悲歌。醒来后她把梦告诉了张奂，张奂让人占卜，占卜的人说："你的夫人将要生个儿子，他后来会统治这个郡，生命也会在这楼上终结。"后来，张奂的妻子生了个儿子张猛。建安年间（196—220），张猛果然任武威太守，他杀了刺史邯郸商，被州里的军队紧紧围困，他觉得被活捉太耻辱了，就登上这座楼自焚而死。

汉灵帝梦见汉桓帝愤怒地对他说："宋皇后有什么罪过，你却听信奸臣，使她丧了命？渤海王悝既然已经被贬谪，却又被杀死。现在宋皇后和渤海王悝，亲自向上天申诉，上帝发怒了，你的罪恶已经难以救治了。"这梦特别清楚。汉灵帝醒来后十分恐惧，过了不久就死了。

260　吴时，嘉兴徐伯始病，使道士吕石安神座。石有弟子戴本、王思二人，居住海盐①，伯始迎之，以助。石昼卧，梦上天北斗门下，见外鞍马三匹，云："明日当以一迎石，一迎本，一迎思。"石梦觉，语本、思云："如此，死期。可急还，与家别。"不卒事而去。伯始怪而留之。曰："惧不得见家也。"间一日，三人同时死。

[注释]

①海盐：古县名，其地在今浙江平湖东南。

[译文]

吴国的时候，嘉兴县徐伯始生了病，就让道士吕石来安放神座。吕石有徒弟戴本、王思二人,住在海盐县,徐伯始把他们接了来帮助吕石。吕石白天睡觉,梦见自己上天来到北斗门下,看见小吏给三匹马配好鞍座,并说:"明天要用一匹来迎接吕石,用一匹来迎接戴本,用一匹来迎接王思。"吕石从梦中醒来,对戴本、王思说:"如果真像我梦中所见到的这样,那么我们的死日到了。你们可以赶快回家,和家里的人告别。"于是他们没把事干完就走了。徐伯始觉得奇怪而挽留他们。他们说:"再不走,怕见不到自己的家人了。"过了一天,三个人在同一个时刻去世了。

261　会稽谢奉①与永嘉太守郭伯猷善。谢忽梦郭与人于浙江②上争樗蒲③钱,因为水神所责,堕水而死,己营理郭凶事。及觉,即往郭许,共围棋。良久,谢云:"卿知吾来意否?"因说所梦。郭闻之怅然,云:"吾昨夜亦梦与人争钱,如卿所梦,何期太的的也!"须臾如厕,便倒气绝。谢为凶具,一如其梦。

[注释]

①谢奉:字弘道,仕晋历任安南将军、广州刺史、吏部尚书。②浙江:即钱塘江。③樗蒲:古代的一种类似掷骰子的赌博游戏。

[译文]

会稽郡的谢奉与永嘉郡太守郭伯猷很有交情。有一次,谢奉忽然梦见郭伯猷和别人在钱塘江上争夺赌博的钱,因而遭到水神的责罚,落水死了,自己操办郭伯猷的丧事。等醒来后,谢奉就马上到郭伯猷那里,和他一起下围棋。过了很久,谢奉说:"你知道我的来意吗?"接着便把他梦见的事告诉了郭伯猷。郭伯猷听见了这事十分惆怅,说:"我昨天夜里也梦见和别人争钱,就像你所梦见的那样,为什么会这样明明白白!"一会儿郭伯猷上厕所,就倒在地上断了气。谢奉给他操办丧事,完全就像自己所梦见的那样。

262 嘉兴徐泰,幼丧父母,叔父隗养之,甚于所生。隗病,泰营侍甚勤。是夜三更中,梦二人乘船持箱,上泰床头,发箱,出簿书示曰:"汝叔应死。"泰即于梦中叩头祈请。良久,二人曰:"汝县有同姓名人否?"泰思得,语二人云:"张隗。不姓徐。"二人云:"亦可强逼。念汝能事叔父,当为汝活之。"遂不复见。泰觉,叔病乃差。

[译文]

嘉兴县的徐泰,幼年就失去了父母,叔父徐隗抚养他,比抚养亲生的儿子还周到。徐隗病了,徐泰照料服侍也很殷勤。那一夜三更时分,徐泰梦见两个人乘了船拿着箱子来到自己床头,他们打开箱子,拿出簿书给他看,并对他说:"你的叔父应该死了。"徐泰就在梦中向他们磕头求情。过了很久,那两个人说:"你县里有没有与你叔父同名同姓的人?"徐泰想到了,便告诉这两个人说:"只有一个人叫张隗,不姓徐。"那两个人说:"姓不同也可以勉强逼他死。我们顾怜你能服侍叔父,应当替你救活他。"于是徐泰就再也看不见他们了。徐泰醒来,叔父的病就痊愈了。

卷十一

263 楚熊渠子夜行,见寝石①,以为伏虎,弯弓射之,没金锻羽。下视,知其石也。因复射之,矢摧无迹。汉世复有李广②,为右北平太守,射虎得石,亦如之。刘向曰:"诚之至也,而金石为之开,况于人乎!夫唱而不和,动而不随,中必有不全者也。夫不降席而匡天下者,求之己也。"

[注释]

①寝石:横躺着的石头。②李广:西汉名将,以善战著称。匈奴称他为"飞将军"。

[译文]

楚国熊渠子夜间巡行,看见横卧着的石头,以为是趴在地上的老虎,便拉弓射它,箭头陷没在石头里边,箭杆上的羽毛都掉下来了。下马仔细一看,才知道那是石头。接着又射它,箭被折断了,也没有留下什么痕迹。汉代又有李广,任右北平太守,他以为自己是在射老虎,结果射到的却是石头,也像熊渠子那样。刘向说:"精诚所至,金石为开,更何况是人?你倡议而别人不响应,你行动而别人不追随,那么你内心深处一定有不完善的地方。不离开座席而能匡正天下,是因为以身作则的缘故啊。"

264　楚王游于苑，白猿在焉。王令善射者射之。矢数发，猿搏矢而笑。乃命由基①。由基抚弓，猿即抱木而号。及六国时，更羸②谓魏王曰："臣能为虚发而下鸟。"魏王曰："然则射可至于此乎？"羸曰："可。"有顷，闻雁从东方来，更羸虚发而鸟下焉。

265　齐景公渡于江沅之河，鼋衔左骖，没之。众皆惊惕。古冶子③于是拔剑从之。邪行五里，逆行三里，至于砥柱之下。杀之，乃鼋也。左手持鼋头，右手挟左骖，燕跃鹄踊而出。仰天大呼，水为逆流三百步。观者皆以为河伯也。

[注释]

①由基：即养由基，楚国大夫，以善射闻名。②更羸：战国时魏人，著名射手。③古冶子：齐国三勇士之一，善游泳。后为相国晏婴用计所杀。

[译文]

楚王在园囿中游玩，有只白色的猿在那里。楚王命令擅长射箭的人射它。箭射出去好几支了，只见那白猿用手抓箭，嬉笑着。楚王就命令养由基来射。养由基刚拿起弓，那猿就抱着树木号哭起来。到战国时代，更羸对魏王说："我能虚拉弓弦不发箭就把鸟射下来。"魏王说："你的射技真能达到这种地步吗？"更羸说："能。"一会儿，听见大雁从东方飞来，更羸虚拉弓弦不发箭，大雁便栽下来了。

齐景公渡黄河的时候，有一只老鳖衔走了他车前左边的马，潜入水下去了，大家都惊恐万状。古冶子却在这时拔出宝剑追赶它，他斜着走了五里，逆水走了三里，来到砥柱山下，把它杀了，原来是只鳖。古冶子左手拿着鳖头，右手挟着那马，像飞燕、天鹅那样飞跃而出。他仰天大喊，河水因此而倒流了三百步。观看的人都以为他是黄河的水神河伯。

266 楚干将①、莫邪为楚王作剑,三年乃成。王怒,欲杀之。剑有雌雄。其妻重身②当产,夫语妻曰:"吾为王作剑,三年乃成。王怒,往必杀我。汝若生子是男,大,告之曰:'出户望南山,松生石上,剑在其背。'"于是即将雌剑,往见楚王。王大怒,使相之:"剑有二,一雄一雌。雌来,雄不来。"王怒,即杀之。莫邪子名赤比,后壮,乃问其母曰:"吾父所在?"母曰:"汝父为楚王作剑,三年乃成。王怒,杀之。去时嘱我:'语汝子:出户望南山,松生石上,剑在其背。'"于是子出户南望,不见有山,但睹堂前松柱下,石砥之上,即以斧破其背,得剑。日夜思欲报楚王。王梦见一儿,眉间广尺,言欲报雠。王即购之千金。儿闻之,亡去。入山行歌。客有逢者,谓:"子年少,何哭之甚悲耶?"曰:"吾干将、莫邪子也。楚王杀吾父,吾欲报之!"客曰:"闻王购子头千金,将子头与剑来,为子报之。"儿曰:"幸甚!"即自刎,两手捧头及剑奉之,立僵。客曰:"不负子也。"于是尸乃仆。客持头往见楚王,王大喜。客曰:"此乃勇士头也。当于汤镬③煮之。"王如其言。煮头三日三夕,不烂。头踔出汤中,瞋目大怒。客曰:"此儿头不烂,愿王自往临视之,是必烂也。"王即临之。客以剑拟王,王头随堕汤中。客亦自拟己头,头复堕汤中。三首俱烂,不可识别。乃分其汤肉葬之,故通名"三王墓"。今在汝南北宜春④县界。

[注释]

①干将:春秋时铸剑名匠。莫邪为其妻。传与欧冶子同师。奉吴王阖闾命作剑,采铁精金英,三月不能熔化。其妻莫邪乃断发剪爪投入炉中,使童女童男三百人鼓橐装炭,金铁乃濡,遂成二剑,阳名干将,阴名莫邪。②重身:即怀孕。③汤镬:汤锅,大如鼎而无足。④北宜春:古县名,在今河南汝南西南。

[译文]

楚国的干将、莫邪夫妇给楚王锻造宝剑,三年才造成。楚王很生气,想杀掉他们。宝剑有雌雄两把。干将的妻子怀孕要分娩了,丈夫便对妻子说:"我们给楚王铸造宝剑,三年才造成。楚王生气了,我去进献宝剑时他必定会杀我。你如果生下的孩子是男的,等他长大了,就告诉他说:'出门望南山,可以看见那长在石头上的松树,宝剑就在它的背面。'"于是他就带着雌剑去见楚王。楚王非常生气,叫人仔细察看那宝剑。看剑的人说:"宝剑该有两把,一把雄一把雌。现在雌剑拿来了,雄剑没拿来。"楚王非常生气,就杀了干将。莫邪生下来的儿子名字叫赤比,长大后,就问他的母亲说:"我的父亲在什么地方?"母亲说:"你父亲给楚王造剑,三年才造成。楚王生气了,把他杀了。他离家时嘱咐我:'告诉你的儿子:出门望南山,可以看见那长在石头上的松树,宝剑就在它的背面。'"于是赤比便出门向南望去,看不见有什么山,只看见堂前的松木柱下,有石墩把它顶着。他就用斧子劈开木柱的背面,得到了宝剑。于是日日夜夜想要向楚王报仇。楚王梦见一个男孩,两眉之间有一尺宽,说要向他报仇。楚王就用千金的重赏来缉拿他。赤比听到这消息,就逃走了。他进山后一边走一边悲歌。有个侠客碰见了他,对他说:"你年纪轻轻,为什么哭得很悲伤呢?"赤比说:"我是干将、莫邪的儿子。楚王杀了我的父亲,我要向他报仇!"侠客说:"听说楚王悬赏千金来收买你的头,把你的头和剑拿来,我为你去向他报仇。"赤比说:"这太幸运了!"就自刎而死,两手捧着头和剑交给侠客,尸体却直挺挺地站着。侠客说:"我不会辜负你的。"于是尸体才倒了下去。侠客拿着赤比的头去见楚王,楚王非常高兴。侠客说:"这可是勇士的头颅,应该放在汤锅中煮它。"楚王照他的话做了。这头煮了三天三夜,也没煮烂。这头还从沸水中跳出来,瞪着眼睛,十分愤怒。侠客说:"这孩子的头煮不烂,请大王亲自到锅边看看它,这头就一定会烂了。"楚王便走到锅边看孩子的头。侠客就挥剑向楚王砍去,楚王的头随即落入那沸水中。侠客自己也砍了自己的头,头也落进那沸水中。三个头都煮烂了,无法辨认。于是大臣们只好把锅里的汤和肉分开来埋葬了,所以人们把它们统称为"三王墓"。今天这墓在汝南郡北宜春县境内。

267　汉武时,苍梧①贾雍为豫章太守,有神术。出界讨贼,为贼所杀,失头,上马回,营中咸走来视雍。雍胸中语曰:"战不利,为贼所伤。诸君视有头佳乎?无头佳乎?"吏涕泣曰:"有头佳。"雍曰:"不然,无头亦佳。"言毕,遂死。

268　渤海②太守史良姊一女子,许嫁而不果。良怒,杀之,断其头而归,投于灶下,曰:"当令火葬。"头语曰:"使君,我相从,何图当尔!"后梦见曰:"还君物。"觉而得昔所与香缨金钗之属。

269　周灵王③时,苌宏见杀。蜀人因藏其血,三年乃化而为碧。

[注释]

①苍梧:古郡名,治所在广信(今广西梧州市)。②渤海:古郡名,治所在浮阳(今河北沧州)。③周灵王:东周君主,前571—前545年在位。

[译文]

汉武帝时,苍梧郡人贾雍任豫章郡太守,他有神奇的法术。有一次,他离开豫章郡去讨伐强盗,被强盗杀了,丢了脑袋,却又上马回了营,军营中的人都跑来看他。贾雍在胸膛中发出声音道:"战斗失利,我被强盗杀伤。你们看我有头的好呢?还是没有头的好?"他的部下哭着说:"有头的好。"贾雍说:"不对,没有头也好。"就完,他就死了。

渤海太守史良爱上了一个女子,那女子答应嫁给他而后来却变了卦。史良生气了,杀死了她,把她的头割下来拿回家去,扔在灶下,说:"我要让你火葬。"那头对他说:"太守,我和你相好,哪里想到会这样呢!"后来史良梦见她说:"还给你的信物。"史良醒来后,得到了过去送给她的香缨、金钗之类。

周灵王的时候,苌宏被杀。蜀国的人就把他的血收藏起来,三年后,这些血竟变成了青白色的玉石。

270 汉武帝东游,未出函谷关,有物当道,身长数丈,其状像牛,青眼而曜睛,四足入土,动而不徙。百官惊骇。东方朔①乃请以酒灌之。灌之数十斛而物消。帝问其故。答曰:"此名为患,忧气之所生也。此必是秦之狱地。不然,则罪人徒作之所聚。夫酒忘忧,故能消之也。"帝曰:"吁!博物之士,至于此乎!"

[注释]

①东方朔(前154—前93):字曼倩,原本姓张,平原厌次(今山东陵县)人。西汉辞赋家,博学多识。汉武帝即位,征四方士人,东方朔上书自荐,诏拜为郎。后任常侍郎、太中大夫等职。

[译文]

汉武帝到东部去游览,还没有出函谷关,便有一个怪物挡住了去路,那怪物身长几丈,形状像牛,青色的眼睛,闪亮的眸子,四只脚插入泥土中,虽在动却没有移动位置。官吏们又惊又怕。东方朔于是出来请求用酒浇它。给它浇了几十斛酒,那怪物就消失了。汉武帝问东方朔这是什么缘故。东方朔回答说:"这怪物的名字叫患,是忧愁的冤气所产生出来的。这里一定是秦国的监狱所在地。如果不是监狱所在地,那么就一定是犯人服劳役所聚居的地方。酒能用来忘记忧愁,所以能把它消去。"汉武帝说:"啊!见多识广的才子,竟达到了这种地步!"

271　后汉谅辅,字汉儒,广汉新都人。少给佐吏①,浆水不交②。为从事,大小毕举,郡县敛手。时夏枯旱,太守自曝中庭,而雨不降。辅以五官掾,出祷山川,自誓曰:"辅为郡股肱,不能进谏纳忠,荐贤退恶,和调百姓,至令天地否隔,万物枯焦,百姓喁喁,无所控诉,咎尽在辅。今郡太守内省责己,自曝中庭,使辅谢罪,为民祈福,精诚恳到,未有感彻。辅今敢自誓,若至日中无雨,请以身塞无状。"乃积薪柴,将自焚焉。至日中时,山气转黑起,雷雨大作,一郡沾润。世以此称其至诚。

[注释]

①佐吏:属官。即辅助上官之吏。②浆水不交:谓为官清廉,浆水都不受。浆水,一般酒类。

[译文]

东汉时的谅辅,字汉儒,是广汉郡新都县人。他年轻时供职佐吏,廉洁得连酒水都不接受。后来任从事,大大小小的错误他都检举法办。因此郡、县的官吏都不敢为所欲为。那一年夏天大旱,太守在院子中曝晒自己来求雨,但雨仍然不下。谅辅以五官掾的身份出去向山川祈祷,他自己发誓说:"我谅辅是广汉郡的股肱之臣,不能规劝太守改正错误、进纳忠言,推荐贤能、贬退邪恶,协调老百姓之间的关系,以至于使天地闭塞不通,万物干枯焦脆,百姓窃窃私语,但没有地方申诉,这罪过都在我谅辅身上。现在郡太守反省责备自己,在院中曝晒,还派我来向上天谢罪,为民众求福,太守的真诚恳切,还没有能感动上天。我谅辅现在自己发誓,如果到中午还不下雨,请求用我的身体来补救那不可言状的弥天大罪。"于是他就堆起柴草,准备自焚。到中午的时候,山间的云气转黑升起,雷雨倾盆而下,整个广汉郡都沾湿浸透了。社会上因此而称赞他是最真诚的人。

272 何敞,吴郡人。少好道艺,隐居。里以大旱,民物憔悴,太守庆洪遣户曹掾致谒,奉印绶,烦守无锡。敞不受。退,叹而言曰:"郡界有灾,安能得怀道。"因跋涉之县,驻明星①屋中。蝗蠡消死,敞即遁去。后举方正②、博士③,皆不就。卒于家。

273 后汉徐栩,字敬卿,吴由拳人。少为狱吏,执法详平。为小黄令。时属县大蝗,野无生草,过小黄界,飞逝不集。刺史行部,责栩不治。栩弃官,蝗应声而至。刺史谢,令还寺舍④。蝗即飞去。

[注释]

①明星:星名,即金星。②方正:汉代选举科目之一。③博士:官名。东汉时掌管经学的传授。④寺舍:即官舍。西汉建立"三公九卿"制,三公的官署称为"府",九卿的官署称为"寺"。

[译文]

何敞,是吴郡人。年轻时他爱好学问,隐居在家。有一年家乡大旱,老百姓困苦憔悴,太守庆洪派户曹掾来请他,让户曹掾捧上官印,麻烦他署理无锡县的政事。何敞不肯接受。但退回室内后,又感叹说:"郡内有灾害,我哪能一心扑在学问上呢?"于是他就徒步跋涉来到无锡县,用道术使金星停驻屋中。蝗虫都死了,何敞就悄悄地走了。后来,推举他当方正、博士,他都没有就职,最后死在家中。

东汉时的徐栩,字敬卿,吴郡由拳县人。他年轻时当管理监狱的小吏,执行法律谨慎公平。后来他当陈留郡小黄县县令的时候,相邻各县大闹蝗灾,田野里连青草都长不起来,但蝗虫经过小黄县境时,却径直飞过去而不聚集在那里。刺史巡视部属来到小黄县,责备徐栩不治蝗灾。徐栩辞去了官职,蝗虫便闻声赶到。于是刺史向徐栩道歉，叫他回到官府上任，蝗虫就又飞走了。

274　王业字子香，汉和帝①时，为荆州刺史。每出行部，沐浴斋素，以祈于天地，当启佐愚心，无使有枉百姓。在州七年，惠风大行，苛慝不作，山无豺狼。卒于湘江。有二白虎，低头曳尾，宿卫其侧。及丧去，虎逾州境，忽然不见。民共为立碑，号曰"湘江白虎墓"。

[注释]

①汉和帝：东汉皇帝。89—108年在位。

[译文]

王业，字子香，汉和帝时任荆州刺史。他每次巡视部属，都沐浴吃素，洁净身心，从而向天地祈求启发、帮助自己那愚笨的心眼，别使自己做出冤枉百姓的事情来。他在荆州任职七年，仁爱的风气盛行，残酷罪恶的事情没发生过，连山中都没有了豺狼。他后来死在湘江中。有两只白虎，低着头拖着尾巴，守卫在他的身边。等到他的丧事完毕，那两只老虎便越过荆州州界，忽然不见了。人们一起给王业与老虎立了块碑，称为"湘江白虎墓"。

275　吴时，葛祚为衡阳①太守。郡境有大槎横水，能为妖怪。百姓为立庙。行旅祷祀，槎乃沉没；不者槎浮，则船为之破坏。祚将去官，乃大具斧斤，将去民累。明日当至。其夜，闻江中汹汹有人声，往视之，槎乃移去，沿流下数里，驻湾中。自此行者无复沉覆之患。衡阳人为祚立碑，曰"正德祈禳，神木为移"。

276　曾子从仲尼②在楚而心动，辞归问母。母曰："思尔啮指。"孔子曰："曾参之孝，精感万里。"

[注释]

①衡阳：郡名，三国吴置。故治在今湖南湘潭西。②仲尼：孔子的字。

[译文]

吴国时，葛祚任衡阳郡太守。郡内有个大木筏横在河中，能兴妖作怪，百姓就在河边给这木筏建立了祠庙。旅客祭祀它，木筏就沉下去；否则，木筏就浮在水面，那么船就要被它撞破弄坏。葛祚将离任时，便准备好了斧子，要除去这一民众的祸害。第二天他就要去砍那木筏了，而在这前一天的夜里，人们却听见河中汹汹地有人的声音，就前往观看，木筏竟被移走了，沿着江水向下漂浮了几里，停留在河湾中。从此过河的人不再有沉没翻船的祸患了。衡阳郡的人为葛祚立了块碑，碑文写道："用正直的德行祈祷消除灾祸，神奇的木筏就被移走了。"

曾参跟随孔子出游，在楚国时感到心跳，就辞别了孔子回家询问母亲。母亲说："我思念你，所以咬了自己的手指。"孔子说："曾参的孝心，使他的精神感应到万里之外。"

277 周畅，性仁慈。少至孝，独与母居。每出入，母欲呼之，常自啮其手，畅即觉手痛而至。治中从事未之信，候畅在田，使母啮手，而畅即归。元初二年，为河南尹，时夏大旱，久祷无应。畅收葬洛阳城旁客死骸骨万余，为立义冢①，应时澍雨。

[注释]

①义冢：掩埋无主尸首的公墓。

[译文]

周畅的性情仁爱慈善。他年轻时就已极其孝顺，当时他一个人和母亲居住。每次出门，母亲想叫他来，常常咬一下她自己的手，周畅就会感觉到手痛，便马上回来了。治中从事不相信这种事，等周畅在田间干活的时候,让他母亲咬手,而周畅真的马上回来了。元初二年(115),周畅任河南尹,那年夏天大旱,人们祈祷了很久都没有应验。周畅把洛阳城旁一万多流民的死尸骸骨收起来埋葬了,给他们建造了公墓,天上便降下了及时雨。

278　王祥①字休征,琅邪人。性至孝。早丧亲,继母朱氏不慈,数谮之。由是失爱于父,每使扫除牛下②。父母有疾,衣不解带。母常欲生鱼,时天寒冰冻,祥解衣,将剖冰求之,冰忽自解,双鲤跃出,持之而归。母又思黄雀炙,复有黄雀数十入其幕,复以供母。乡里惊叹,以为孝感所致。

279　王延③,性至孝。继母卜氏,尝盛冬思生鱼,敕延求而不获,杖之流血。延寻汾④,叩凌而哭。忽有一鱼,长五尺,跃出冰上。延取以进母。卜氏食之,积日不尽。于是心悟,抚延如己子。

[注释]

①王祥:晋代人,官至太保。②牛下:指牛棚。③王延:字延之,西河(今山西离石)人。《晋书》中有传。④汾:即汾河。

[译文]

王祥,字休征,琅邪郡人。生来就极孝顺。他很早就失去了母亲,继母朱氏不爱他,多次诬陷他。因此他也失去了父亲对他的爱,父亲经常让他去打扫牛棚。但父母亲有病时,他总是精心服侍,从不脱衣去睡。继母曾经想吃鲜鱼,当时天寒地冻,王祥便脱了衣服,准备破冰下水去抓鱼,这时冰层忽然自己裂开来,两条鲤鱼从水中跳出来,他就拿了这两条鱼回家了。继母又想吃烤黄雀,又有几十只黄雀飞进了他的帷幕,王祥又把它们烤了给继母吃。乡邻们都惊叹万分,认为这都是王祥的孝顺感动了神灵的结果。

王延生来就极其孝顺。他的继母卜氏,曾经在隆冬季节想吃鲜鱼，命令王延去寻觅，结果没搞到，继母就用棍棒打他，把他打得鲜血直淌。王延找到汾河上，敲着冰大哭，忽然有一条鱼，长五尺，跳到冰上。王延捉了去献给继母。卜氏吃这条鱼，吃了几天都没吃完。于是心里有点领悟到这是神灵在护佑着王延，从此，她对待王延就像对待自己的亲生儿子一样。

280　楚僚早失母，事后母至孝。母患痈肿，形容日悴，僚自徐徐吮之，血出，迨夜即得安寝。乃梦一小儿语母曰："若得鲤鱼食之，其病即差，可以延寿。不然，不久死矣。"母觉而告僚。时十二月冰冻，僚乃仰天叹泣，脱衣上冰卧之。有一童子，决僚卧处，冰忽自开，一双鲤鱼跃出。僚将归奉其母，病即愈，寿至一百三十三岁。盖至孝感天神，昭应如此。此与王祥、王延事同。

[译文]

楚僚很早就失去了母亲，他侍奉后母极其孝顺。后母生了毒疮，容貌日益憔悴，楚僚便亲口伏在疮上慢慢地吮吸，毒血便被吸出来了，到晚上，他的后母就能安然入睡了。但她又梦见一个小孩对她说："如果能抓到鲤鱼吃了，你的病就好了，而且还可以延长寿命。否则，你不久便会死去。"后母醒来后告诉了楚僚。当时正值十二月，冰封地冻，楚僚就仰望着上天悲叹哭泣，脱了衣服走到冰上躺下，用他的体温来化冰。这时来了一个小孩，敲击楚僚躺卧的地方，冰忽然自己裂开了，一对鲤鱼从冰下跳出来。楚僚便抓了回家献给他的后母，后母吃了，病就痊愈了，活到一百三十三岁。这大概是楚僚那极端的孝顺感动了天神，所以显示出来的应验才像这样。这与王祥、王延的事情是相同的。

281　盛彦字翁子，广陵人。母王氏，因疾失明，彦躬自侍养。母食,必自哺之。母疾既久,至于婢使,数见捶挞。婢忿恨,闻彦暂行,取蛴螬①炙饴之。母食,以为美,然疑是异物,密藏以示彦。彦见之,抱母恸哭,绝而复苏。母目豁然即开,于此遂愈。

282 颜含字宏都,次嫂樊氏,因疾失明。医人疏方②,须蚺蛇胆,而寻求备至,无由得之。含忧叹累时。尝昼独坐,忽有一青衣童子,年可十三四,持一青囊授含。含开视,乃蛇胆也。童子逡巡出户,化成青鸟飞去。得胆药成,嫂病即愈。

[注释]

①蛴螬:金龟子的幼虫。②疏方:开列的药方。

[译文]

盛彦,字翁子,广陵人。他母亲王氏,因为生了病而失明,盛彦便亲自服侍赡养她。母亲吃东西,他一定亲自喂食。母亲的毛病拖久了,脾气便变得很暴躁,以至于那些婢女多次被她鞭打。婢女很怨恨她,听说盛彦暂时外出,于是就拿了金龟子的幼虫烤了用饴糖拌了给她吃。母亲吃了,觉得味道很好,但怀疑这不是食物,于是就偷偷地把它藏起来拿给盛彦看。盛彦看见后,抱着母亲十分悲痛地大哭起来,哭得死去活来。母亲的眼睛忽然大大地睁开了,从此她的眼病就痊愈了。

颜含,字宏都,他的二嫂樊氏,因为生了病而失明。医生开了个药方,须用蚺蛇的胆,但到处都找遍了,也没有地方能找到它。颜含忧虑地叹息了很长时间。有一天他独自坐着,忽然有一个穿着青色衣服的小孩,年纪有十三四岁,拿了一个青袋给颜含。颜含打开一看,竟然是蚺蛇的胆。那小孩迅速出了门,变成了青鸟飞走了。颜含得到了蚺蛇胆,药就合成了,嫂嫂的病立即就痊愈了。

283 郭巨,隆虑①人也,一云河内温人。兄弟三人,早丧父。礼毕,二弟求分。以钱二千万,二弟各取千万。巨独与母居客舍,夫妇佣赁,以给公养。居有顷,妻产男。巨念与儿妨事亲,一也;老人得食,喜分儿孙,减馔,二也。乃于野凿地,欲埋儿,得石盖,下有黄金一釜,中有丹书,曰:"孝子郭巨,黄金一釜,以用赐汝。"于是名振天下。

[注释]

①隆虑:古县名。属河内郡,治所在今河南林州市。

[译文]

郭巨,是河内郡隆虑县人,又说是河内郡温县人。他兄弟三人,很早就失去了父亲。他们为父亲守孝三年的礼仪刚结束,两个弟弟就要求分家。因为家里有钱二千万,两个弟弟就每人拿走了一千万。郭巨只好独自和母亲住在旅店里,夫妻两人去打工,用这种办法来供养母亲。过了不久,他妻子生了儿子。郭巨想想抚养儿子就要妨碍侍奉母亲,这是其一;老人得到食物,总喜欢分给孙子,这就减少了母亲的食物,这是其二。于是他就在野外挖土,想埋掉儿子。结果却挖到一块石板盖,下面有黄金一釜,釜中有朱砂写的天书,写着:"孝子郭巨,这黄金一釜,是用来赏赐你的。"于是郭巨的名声震动了全国。

284 新兴①刘殷,字长盛,七岁丧父,哀毁过礼,服丧三年,未尝见齿。事曾祖母王氏。尝夜梦人谓之曰:"西篱下有粟。"寤而掘之,得粟十五钟。铭曰:"七年粟百石,以赐孝子刘殷。"自是食之,七岁方尽。及王氏卒,夫妇毁瘠,几至灭性。时柩在殡而西邻失火,风势甚猛,殷夫妇叩殡号哭,火遂灭。后有二白鸠来,巢其树庭。

[注释]

①新兴：郡名。晋置，治所在今湖北江陵东。

[译文]

新兴郡的刘殷，字长盛，他七岁的时候死了父亲，因为悲哀而减食消瘦的程度超过了一般的礼仪规定。他服丧三年，从来没有露牙笑过。他精心侍奉曾祖母王氏。有一天夜里，梦见有人对他说："西边的篱笆下有谷子。"他醒来后去挖，得到了十五钟谷子。那盖子上的刻辞说："七年的谷子一百石，是用来赏赐给孝子刘殷的。"从那时开始吃这谷子，吃了七年才吃完。等到王氏逝世，刘殷夫妇两人减食消瘦，几乎丧生。当时王氏入棺待葬，而西边的邻居失了火，风力很大，刘殷夫妇敲着棺材号啕大哭，大火就熄灭了。后来有两只白鸠飞来，在他家院子里的树上做了巢。

285 杨公伯雍，雒阳县人也。本以侩卖①为业，性笃孝。父母亡，葬无终山②，遂家焉。山高八十里，上无水，公汲水，作义浆于阪头，行者皆饮之。三年，有一人就饮，以一斗石子与之，使至高平好地有石处种之，云："玉当生其中。"杨公未娶，又语云："汝后当得好妇。"语毕不见。乃种其石。数岁，时时往视，见玉子生石上，人莫知也。有徐氏者，右北平著姓③，女甚有行，时人求，多不许。公乃试求徐氏。徐氏笑以为狂，因戏云："得白璧一双来，当听为婚。"公至所种玉田中，得白璧五双，以聘。徐氏大惊，遂以女妻公。天子闻而异之，拜为大夫。乃于种玉处，四角作大石柱，各一丈，中央一顷地，名曰"玉田"。

[注释]

①侩卖：做中间人介绍买卖。②无终山：在今河北玉田西北。③著姓：即望族，有显著名声的世家。

[译文]

杨伯雍,是洛阳县人。他本来以做买卖的经纪人为职业,天性忠诚孝顺。父母亲死了,葬在无终山,他就把家安在那里。无终山高八十里,山上没有水,他就打来了水,烧好免费供应的茶水放在山坡上,过路的人都喝它。三年后,有一个人来喝水,拿了一斗石子给他,叫他到高爽平坦的好田挑有石头的地方把它种下,并对他说:"宝玉会从这里面长出来。"杨伯雍当时还没有娶妻,那人又对他说:"你以后会娶到一个好媳妇。"那人说完就不见了。杨伯雍就种下了那石子。几年中,他经常去查看,只见小宝玉长在石头上,而别人却没有一个知道这件事。有一个姓徐的,是右北平郡的名门,他的女儿很有德行,当时的人来求婚,姓徐的都没有答应。杨伯雍就试着去向徐家求婚。姓徐的讥笑他,认为他太狂妄了,便戏弄他说:"如果你搞到一双白璧来,我就同意你娶我的女儿。"杨伯雍来到他种玉的田中,收到了五双白璧,便将它们作为聘礼。姓徐的大吃一惊,就把女儿嫁给了他。皇帝听说了这件事,觉得杨伯雍这个人很奇特,就任命他为大夫。还在种玉的地方,四角立起了大石柱,每根石柱各有一丈高,这中央的一顷地,被命名为"玉田"。

286 衡农字剽卿,东平①人也。少孤,事继母至孝。常宿于他舍,值雷风,频梦虎啮其足。农呼妻相出于庭,叩头三下。屋忽然而坏,压死者三十余人,唯农夫妻获免。

287 罗威字德仁,八岁丧父,事母性至孝。母年七十。天大寒,常以身自温席,而后授其处。

[注释]

①东平:郡名,治所在无盐,即今山东东平附近。

[译文]

衡农,字剽卿,东平郡人。他从小就失去了母亲,侍奉继母极其孝顺。有一次他在别处房间过夜，正好碰上打雷刮风，他接二连三地梦见老虎咬他的脚。他马上叫妻子一起到院子中去，磕了三个头，这房子忽然崩塌，压死的人有三十多个，只有衡农夫妻两人幸免于难。

罗威，字德仁。他八岁时死了父亲，侍奉母亲极其孝顺。母亲已经七十岁了，天气十分寒冷的时候，他常常用自己的身体把席子睡暖，然后再请母亲睡。

288　王裒①字伟元，城阳营陵人也。父仪②，为文帝所杀。裒庐于墓侧，旦夕常至墓所拜跪，攀柏悲号。涕泣著树，树为之枯。母性畏雷，母没，每雷，辄到墓曰："裒在此。"

289　郑弘迁临淮太守。郡民徐宪，在丧致哀，有白鸠巢户侧。弘举为孝廉③，朝廷称为"白鸠郎"。

[注释]

①王裒（póu）：王修之孙，隐居教授门徒，不仕晋。②父仪：王裒之父，为司马昭安东司马。③孝廉：汉武帝时设立的察举考试的科目之一，是察举制常科中最主要、最重要的科目。

[译文]

王裒，字伟元，城阳郡营陵县人。他父亲王仪，被晋文帝所杀害。王裒在父亲的坟墓旁盖起了守丧时住的草屋，早晚常在坟墓边行礼跪拜，抓着柏树悲痛地大哭。他的眼泪落到树上，树便干枯了。他母亲天生害怕打雷，母亲死了后，每逢打雷，他总是来到母亲的坟墓边上说："王裒在这儿。"

郑弘升任临淮郡太守。郡民徐宪在家守丧致哀时，有只白鸠在他家门边做窝。郑弘推荐徐宪为孝廉，朝廷称徐宪为"白鸠郎"。

290　汉时，东海孝妇，养姑甚谨。姑曰："妇养我勤苦。

我已老，何惜馀年，久累年少。"遂自缢死。其女告官云："妇杀我母。"官收系之，拷掠毒治。孝妇不堪苦楚，自诬服之。时于公①为狱吏，曰："此妇养姑十馀年，以孝闻彻，必不杀也。"太守不听。于公争不得理，抱其狱词②，哭于府而去。自后郡中枯旱，三年不雨。后太守至，于公曰："孝妇不当死，前太守枉杀之，咎当在此。"太守实时身祭孝妇冢，因表其墓。天立雨，岁大熟。长老传云："孝妇名周青。青将死，车载十丈竹竿，以悬五幡。立誓于众曰：'青若有罪，愿杀，血当顺下；青若枉死，血当逆流。'既行刑已，其血青黄，缘幡竹而上标，又缘幡而下云。"

[注释]

①于公：汉宣帝时廷尉于定国之父。②狱词：审讯定案的文书。

[译文]

西汉时，东海郡有一个孝顺的媳妇，赡养婆婆非常恭敬。婆婆说："媳妇赡养我很辛苦。我已经老了，哪能吝惜我自己的风烛残年而长久地拖累年轻人呢！"于是便上吊死了。她的女儿到官府告状说："这媳妇杀了我的母亲。"官府就把这媳妇抓了起来，用酷刑拷打审讯。这孝顺的媳妇忍受不了痛苦，便自己捏造了罪状承认了罪名。当时于公担当管理监狱的小吏，他说："这媳妇赡养婆婆十多年，因为孝顺而名声很响，一定不会杀死婆婆的。"太守不听他的。于公与太守争辩，但没被理会，于是就抱着那媳妇的供词，在官府哭了一场走了。从那以后，东海郡内大旱，三年不下雨。接任的太守来了，于公说："那孝顺的媳妇不应该死，前任太守冤枉地杀了她，造成大旱的祸根应该就是这个。"太守立刻亲自去祭奠那孝妇的坟墓，接着还给她的坟墓立了碑，用以表彰她的孝顺。天上立刻下起雨来，这一年便获得了大丰收。老人们传说："这孝顺的媳妇名字叫周青。周青临刑的时候，车子上插着十丈高的竹竿，用来悬挂五种颜色的长幅挂旗。她对着众人发誓说：'我周青如果有罪，甘心被杀，我的鲜血该顺流而下；我周青如果死得冤枉，鲜血该倒流向上。'过了一会儿行刑完毕，她的鲜血呈青黄色，沿着旗杆流上了顶端，又沿着旗帜流下来。"

291　犍为①叔先泥和，其女名雄。永建三年，泥和为县功曹。县长赵祉，遣泥和拜檄②谒巴郡太守。以十月乘船，于城湍堕水死，尸丧不得。雄哀恸号咷，命不图存，告弟贤及夫人，令"勤觅父尸，若求不得，吾欲自沉觅之"。时雄年二十七，有子男贡，年五岁；贳，年三岁。乃各作绣香囊一枚，盛以金珠环，预婴二子。哀号之声，不绝于口，昆族私忧。至十二月十五日，父丧不得。雄乘小船，于父堕处，哭泣数声，竟自投水中，旋流没底。见梦告弟云："至二十一日，与父俱出。"至期，如梦，与父相持，并浮出江。县长表言，郡太守肃登，承上尚书，乃遣户曹掾为雄立碑，图像其形，令知至孝。

[注释]

①犍（qián）为：郡名，汉武帝建元六年（前135）置，治所在鳖（bì）县，即今贵州遵义西。②拜檄：上呈公文书。檄指公文书。

[译文]

犍为郡人叔先泥和，他的女儿名叫雄。永建三年（128），叔先泥和任县功曹，县长赵祉派叔先泥和去拜见巴郡太守，进呈文书。他在那一年十月乘船出发，却在湍急的城河中落水而死，尸体被冲走没捞到。叔先雄悲痛得号啕大哭，连性命也不想要了，她告诉弟弟叔先贤及其夫人："赶快去打捞父亲的尸体，如果捞不到，我就要跳到河里去找。"当时叔先雄才二十七岁，她有一个儿子叫贡，年龄才五岁；有一个叫贳，年龄才三岁。她就给他们每人做了一个绣花的香袋，拿黄金珠宝饰品装在里面，预先给两个儿子挂上了。

那悲痛的哭声,在她口中从不间断,她的兄弟亲族都暗暗为她担心。到十二月十五日,父亲的尸体还是没找到。叔先雄就乘了一条小船,在父亲落水的地方哭了几声,便自己跳到河中去了,一会儿她就随着旋涡沉到河底去了。她托梦告诉弟弟说:"到二十一日,我和父亲一起出来。"到了那一天,果然像梦中所说的那样,她与父亲互相挽着,一起浮出水面。县长奏上表文称道这件事,郡太守肃登把县长的表文进呈给了尚书,尚书就派遣户曹掾为叔先雄立了碑,把她的形象画在碑上,让人们知道她是极其孝顺的。

292　河南乐羊子之妻者,不知何氏之女也。躬勤养姑。尝有他舍鸡谬入园中,姑盗杀而食之。妻对鸡不食而泣。姑怪问其故,妻曰:"自伤居贫,使食有他肉。"姑竟弃之。后盗有欲犯之者,乃先劫其姑,妻闻,操刀而出。盗曰:"释汝刀。从我者可全;不从我者,则杀汝姑。"妻仰天而叹,刎颈而死。盗亦不杀姑。太守闻之,捕杀盗贼,赐妻缣帛,以礼葬之。

[译文]

河南郡乐羊子的妻子,不知道是哪一家的女儿。她身体力行来赡养婆婆。曾经有别人家的鸡误入了她家的园子中,婆婆偷偷地把它杀了准备吃。乐羊子的妻子对着烧好的鸡不吃,反而哭了。她婆婆奇怪地问她哭泣的缘故,她说:"我伤心我们的生活太贫穷了,以至于使我们的食物中有别人家的肉。"婆婆最后把鸡肉扔了。后来有个强盗想侮辱她,就先劫持了她的婆婆,她听见声音,拿着刀冲出来。强盗说:"放下你的刀!顺从我,可以保全你们;不顺从我,就杀掉你的婆婆。"乐羊子的妻子对着上天长叹了一声,将刀往自己的脖子上一抹就死了。这强盗也没有杀死她的婆婆。太守听说了这件事,把强盗抓住处死了,并赏赐给乐羊子的妻子一些绸缎,按照礼仪把她安葬了。

293　庾衮①字叔褒，咸宁中，大疫，二兄俱亡，次兄毗复殆。疠气②方盛，父母诸弟，皆出次于外，衮独留不去。诸父兄强之，乃曰："衮性不畏病。"遂亲自扶持，昼夜不眠；间复抚柩，哀临不辍。如此十馀旬。疫势既退，家人乃返。毗病得差，衮亦无恙。

[注释]

①庾衮：晋明穆皇后的伯父。《晋书》有传。②疠气：又名戾气，指具有强烈传染性的疾病，如瘟疫和某些外科感染的病。

[译文]

庾衮，字叔褒。咸宁年间（275—280），瘟疫大流行，他两个哥哥都死了，二哥庾毗又病危。当时瘟疫的气焰正十分嚣张，父母亲和几个弟弟都住到外地去了，只有庾衮独自留下没离家。父兄们强力劝他离开，他却说："我生来就不怕疾病。"于是他就亲自照料二哥，日夜不眠；又不时去抚拭他两个哥哥的灵柩，哀悼吊唁从不废止。像这样过了一百多天。瘟疫的势头已经开始消退了，家里的人才回来。二哥庾毗的病痊愈了，庾衮也太平无事。

294　宋康王①舍人韩凭，娶妻何氏，美，康王夺之。凭怨，王囚之，论为城旦。妻密遗凭书，缪其辞曰："其雨淫淫，河大水深，日出当心。"既而王得其书，以示左右，左右莫解其意。臣苏贺对曰："其雨淫淫，言愁且思也；河大水深，不得往来也；日出当心，心有死志也。"俄而凭乃自杀。其妻乃阴腐其衣。王与之登台，妻遂自投台，左右揽之，衣不中手而死。遗书于带曰："王利其生，妾利其死。愿以尸骨，赐凭合葬。"王怒，弗听。使里人埋之，冢相望也。王曰："尔夫妇相爱不已，若能使冢合，则吾弗阻也。"宿昔之间，便有大梓木生于二冢之端，旬日而大盈抱，屈体相就，根交于下，枝错于上。又有鸳鸯，雌雄各一，恒栖树上，晨夕不去，交颈悲鸣，音声感人。宋人哀之，遂号其木曰"相思树"。相思之名，起于此也。南人谓此禽即韩凭夫妇之精魂。今睢阳②有韩凭城，其歌谣至今犹存。

[注释]

①宋康王：战国时宋国国君。前318—前286年在位。②睢（suī）阳：古县名。在今河南商丘附近。

[译文]

宋康王的舍人韩凭，娶了妻子何氏，长得很美丽，宋康王抢走了她。韩凭十分怨恨，宋康王就把他囚禁起来，判处他到边境服白天守备、夜间筑城的刑罚。他妻子秘密地寄给韩凭一封信，信中把她的话写成了隐语说："那雨绵绵下不停，河流宽广水又深，太阳出来照我心。"过了不久，这信落到了康王手中，他拿给身边的侍从看，侍从们没有谁能懂得这封信的含意。这时大臣苏贺出来回答说："'那雨绵绵下不停'，是说她忧愁很深，老是想念；'河流宽广水又深'，是说他们不能互相来往；'太阳出来照我心'，是说她对日发誓，心中有殉情的志向。"不久韩凭就自杀了。他的妻子暗中腐蚀了自己的衣服。有一次，宋康王和她一起登上高台赏景，韩凭的妻子趁机从高台上跳下去，身旁的人去拉她，她的衣服经不起手拉，因而就摔死了。她在衣带上留下遗书说："大王希望我活，我希望我死。请把我的尸骨，赐给韩凭合葬。"康王十分恼怒，不依她的遗言办，派乡里的人把她埋了，让她的坟墓与韩凭的远远相对。康王说："你们夫妻俩爱个没完，如果你们能让两个坟墓合在一起，那么我就不再阻拦你们了。"一夜之间，便有大梓树长在两个坟墓的顶上，十来天这梓树就长大到一抱，两棵树干弯曲着互相靠近，树根在下面互相缠绕，树枝在上面互相交错。又有一对鸳鸯鸟，一雌一雄，经常栖息树上，从早到晚一直不离开，它们把脖子互相依偎着叫,叫声让人感动。宋国的百姓哀悼韩凭夫妇,就把那梓树叫做"相思树"。相思这个名词,就是从这儿产生的。南方的人说这鸳鸯鸟就是韩凭夫妇的灵魂变的。现在睢阳县有韩凭城,那传颂韩凭夫妇的歌谣到今天还流传着。

295　汉末,零阳①郡太守史满有女,悦门下书佐,乃密使侍婢取书佐盥手残水饮之,遂有妊。已而生子。至能行,太守令抱儿出,使求其父。儿匍匐直入书佐怀中。书佐推之,仆地化为水。穷问之,具省前事,遂以女妻书佐。

[注释]

①零阳:古县名。此处郡名当作"零陵"。

[译文]

汉朝末年,零陵郡太守史满有个女儿,爱上了府上的文书,就偷偷地叫她的丫鬟把文书的洗手水拿来喝了,于是就怀孕了。不久她便生了个孩子。到孩子会走路了,太守便叫人把小孩抱出来,让他寻找自己的父亲。这小孩径直爬进文书的怀里,文书把他推掉,他便倒在地上变成了水。太守追问自己的女儿,女儿把过去的事都讲了,太守就把女儿嫁给了文书。

296　鄱阳①西有望夫冈。昔县人陈明,与梅氏为婚,未成而妖魅诈迎妇去。明诣卜者,决云:"行西北五十里求之。"明如言,见一大穴,深邃无底。以绳悬入,遂得其妇。乃令妇先出。而明所将邻人秦文,遂不取明。其妇乃自誓执志,登此冈首而望其夫,因以名焉。

[注释]

①鄱(pó)阳:古县名,辖地在今江西鄱阳东。

[译文]

鄱阳县西部有座望夫冈。传说从前县里有个叫陈明的,和梅氏缔结了婚姻,结果还没有成婚,梅氏却被妖怪骗走了。陈明去叫人占卜,那人占卜后说:"你朝西北方向走五十里后去找她。"陈明按他的吩咐去了,便看见一个大洞,深不见底。他用绳子把自己悬吊下去,就找到了他的妻子。他让妻子先出去。但陈明带来的邻居秦文,在洞外用绳子把梅氏拉出来后,却不再把陈明拉上来了。陈明的妻子就自己发誓,表明自己嫁给陈明的坚定志向,并登上了这山冈顶上盼望她的丈夫归来,因而人们把这山冈叫做望夫冈。

297 后汉南康①邓元义,父伯考,为尚书仆射②。元义还乡里,妻留事姑,甚谨。姑憎之,幽闭空室,节其饮食。羸露日困,终无怨言。时伯考怪而问之。元义子朗,时方数岁,言:"母不病,但苦饥耳。"伯考流涕曰:"何意亲姑,反为此祸。"遣归家,更嫁为华仲③妻。仲为将作大匠④,妻乘朝车出。元义于路旁观之,谓人曰:"此我故妇,非有他过,家天人遇之实酷。本自相贵。"其子朗,时为郎,母与书,皆不答;与衣裳,辄以烧之。母不以介意。母欲见之,乃至亲家李氏堂上,令人以他词请朗。朗至见母,再拜涕泣,因起出。母追谓之曰:"我几死。自为汝家所弃,我何罪过,乃如此耶?"因此遂绝。

[注释]

①南康:郡名,治所在雩都,今江西于都东北。②尚书仆射(yè):官名。是尚书令的副手,掌管文书和政令。③华仲:应奉曾祖父应顺,字华仲,《后汉书·应奉传》有载。④将作大匠:官名。掌管宫室、宗庙陵寝等土木营建。

[译文]

东汉时南康人邓元义,父亲叫邓伯考,任尚书仆射。邓元义回到家乡省亲，妻子便被留下来侍奉婆婆，她对婆婆十分恭敬。但婆婆却讨厌她，把她关在空房间里，并且限制她的饮食。她虽然疲惫衰弱，一天比一天困窘，但始终没有怨言。当时邓伯考感到奇怪而去问她。邓元义的儿子邓朗，当时才几岁，说："妈妈没生病，只是饿得太苦了。"邓伯考流着眼泪说："哪里料到这亲婆婆，反而会造这样的孽！"于是就把媳妇休了让她回娘家去，她便改嫁给应华仲做妻子。应华仲任将作大匠，妻子便乘着上朝的车子出了门。邓元义在路边看见她，对人说："这是我原来的妻子，她不是有别的过错，只是我母亲对待她实在太残忍了。她本来就是富贵的相貌。"邓元义的儿子邓朗，当时已做了郎官，母亲给他写信，他从不回信；母亲给他衣裳，他总是拿来烧掉。他母亲也不把这些事放在心上。母亲总想看看儿子，就到亲家李氏的家里，叫人用其他的理由去请邓朗。邓朗来了后看见母亲，恭敬地拜了两次，流泪抽泣，便起身出门去了。母亲追上去对他说："我差一点死了。我是被你家遗弃的，我有什么罪过，你怎能如此来对待我呢？"从此以后母子便断绝了往来。

298　严遵为扬州刺史，行部，闻道傍女子哭声不哀。问所哭者谁，对云："夫遭烧死。"遵敕吏舁①尸到，与语讫，语吏云："死人自道不烧死。"乃摄②女，令人守尸，云："当有枉。"吏曰："有蝇聚头所。"遵令披视，得铁锥贯顶。考问，以淫杀夫。

[注释]

①舁（yú）：抬。②摄：拘捕。

[译文]

严遵任扬州刺史，有一次到所属郡县巡视，听见路旁一个女子的哭声不悲哀，就问她哭的是谁，那女子回答说："是我的丈夫，他被火烧死了。"严遵命令差役们把尸体抬来,他与尸体说完话,就对差役们说:"死人自己说不是被烧死的。"于是就逮捕了那女子,并叫人看守尸体,说:"这里边一定有冤枉。"差役报告说:"有苍蝇聚集在尸体头部。"严遵便叫人拨开头发察看,发现铁锥子贯穿了那尸体的头顶。于是就拷问那女子,原来是那女子因为与别人通奸而杀死了丈夫。

299 汉范式,字巨卿,山阳金乡人也,一名汜。与汝南张劭为友,劭字元伯,二人并游太学①。后告归乡里,式谓元伯曰:"后二年当还,将过拜尊亲,见孺子焉。"乃共克期日。后期方至,元伯具以白母,请设馔以候之。母曰:"二年之别,千里结言,尔何相信之审耶?"曰:"巨卿信士,必不乖违。"母曰:"若然,当为尔酝酒。"至期果到。升堂拜饮,尽欢而别。后元伯寝疾甚笃,同郡到②君章、殷子征晨夜省视之。元伯临终,叹曰:"恨不见我死友。"子征曰:"吾与君章,尽心于子,是非死友,复欲谁求?"元伯曰:"若二子者,吾生友耳;山阳范巨卿,所谓死友也。"寻而卒。式忽梦见元伯,玄冕乘缨,屣履而呼曰:"巨卿,吾以某日死,当以尔时葬,永归黄泉。子未忘我,岂能相及?"式恍然觉悟,悲叹泣下,便服朋友之服,投其葬日,驰往赴之。未及到而丧已发引。既至圹,将窆,而柩不肯进。其母抚之曰:"元伯,岂有望耶?"遂停柩。移时,乃见素车白马,号哭而来。其母望之曰:"是必范巨卿也。"既至,叩丧言曰:"行矣元伯,死生异路,永从此辞。"会葬者千人,咸为挥涕。式因执绋而引,柩于是乃前。式遂留止冢次,为修坟树,然后乃去。

[注释]

①太学:我国古代的最高学府。太学之名始于西周。汉代始设于京师。

太学之中由博士任教授,初设五经博士专门讲授儒家经典《诗》、《书》、《礼》、《易》、《春秋》。②到:当为"郅"字之误。

[译文]

东汉的范式,字巨卿,是山阳郡金乡县人,又名汜。他和汝南郡的张劭交了朋友,张劭,字元伯,两人曾一起在京城里的太学学习。后来范式请假回家时,对张劭说:"两年后我回来,一定来拜访你的双亲,看看你的孩子。"两人就共同约定了日期。后来,约定的日期就要到了,张劭就把这事全告诉母亲,请她准备饭菜来迎接范式。他母亲说:"两年的离别,相隔千里的诺言,你怎么会这么相信呢?"张劭说:"巨卿是个重信用的人,一定不会违背的。"母亲说:"如果是这样,应该为你们酿酒了。"到了约定的日期,范式果然来了。他登堂拜见了张劭的父母,就一起饮酒,极尽了欢乐后才互相告别。后来张劭卧病不起,病情很重,同郡的郅君章、殷子征从早到晚照料看护他。张劭临死时,叹息道:"遗憾的是还没能见一下我那生死与共的朋友。"殷子征说:"我与郅君章对你尽心竭力,如果我们不是你生死与共的朋友,那么你再想找谁来与你相见呢?"张劭说:"像你们两个人,只是我活着时的朋友罢了,山阳郡的范巨卿,才是我所说的生死与共的朋友。"一会儿张劭便死了。范式忽然梦见张劭穿着黑祭服,帽子也没系好,垂挂着帽带,拖着鞋子叫道:"巨卿,我在某日死了,该在某日下葬,永远回到地下去了,你如果没有忘记我,是否能再见我一面?"范式非常清楚地醒过来,悲痛地叹息着,禁不住哭泣起来,眼泪直往下掉,于是他就穿上了给朋友服丧时穿的衣服,按照张劭的安葬日期,赶马前去奔丧。范式还没有赶到而灵车已经启行了。一会儿灵车就到了墓穴,马上要把棺材下葬到墓穴中去了,而棺材却不肯朝前了。他母亲抚摸着棺材说:"元伯,你是否还有什么指望呢?"于是就把棺材停下。过了一会儿,便看见白车白马,有人痛哭着奔来。张劭的母亲望着那车马说："这一定是范巨卿了。"一会儿范式就到了，他磕头吊唁，说道："走吧元伯，死者和生者走不同的路，从此我们永远分别了。"参加葬礼的上千人，都为他们的别离而流眼泪。范式便握着牵引棺材的绳索向前拉，棺材这才向前移动了。范式就留在坟边，给张劭垒了坟，种了树，然后才离去。

卷十二

300　天有五气①，万物化成。木清则仁，火清则礼，金清则义，水清则智，土清则思，五气尽纯，圣德备也。木浊则弱，火浊则淫，金浊则暴，水浊则贪，土浊则顽，五气尽浊，民之下也。中土多圣人，和气所交也；绝域多怪物，异气所产也。苟禀此气，必有此形；苟有此形，必生此性。故食谷者智慧而文，食草者多力而愚，食桑者有丝而蛾，食肉者勇憨②而悍，食土者无心而不息，食气者神明而长寿，不食者不死而神。大腰无雄，细腰无雌③。无雄外接，无雌外育。三化之虫④，先孕后交；兼爱之兽，自为牝牡。寄生因夫高木，女萝托乎茯苓⑤。木株于土，萍植于水。鸟排虚而飞，兽蹍实而走，虫土闭而蛰，鱼渊潜而处。本乎天者亲上，本乎地者亲下，本乎时者亲旁：各从其类也。千岁之雉，入海为蜃；百年之雀，入海为蛤；千岁龟鼋，能与人语；千岁之狐，起为美女；千岁之蛇，断而复续；百年之鼠，而能相卜：数之至也。春分之日，鹰变为鸠；秋分之日，鸠变为鹰：时之化也。故腐草之为萤也，朽苇之为蚕⑥也，稻之为䵚⑦也，麦之为蝴蝶也，羽翼生焉，眼目成焉，心智在焉，此自无知化为有知而气易也。雀⑧之为蛤也，蚕之为虾也，不失其血气而形性变也。若此之类，不可胜论。应变而动，是为顺常；苟错其方，则为妖眚。故下体生于上，上体生于下，气之反者也；人生兽，兽生人，气之乱者也；男化为女，女化为男，气之贸者也。鲁牛哀⑨得疾，七日化而为虎，形体变易，爪牙施张。其兄启户而入，搏而食之。方其为人，不知其将为虎也；方有为虎，不知其常为人也。故晋太康中，陈留阮士瑀伤于虺，不忍其痛，数嗅其疮，已而双虺成于鼻中。元康中，历阳⑩纪元载，客食道龟，已而成瘕，医以药攻之，下龟子数升，大如小钱，头足壳备，文甲皆具，惟中药已死。夫妻非化育之气，鼻非胎孕之所，享道非下物之具。从此观之，万物之生死也，与其变化也，非通神之思，虽求诸己，恶识所自来。然朽草之为萤，由乎腐也；麦之为蝴蝶，由乎湿也。尔则万物之变，皆有由也。农夫止麦之化者，沤之以灰；圣人理万物之化者，济之以道。其与，不然乎？

[注释]

①五气：谓五行之气，即火、水、木、金、土五种生成万物之元气。②儌（xiàn）：指气势强盛。③大腰：指龟类动物。细腰：指蜂类动物。④三化之虫：指蚕。⑤寄生：此指"茑萝"，一年生草本植物，茎细长而缠绕。女萝：即松萝，地衣类植物。茯苓：寄生在松树根上的真菌，状如甘薯。⑥巷（gǒng）：蟋蟀的别名。⑦玺（jiā）：米中的虫。⑧雈（hè）：当作"鹤"。⑨牛哀：人名，鲁国人。⑩历阳：古县名。治所在今安徽和县。

[译文]

自然界有木、火、金、水、土五气，各种事物都是这五种气变化而成的。木气清净就有仁爱，火气清净就有礼制，金气清净就有道义，水气清净就有智慧，土气清净就有思想，五气都纯净，那么圣人的德行就完备了。木气混浊就虚弱，火气混浊就淫乱，金气混浊就残暴，水气混浊就贪婪，土气混浊就顽固，五气都混浊，那么就成为平民百姓中的卑陋、下流之人了。中原多圣人，这是和顺之气互相交会的结果；交通闭塞的地方多怪物，这是奇异之气所造成的。如果秉承了这一种气质,就一定有这一种形体;如果有了这一种形体,就一定会产生这一种性情。所以吃五谷的聪明而文雅,吃草的力气大却愚蠢,吃桑叶的会吐丝但却变成蛾,吃肉的勇猛而蛮横,吃泥土的没有意识却忙个不停,吃气体的神通而且长寿,不吃什么东西而不会死的成为神灵。像龟、鼍之类的动物没有雄性,像蜂、蚁之类的细腰动物没有雌性。没有雄的就和其他动物交配,没有雌的就靠其他的动物来生育。蜕化三次的蚕,先怀孕然后交配;爱无亲疏的禽兽,自己与自己交配。寄生草依附那高大的树木,女萝托身于茯苓上。树木扎根在土中,浮萍根植在水里。鸟儿扑打着空气飞翔,禽兽脚踏在实地上奔跑。虫子用泥土封起来进行冬眠,鱼儿在深水潭中潜游居住。来源于天的亲附上面,来源于地的亲附下面,来源于时令的亲附旁边:各种事物都从属于它们的种类。上千岁的野鸡,到海里就变成了大蛤蜊;上百岁的麻雀,到海里就变成了小蛤蜊;上千岁的乌龟、老鳖能和人谈话;上千岁的狐狸,站起来会变成美女;上千岁的大蛇,被斩断了又能连起来;上百岁的老鼠,能看相占卜:这是寿命达到了一定年数而造成的。春分那一天,鹰变成鸠;秋分那一天,鸠变成鹰:这是时令造成的变化。所以,腐烂的草变成萤火虫,腐烂的芦苇变成蟋蟀,稻谷变成蛀虫,麦子变成蝴蝶,羽毛翅膀长出来了,眼睛长成了,意念智慧也就存在了,这是从没有知觉变成了有知觉而那气质也改变了。鹤变为獐,蟋蟀变为虾,没有丧失它们的血气但形状本性变了。像这样的例子,不胜枚举。适应着变化的规律而变动,这是顺应常规。如果违背了变化的规律而变动,就造成了妖怪和灾祸。所以,下身的器官长在上身,上身的器官长在下身,这是元气逆反而造成的;人生下禽兽,禽兽生出人,这是元气混乱而造成的;男人变为女人,女人变为男人,这是元气互换而造成的。鲁国的牛哀得了病,七天后便变成了老虎,形状改变了,便张牙舞爪起来。他哥哥开门进去,他就把哥哥抓住吃了。当牛哀是人的时候，他并不知道自己将要变成老虎；当他成为老虎的时候，也不知道自己曾经是人。所以，晋朝太康年间（280—289），陈留郡的阮士瑀被毒蛇咬伤了，他不能忍受那疼痛，屡次去闻那伤口，不久就有两条毒蛇长在鼻子中。元康年间（291—299），历阳县的纪元载，在外地吃了路上的乌龟，不久腹中就结了硬块，医生用药来治它，他便泻下几升小乌龟，大小像小铜钱，头和脚都长全了，龟纹和硬壳也都具备，只是中了药毒已经死去。夫妻不是化育万物的元气，鼻腔不是怀胎的地方，肠道不是生产幼体的器官。从这一点来看，各种事物的生死及其变化，如果没有通达神灵的思考，即使从自己的身上仔细体会寻找，也不能知道它们是从什么地方来的。但是，腐烂的草变为萤火虫，是由于腐烂的缘故；麦子变成蝴蝶，是由于潮湿的缘故。这样看来，各种事物的变化，都是有原因的。农民要阻止麦子的变化，就用灰来浸泡；圣人治理各种事物的变化，就用道来接济。难道不是这样吗？

301　季桓子①穿井，获如土缶，其中有羊焉。使问之仲尼曰："吾穿井而获狗，何耶？"仲尼曰："以丘所闻，羊也。丘闻之，木石之怪，夔、蝄蜽②；水中之怪，龙、罔象③；土中之怪，曰贲羊④。"《夏鼎志》曰："罔象，如三岁儿。赤目、黑色，大耳，长臂，赤爪，索缚则可得食。"王子曰："木精为游光，金精为清明也。"

[注释]

①季桓子：即季孙斯，春秋鲁大夫。②夔：传说中一种像龙的独脚怪兽。蝄蜽：传说中的一种怪物。③罔象：传说中的食人怪物。④贲羊：即羒羊，土中怪羊。

[译文]

季桓子挖井，得到一个像瓦器那样的东西，那里面有只羊。他就派人去问孔子,说:"我挖井得到一只狗,这是为什么呢?"孔子说:"依我的见识,那应该是羊。我听说,树木、石头中的精怪,是夔、魍魉;水中的精怪,是龙、罔象;泥土中的精怪,叫做贲羊。"《夏鼎志》记载说:"罔象,像三岁的小孩,红眼睛,黑颜色,大耳朵,长臂膀,红色的脚爪,用绳子把它缚住就可以吃它了。"王子说:"木精是游光,金精是清明。"

302　晋惠帝元康中,吴郡娄县①怀瑶家,忽闻地中有犬声隐隐。视声发处,上有小窍,大如蟮穴。瑶以杖刺之,入数尺,觉有物。乃掘视之,得犬子,雌雄各一,目犹未开,形大于常犬。哺之而食。左右咸往观焉。长老或云:"此名犀犬,得之者,令家富昌。宜当养之。"以目未开,还置窍中,覆以磨砻②。宿昔发视,左右无孔,遂失所在。瑶家积年无他祸福。至太兴中,吴郡太守张懋,闻斋内床下犬声,求而不得。既而地坼,有二犬子。取而养之,皆死。其后懋为吴兴兵沈充③所杀。《尸子》曰:"地中有犬,名曰地狼;有人,名曰无伤。"《夏鼎志》曰:"掘地而得狗,名曰贾;掘地而得豚,名曰邪;掘地而得人,名曰聚。聚,无伤也。此物之自然,无谓鬼神而怪之。然则贾与地狼,名异,其实一物也。"《淮南万毕》曰:"千岁羊肝,化为地宰④;蟾蜍得苽⑤,卒时为鹑。"此皆因气化以相感而成也。

[注释]

①娄县:古县名。治所在今江苏昆山东北。②砻(lóng):去掉稻壳的工具,状类磨,多为木制。③沈充:晋武康人,字士居。王敦曾引为参军。④地宰:地神。⑤苽(gū):同"菰",一种多年生草本植物。

[译文]

晋惠帝元康年间(291—299),吴郡娄县怀瑶家中,忽然听见地下有汪汪汪的狗叫声。仔细查看那发出声音的地方,上面有一个小洞，大小像蚯蚓洞那样。怀瑶用棍子戳那小洞，戳进去有几尺深，发觉里面有东西。于是就掘开土查看，得到小狗两只，一雌一雄，眼睛还没有睁开，体形比平常的狗大。给它们喂奶，它们就吃了。左邻右舍都去看这小狗。有的老人说："这叫做犀犬，得到它的人可以发家致富，所以应该好好喂养它。"因为小狗眼睛还没有睁开，所以怀瑶又把它们放回到洞中去了，还用磨盘把洞盖好。过了不久，他打开磨盘去查看，左边右边都没有洞，于是就找不到放狗的地方了。怀瑶家中多年来也没有什么其他的灾祸和幸福。到太兴年间（318—321），吴郡太守张懋，听见书房里床下有狗叫声，去找却找不到，不久那块地就裂开了，有两只小狗在里面。张懋取出喂养它们，结果都死了。后来张懋被吴兴郡的兵卒沈充杀了。《尸子》说："地下有狗，名字叫做地狼；地下有人，名字叫做无伤。"《夏鼎志》说："掘地而得到狗，叫做贾；掘地而得到猪，叫做邪；掘地而得到人，叫做聚。聚，就是无伤。这些都是天然的东西，不要认为是鬼神而感到奇怪。不过贾与地狼，名称不同，实际上它们是同一样东西。"《淮南万毕》说："上千年的羊肝，变成地宰；癞蛤蟆得到菰，死的时候就变成鹌鹑。"这都是因为气质的变化而使它们互相感应而变成的啊。

303　吴诸葛恪为丹阳太守，尝出猎，两山之间，有物如小儿，伸手欲引人。恪令伸之，乃引去故地。去故地即死。既而参佐问其故，以为神明。恪曰："此事在《白泽图》①内，曰：'两山之间，其精如小儿，见人则伸手欲引人，名曰"傒囊"。引去故地则死。'无谓神明而异之，诸君偶未见耳。"

[注释]

①《白泽图》：记载鬼神之事的图籍。

[译文]

吴郡人诸葛恪任丹阳太守,有一次他出去打猎,看见在两座山之间,有一样东西像个小孩,伸出手来想拉人。诸葛恪就让人把手伸出来,于是怪物引人到它原来居住的地方,那东西一到原来居住的地方就死了。事情过后,部下问诸葛恪这是什么缘故,认为他像神一样能通达事理。诸葛恪说:"这事在《白泽图》内有记载,《白泽图》说:'两座山之间,那精怪像小孩,看见人就伸出手来想拉人,它的名字叫做傒囊。把人引到它原来居住的地方,它就会死去。'你们不要认为我神通广大而感到奇怪,各位只是偶然没有见到罢了。"

304 王莽建国四年,池阳①有小人景,长一尺余,或乘车,或步行,操持万物,大小各自相称,三日乃止。莽甚恶之。自后盗贼日甚,莽竟被杀。《管子》②曰:"涸泽数百岁,谷之不徙,水之不绝者,生庆忌③。庆忌者,其状若人,其长四寸,衣黄衣,冠黄冠,戴黄盖,乘小马,好疾驰。以其名呼之,可使千里外一日反报。"然池阳之景者,或庆忌也乎?又曰:"涸小水精,生蚳。蚳者,一头而两身,其状若蛇,长八尺。以其名呼之,可使取鱼鳖。"

305 晋扶风④杨道和,夏于田中值雨,至桑树下,霹雳下击之,道和以锄格,折其股,遂落地,不得去。唇如丹,目如镜,毛角长三寸余,状似六畜⑤,头似猕猴。

[注释]

①池阳:县名,治所在今陕西泾阳西北。②《管子》:书名。相传为春秋时期齐人管仲撰写,实系后人托名之作。内容庞杂。③庆忌:上古传说中的一种异兽,又名要离。为泽精,人形,大概十几厘米高。黄衣黄帽,乘黄色小车,日驰千里。叫它的名字可使之报信(亦有捉鱼之说)。④扶风:郡名,西

晋时治所在池阳县。⑤六畜：谓马、牛、羊、鸡、犬、猪。此泛指家畜。

[译文]

王莽建国四年（12），池阳县出现小人的影子，长一尺多，有的乘车，有的步行，手里拿着各种东西，东西的大小也都与小人相配，这些小人影子出现了三天才消失。王莽十分憎恶他们。从此以后强盗一天比一天厉害，王莽最终被杀。《管子》说："干枯的湖泽经过几百年，山谷没有移位、水源没有断绝的，这里面就会出现水怪庆忌。庆忌这种怪物，它们的形状像人，身长四寸，穿着黄色的衣服，戴着黄色的帽子，打着黄色的华盖，乘坐着小马拉的车，喜欢飞快地奔驰。用它的名字叫它，可以让它在千里以外当天赶回来。"这样说来，那池阳县的小人影子，或许就是庆忌吗？《管子》又说："干枯的河川中的小水怪，则是从蚳那里产生的。蚳，长着一个头两个身体，它的形状像蛇，身长八尺。拿它的名字呼唤它，可以让它潜到水里抓鱼鳖。"

晋朝扶风郡的杨道和，夏天在田间干活的时候遇上下雨，就到桑树下躲雨，霹雳神下来打他，杨道和就用锄头来抵抗，打断它的大腿，它就倒在地上，不能离去了。这霹雳神嘴唇像丹砂，眼睛像镜子，长毛的角长三寸多，形体像六畜，头像猕猴。

306 秦时，南方有落头民，其头能飞。其种人部有祭祀，号曰"虫落"，故因取名焉。吴时，将军朱桓①得一婢，每夜卧后，头辄飞去，或从狗窦，或从天窗中出入，以耳为翼。将晓复还。数数如此，傍人怪之。夜中照视，唯有身无头。其体微冷，气息裁属②。乃蒙之以被。至晓头还，碍被，不得安，两三度堕地，噫咤甚愁，体气甚急，状若将死。乃去被，头复起，傅颈。有顷和平。桓以为大怪，畏不敢畜，乃放遣之。既而详之，乃知天性也。时南征大将，亦往往得之。又尝有覆以铜盘者，头不得进，遂死。

[注释]

①朱桓：为孙权手下将领，官至前将军，为青州牧。《三国志·吴书》有传。②气息裁属：气息即呼吸。裁通"才"。属，连接，连续。

[译文]

秦朝时，南方有一种落头人，他们的头能飞。这种人的部落内有一种祭祀，叫做"虫落"，所以这部落也就取名叫"虫落"。三国孙吴时，将军朱桓得到一个婢女，每天夜里睡觉后，她的头就飞走了。她的头或者从狗洞中进出，或者从天窗中进出，用她的耳朵当做翅膀。快天亮的时候，她的头再飞回来。接二连三地老是这样，旁边的人便感到很奇怪，就在夜里点了灯去看那婢女，见她只有身体没有头，她的身体稍微冷一些，呼吸仅勉强能接得上，人们就用被子把她的身体盖住了。到拂晓时，她的头回来了，因为被子遮住了身体，头就不能安上去了，两三次掉在地上，那头叹息着十分愁苦，而身体的呼吸很急促，样子好像快要死了。于是人们就拿掉被子，头又飞起来，安附在脖子上，过了一会儿就平静了。朱桓以为这婢女是个大妖怪，吓得不敢再收养她了，就打发她走了。过后详细地去了解她的情况，才知道这是她的天性。当时南征的大将军，也往往得到这种人。又曾经有人用铜盘去盖住那飞走了头的脖子，头不能接上去，就死了。

307　江汉之域①，有貙人②。其先，禀君之苗裔也。能化为虎。长沙所属蛮县东高居民，曾作槛捕虎。槛发，明日，众人共往格之，见一亭长③，赤帻大冠，在槛中坐。因问："君何以入此中？"亭长大怒曰："昨忽被县召，夜避雨，遂误入此中。急出我。"曰："君见召，不当有文书耶？"即出怀中召文书。于是即出之。寻视，乃化为虎，上山走。或云："貙虎④化为人，好著紫葛衣，其足无踵。虎有五指者，皆是貙。"

[注释]

①江汉之域：指长江与汉水之间的地域，即今湖北北部汉水流域。②貙(chū)人：古代氏族名，居住在江汉之间。③亭长：秦汉时十里为一亭，设亭长一人，负责当地治安、诉讼及公差等。④貙虎：野兽名，形类狸而大如狗。

[译文]

长江和汉水之间一带地方，有一种貙人。他们的祖先，是禀君的后代。他们能变成老虎。长沙郡所属的蛮县东高口的居民，曾经做了木栅栏来捕捉老虎。栅栏的机关被弹开了，第二天，人们便一起去打老虎，却看见一个亭长，包着红头巾，戴着大帽子，在木栅栏中坐着。人们就问："你怎么到这里面来了？"亭长十分恼火地说："昨天我忽然被县里召见，夜里躲雨，就误跑到这里面来了。请你们赶快放我出去！"人们又问："你被召见，不是应该有文书吗？"亭长就从怀里掏出召见他的文书，于是人们就把他放了出来。一会儿再仔细看看，他却变成了老虎，跑上山去了。有人说："貙虎变成人，喜欢穿紫色的葛布衣，他的脚没有脚跟。老虎脚上有五个指头的，都是貙虎。"

308 蜀中西南高山之上，有物，与猴相类，长七尺，能作人行。善走逐人，名曰"猳国"，一名"马化"，或曰"玃猨"。伺道行妇女有美者，辄盗取将去，人不得知。若有行人经过其旁，皆以长绳相引，犹故不免。此物能别男女气臭①，故取女，男不取也。若取得人女，则为家室。其无子者，终身不得还。十年之后，形皆类之，意亦迷惑，不复思归。若有子者，辄抱送还其家。产子皆如人形。有不养者，其母辄死。故惧怕之，无敢不养。及长，与人不异，皆以杨为姓。故今蜀中西南多诸杨，率皆是猳国马化之子孙也。

[注释]

①气臭（xiù）：气味。

[译文]

蜀国内西南部的高山上，有一种动物，和猴子相似，身长七尺，能像人一样站起来走路，善于奔跑追人，它们的名称叫"猳国"，又叫"马化"，又叫"玃猿"。它们经常探察路过的妇女，看有漂亮的，就强抢带走，人们不知道它们究竟把这些美女带到了什么地方。即使有些过路人经过它们的旁边时，都用长绳子互相牵着走，还是不能避免被它们抢去。这种动物能辨别男女的气味，所以它们只抢女的，不抢男的。如果抢到了女子，就把她当做妻子。那当了妻子不生孩子的，就到死也不能回来了。十年以后，这些被抢去的妇女，形体也就和它们类似了，思想也迷惑了，不再想回家了。至于生了孩子的，它们总是抱着孩子连同母亲送还给她的家。养出来的孩子都像人的形状，如果回家后不抚养孩子，那么这孩子的母亲就要被杀掉，所以母亲们很害怕，没有敢不抚养的。等到这些小孩长大，和人没有什么不同，都把"杨"当做姓。所以现在蜀国内西南部多姓杨的人家，他们大概都是猳国、马化的子孙。

309　临川①间诸山，有妖物，来常因大风雨，有声如啸，能射人。其所著者，有顷便肿，大毒。有雌雄，雄急而雌缓。急者不过半日间，缓者经宿。其旁人常有以救之，救之少迟则死。俗名曰"刀劳鬼"。故外书云："鬼神者，其祸福发扬之验于世者也。"《老子》②曰："昔之得一③者：天得一以清；地得一以宁；神得一以灵；谷得一以盈；侯王得一，以为天下贞。"然则天地鬼神，与我并生者也。气分则性异，域别则形殊，莫能相兼也。生者主阳，死者主阴，性之所托，各安其生。太阴之中，怪物存焉。

[注释]

①临川：郡名。三国吴太平二年（257）分豫章郡而置，治所在今江西南城东南。②《老子》：书名，亦称《道德经》，是道家的经典著作。作者李耳（约前600—前470），字伯阳，又称老聃。③一：这里指"道"，即产生和支配万物的客观精神。

[译文]

临川郡内那些山上有一种怪物，它们来临的时候常常伴随着狂风暴雨，发出的声音很悠长，能射击人。被它们射中的地方，一会儿就肿起来了，非常毒。这种怪物有雌有雄，被雄的射中毒性来得快，而被雌的射中毒性来得慢。毒性快的不超过半天时间就死了，毒性慢的可以过一夜。那山边的人常常有办法抢救被怪物射伤的人，抢救得稍微晚了一点，受伤的人就死了。民间都把这种怪物叫做"刀劳鬼"。所以野书上说："鬼神，是祸福发散并在社会上得到验证的东西。"《老子》说："过去得到一（指"道"）的有：天得到一而清爽；地得到一而安宁；神得到一而灵验；深谷得到一而盈满；侯王得到一，就能成为天下的君长。"这样看来，那么天地鬼神，都是和我们并存的东西。气质有区别那么天性就不同，地域有区别那么形体就不同，没有什么东西能兼有不同的天性形体。活的东西以阳气为主，死的东西以阴气为主，天性所依附的东西，各自安存于它们所生存之处。极盛的阴气之中，怪物就生存在里面。

310　越地深山中有鸟，大如鸠，青色，名曰"冶鸟"。穿大树作巢，如五六升器，户口径数寸，周饰以土垩①，赤白相分，状如射侯。伐木者见此树，即避之去。或夜冥不见鸟，鸟亦知人不见，便鸣唤曰："咄，咄，上去。"明日便宜急上。"咄，咄，下去。"明日便宜急下。若不使去，但言笑而不已者，人可止伐也。若有秽恶及其所止者,则有虎通夕来守,人不去,便伤害人。此鸟白日见其形,是鸟也;夜听其鸣,亦鸟也;时有观乐者,便作人形,长三尺,至洞中取石蟹,就火炙之,人不可犯也。越人谓此鸟是越祝②之祖也。

[注释]

①土垩:白色的土。②越祝:越地的巫祝,即祭祀时祭告鬼神的人。

[译文]

越国一带的深山中有一种鸟,大小像鸠,青颜色,名叫"冶鸟"。它们在大树上打洞做巢,那洞就像五六升大的容器,洞口的直径有几寸,洞口周围用白色土涂饰,那泥土上红的白的相间,形状就像箭靶子。砍伐树木的人看见这种树,就避开它。有时候天黑了人看不见鸟,鸟也知道人看不见它,它们就对人叫唤说:"咄,咄,上去。"明天便应该赶快到上面去砍伐。如果鸟叫唤说:"咄,咄,下去。"明天就应该赶快到下面去砍伐。如果那鸟不让你上去或下去,只是谈笑不停,人们就可以停止砍伐了。如果有污秽恶浊的东西弄到了它栖息的地方,那么就有老虎通宵来守着,人如果不离开,老虎便会伤害人。这种鸟,白天看见它的形状,是鸟;夜里听见它的鸣叫,也是鸟;有时候它们出外观赏游乐,便变成人的模样,身长三尺,到山洞中去抓石蟹,把它放在火上烤来吃,这时人们不可以去触犯它们。越国的人说这种鸟是越国巫祝的始祖。

311 南海之外,有鲛人①,水居如鱼,不废织绩。其眼泣则能出珠。

312 庐江皖、枞阳②二县境上,有大青、小青居,山野之中,时闻哭声,多者至数十人,男女大小,如始丧者。邻人惊骇,至彼奔赴,常不见人。然于哭地必有死丧。率声若多则为大家③,声若小则为小家④。

[注释]

①鲛人：鱼尾人身，谓人鱼之灵异者。中国古代典籍中记载的鲛人即是西方神话中的人鱼，他们生产的鲛绡，入水不湿。②皖、枞阳：均为县名，两县邻近，在今安徽桐城东南。③大家：谓大户人家。④小家：谓小户人家。

[译文]

南海郡外的大海中，有一种鲛人，像鱼一样住在水中，他们不停地纺织着。他们的眼睛在哭泣时就能流出珍珠。

庐江郡皖县、枞阳二县的境内，传说有大青、小青隐居着，所以那山野之中，时常可以听见哭声，哭声多的时候达几十人，男女老少的哭声都有，好像刚死了人一样。住在附近的人都非常惊惧，就奔到那里，却常常看不见人。但在哭的地方一定有人死亡。一般说来，哭声听上去大的就是大户人家死了人，哭声听上去小的就是小户人家死了人。

313　庐江大山之间，有山都，似人，裸身，见人便走。有男女，可长四五丈，能嚘相唤，常在幽昧之中，似魑魅鬼物。

314　汉光武中平①中，有物处于江水，其名曰"蜮"，一曰"短狐"，能含沙射人。所中者，则身体筋急，头痛发热，剧者至死。江人以术方抑之，则得沙石于肉中。诗所谓"为鬼为蜮，则不可测"②也。今俗谓之溪毒。先儒③以为男女同川而浴，淫女为主，乱气所生也。

[注释]

①中平：中平当为中元，因光武无中平年号。或光武为灵帝之误。②为鬼为蜮，则不可测：见《诗经·小雅·何人斯》篇。蜮，传说中能含沙喷射人影而使人致病的动物，比喻阴险毒辣的人。③先儒：指刘向。

[译文]

庐江郡的大山之中，有一种野兽叫山都，长得像人，但赤身裸体,看见人就逃跑。它们也有男女的分别,大约长四五丈,能互相呼唤,常常在黑暗之中活动,就像魑魅怪物那样。

汉朝中平年间(184—189),有一种怪物生活在长江之中,它的名字叫"蜮",又叫"短狐",能含沙射人。被它射中的人,就会全身抽筋、头痛发热,严重的甚至死亡。长江边上的人用方术治它,就在肉中找到了沙石。这就是《诗经》所说的"为鬼为蜮,则不可测"。现在民间把它称为"溪毒"。古代的儒者认为男女在同一条河川中洗澡,淫乱的女子占了上风,那淫乱的元气就会产生这种怪物。

315　汉永昌郡①不违县②有禁水,水有毒气,唯十一月、十二月差可渡涉。自正月至十月,不可渡,渡辄病,杀人。其气中有恶物,不见其形,其似有声,如有所投击。内中木则折,中人则害,土俗号为"鬼弹"。故郡有罪人,徙之禁防,不过十日,皆死。

[注释]

①永昌郡:属益州,汉明帝永平十二年(69)置。②不违县:辖地在今云南保山境内。

[译文]

汉代永昌郡不违县有条禁水,水里有毒气,只有十一月、十二月勉强可以渡过河去。从正月到十月,不可以渡河,如果渡河,就会生病,甚至死人。那毒气中有一种邪恶的物体,看不见它的形状,但有声音,好像有什么东西在投掷似的。这毒气中的物体打中树木,树木就被折断;打中了人,人就被杀害,当地的人们称它为"鬼弹"。所以永昌郡有了犯人,就把他们押送到禁水边,不过十天,这些犯人就都死了。

316 余外妇姊夫①蒋士,有佣客,得疾下血。医以中蛊②,乃密以蘘荷③根布席下,不使知。乃狂言曰:"食我虫者,乃张小小也。"乃呼小,小亡云。今世攻蛊,多用蘘荷根,往往验。蘘荷或谓嘉草。

317 鄱阳赵寿,有犬蛊④。时陈岑诣寿,忽有大黄犬六七群,出吠岑。后余相伯与寿妇食,吐血几死,乃屑桔梗⑤以饮之而愈。蛊有怪物,若鬼,其妖形变化,杂类殊种,或为狗豕,或为虫蛇,其人皆自知其形状。行之于百姓,所中皆死。

[注释]

①外妇姊夫:指妻子的姐夫。②蛊:相传是一种人工培养的毒虫,专用来害人。③蘘荷:多年生草本植物,高60—90厘米。根茎肥厚,圆柱形,淡黄色,根粗壮。生于山地林荫下或水沟旁,分布江西、浙江、贵州、四川等地。可入药。④犬蛊:传说是以病犬唾液培养的一种毒蛊。⑤桔梗:多年生草本植物。根肉质,圆锥形,可入药。

[译文]

我妻子的姐夫蒋士,家里有个用人,得了一种便血的疾病。医生认为他中了蛊毒,于是就偷偷地用蘘荷的根放在病人的席子下,不让病人知道。病人就胡言乱语地说:"喂我蛊的,就是张小小。"于是就去叫张小小,张小小已逃走了。现在治疗蛊毒,大多用蘘荷根,往往很灵验。蘘荷又叫做嘉草。

鄱阳郡的赵寿养有一种狗蛊。当时陈岑去拜访赵寿,忽然有大黄狗六七群,出门咬陈岑。后来余相伯回家和赵寿的妻子吃饭,吐血吐得差一点死去,于是就把桔梗削成碎屑饮服了,这才痊愈了。蛊是一种怪物,像鬼,它妖形的变化,成为各种不同的类型,有的成为狗类、猪类,有的成为虫类、蛇类,那些养蛊的人自己也不知道自己养的蛊是什么形状。他们把这些蛊放到老百姓那里去,中毒的人便都会死去。

318 荥阳郡①有一家,姓廖,累世为蛊,以此致富。后取新妇,不以此语之。遇家人咸出,唯此妇守舍。忽见屋中有大缸,妇试发之,见有大蛇,妇乃作汤②,灌杀之。及家人归,妇具白其事,举家惊愧。未几,其家疾疫,死亡略尽。

[注释]

①荥阳郡:三国魏正始三年(242)分河南郡置。治所在今河南荥阳东北。②汤:沸水。

[译文]

荥阳郡有家姓廖,几代人都畜养蛊,靠了这一行当发了财。后来他家娶了个新娘子,没有把这事告诉她。有一次,碰巧家里的人都出去了,只有这媳妇看家。她忽然看见屋子里有只大缸,就好奇地把它打开了,看见那缸里有大蛇,她就烧了开水,把蛇浇死了。等到家里的人回来,媳妇详细说明此事,全家的人都十分吃惊惋惜。没过多久,这一家人遭到瘟疫,差不多死光了。

卷十三

319 泰山之东,有澧泉,其形如井,本体是石也。欲取饮者,皆洗心志,跪而挹之,则泉出如飞,多少足用。若或污漫,则泉止焉。盖神明之尝志者也。

320 二华之山①,本一山也。当河,河水过之而曲行。河神巨灵,以手擘开其上,以足蹈离其下,中分为两,以利河流。今观手迹于华岳上,指掌之形具在。脚迹在首阳山②下,至今犹存。故张衡③作《西京赋》所称"巨灵赑屃,高掌远迹,以流河曲",是也。

[注释]

①二华之山:指太华山和少华山。在今陕西华阴县。太华山即西岳华山,少华山在其西边。②首阳山:又名雷首山,在山西永济县南。位于黄河北岸,距华山约二百里。③张衡:东汉科学家,文学家。

[译文]

泰山的东边有澧泉,它的形状像口井,它的本体是块石头。想要取这泉水饮用的人,都必须清洗思想,跪着去舀它,那么这泉水就会飞也似的喷出来,无论多少都足够你用的。如果心地、行为污秽,那么这泉水就不冒出来了。这大概是神灵用来试探人心的东西啊。

太华山和少华山，本来是一座山，它正对着黄河，黄河水经过它时只能绕道而流。黄河之神巨灵，用手劈开山顶，用脚蹬开山麓，使这座山平分成两座，用来便利黄河的流动。现在到华山上去观看河神的手印，那手指、手掌的形状都还留着；巨灵的脚印在首阳山下，到现在仍然保存着。过去张衡写了篇《西京赋》，赋里所说的"巨灵啊猛壮有力，高山上有他的手掌，他的脚印留在远方，他劈山开路，为使那弯弯曲曲的黄河水畅流奔放"，就是指的这件事。

321　汉武徙南岳之祭于庐江灊县霍山之上[①]，无水。庙有四镬，可受四十斛。至祭时，水辄自满，用之足了，事毕即空。尘土树叶，莫之污也。积五十岁，岁作四祭。后但作三祭，一镬自败。

322　樊口之东，有樊山。若天旱，以火烧山，即至大雨。今往往有验。

[注释]

①南岳：即衡山，五岳之一。灊（qián）县：县名，汉置，故城在安徽霍山东北。霍山：又称天柱山，在霍山县西北。

[译文]

汉武帝把南岳衡山的祭祀迁到庐江郡灊县的霍山上，那山上没有水。庙里有四只大锅，可以容纳四十斛水。到祭祀的时候，锅里的水总是会自己满起来，用了这些水也就足够了，祭祀完毕后锅内就空了。尘土树叶，没有能搞脏它的。这样一共用了五十年，每年都有四次祭祀。后来只有三次祭祀了，一只锅就自行坏了。

樊口的东边有樊山。如果天旱，只要用火烧山，就会下大雨。现在往往还是这样灵验。

323 空乘①之地,今名为孔窦,在鲁南山之穴。外有双石,如桓楹起立,高数丈。鲁人弦歌祭祀。穴中无水,每当祭时,洒扫以告,辄有清泉自石间出,足以周事。既已,泉亦止。其验至今存焉。

324 湘穴中有黑土②,岁大旱,人则共壅水以塞此穴,穴淹则大雨立至。

[注释]

①空乘:一作"空桑",孔子出生之地。②湘穴中有黑土:《太平御览》作"湘东新平县有一龙穴",译文据此补。

[译文]

空桑那地方,现在名叫孔窦在鲁国南山的洞穴中。洞外有两块石头,好像天子、诸侯安葬时下棺的大柱耸立着,高几丈。鲁国人常在那儿弹唱祭祀。那洞中没有水,但每当祭祀的时候,人们只要洒水扫地来祷告,就有清澈的泉水从石头中间流出来,足够用来准备办祭祀的事情。等到祭祀完毕,泉水也就不出来了。这种应验直到现在还存在着。

湘东郡新平县的一个洞穴中有黑土,有一年大旱,人们就一起堵住水道来灌这洞穴,这洞穴被淹没了,大雨就立刻降临了。

325 秦惠王①二十七年,使张仪②筑成都城,屡颓。忽有大龟浮于江,至东子城东南隅而毙。仪以问巫。巫曰:"依龟筑之。"便就。故名"龟化城"。

326 由拳县,秦时长水县也。始皇时,童谣曰:"城门有血,城当陷没为湖。"有妪闻之,朝朝往窥。门将欲缚之。妪言其故。后门将以犬血涂门,妪见血,便走去。忽有大水欲没县。主簿令干入白令。令曰:"何忽作鱼?"干曰:"明府亦作鱼。"遂沦为湖。

[注释]

①秦惠王：即秦惠文王，战国时秦国君。②张仪：战国时魏人，仕秦为丞相。游说各国"连衡"，服从秦国。

[译文]

秦惠王二十七年（前311），派张仪修筑成都城，城墙屡次倒塌。忽然有只大乌龟浮在江面上，漂到东边内城的东南角就死了。张仪拿这件事去询问巫祝。巫祝说："依据乌龟的线路来筑城。"于是张仪就把城墙筑成了，所以这城被命名为"龟化城"。

由拳县，是秦朝时的长水县。秦始皇的时候，童谣说："城门有血，城会陷没成湖泊。"有个妇女听见了这歌谣后，天天去探看。看门的将官要收捕她，她就讲了她天天来探看的原因。后来这看门的将官用狗血涂在城门上，这妇女看见血，便奔跑着离开了。忽然有洪水涌来要淹没这县城，主簿派一个叫干的到县衙内报告县令。县令说："你为什么忽然变成了鱼的模样？"干说："你也变成了鱼的模样。"于是这县城就沦陷成了湖泊。

327　秦时筑城于武周塞①内，以备胡。城将成而崩者数焉。有马驰走，周旋反复。父老异之。因依马迹以筑城，城乃不崩，遂名"马邑"②。其故城今在朔州。

328　汉武帝凿昆明池③，极深，悉是灰墨，无复土。举朝不解，以问东方朔。朔曰："臣愚，不足以知之。曰试问西域人。"帝以朔不知，难以移问。至后汉明帝④时，西域道人入来洛阳。时有忆方朔言者，乃试以武帝时灰墨问之。道人云："经云：'天地大劫将尽则劫烧。'此劫烧之馀也。"乃知朔言有旨。

[注释]

①武周塞：古要塞名，又名武州塞。在今山西左云至大同一带。②马邑：古县名，秦置。其辖地在今山西朔州。③昆明池：长安古水池。汉武帝元狩三

年(前120),为训练水军和解决水源不足而开凿,周围四十里。④明帝:东汉皇帝,58—75年在位。

[译文]

　　秦朝时,曾在武周塞内筑城,用来防备匈奴的侵略。城快筑成了,但崩塌的地方却有好几处。这时有匹马飞快地奔跑着,来回不断,那些管事的父老觉得很奇怪,就按照马跑的脚印来筑城,城墙就不再崩塌了,于是就把这城命名为"马邑"。那故城现在在朔州。

　　汉武帝挖掘昆明池,挖到很深的地方,全是灰墨,不再有泥土。整个朝廷的人都不能解释这种现象,汉武帝就把它拿来询问东方朔。东方朔说:"我笨得很,凭我的见识还不能够知道它是怎么回事。皇上可以去问问西域来的人。"汉武帝因为东方朔都不知道,所以很难再拿它来问别人了。到东汉明帝的时候,西域的僧人来到洛阳。当时有人回想起东方朔的话,就尝试用汉武帝时出现灰墨的事来问他。那僧人说:"佛经上说:'天地在大劫将要结束的时候,就会有毁灭世界的大火燃烧。'这灰墨是那大火烧下来的灰烬。"人们才知道东方朔的话是有一定含义的。

329　临沅县①有廖氏,世老寿。后移居,子孙辄残折。他人居其故宅,复累世寿。乃知是宅所为,不知何故。疑井水赤,乃掘井左右,得古人埋丹砂②数十斛。丹汁入井,是以饮水而得寿。

330　江东名馀腹③者,昔吴王阖闾④江行,食脍有馀,因弃中流,悉化为鱼,今鱼中有名吴王脍馀者,长数寸,大者如箸,犹有脍形。

331　蟛蟹,蟹也。尝通梦于人,自称"长卿"。今临海⑤人多以"长卿"呼之。

[注释]

①临沅县：原作临氾，据中华书局本改，故址在今湖南常德西。②丹砂：亦称朱砂，色鲜红，是炼丹药的主要材料。③鲦腹：鱼名，即下文"吴王脍馀"，今称"银鱼"，俗称"面条鱼"、"脍残鱼"。④阖闾：春秋末年吴国君。前514—前496年在位。⑤临海：郡名，辖地在今浙江临海。

[译文]

临沅县有家姓廖的，代代人都长寿。后来搬到其他地方去住了，子孙总是夭折。别人住到他们原来的住宅中，又代代长寿。这才知道这长寿是住宅所造成的，但不知道这是什么原因。后来怀疑是那井水呈红色而造成的，于是就挖掘井的旁边，得到古人埋在里面的朱砂几十斛。朱砂的汁流入了井里，所以喝了井水能够长寿。

江东有一种名叫鲦腹的鱼，传说是过去吴王阖闾在长江上巡游的时候，吃的肉块没吃完，便把剩余的肉块扔进江中，这些肉块就都变成了鱼，现在鱼当中有一种叫做"吴王脍馀"的，长几寸，大的像筷子一样长，它们的身体还留有肉块的形状。

蟛蜞，是一种蟹。它曾经托梦给人，自己称自己为"长卿"。现在临海郡的人还多用"长卿"的名称来称呼它。

332　南方有虫，名蝎蝓，一名蜘蟵，又名青蚨。形似蝉而稍大。味辛美，可食。生子必依草叶，大如蚕子。取其子，母即飞来，不以远近。虽潜取其子，母必知处。以母血涂钱八十一文，以子血涂钱八十一文，每市物，或先用母钱，或先用子钱，皆复飞归，轮转无已。故《淮南子术》①以之还钱，名曰"青蚨"。

[注释]

①《淮南子术》：即《淮南万毕术》，西汉淮南王刘安的门客们所著，已佚。

[译文]

南方有一种虫，名叫蝘螉，又叫蜩蠋，也叫青蚨。它的形状像蝉而稍微比蝉大一些。它的味道辛辣鲜美，可以吃。它生下来的小虫必须依附在草叶上，大小像小蚕。谁去捉它的小虫，那母虫就会马上飞来，不管它是在近处，还是在远处。即使是偷偷地去捉它的小虫，母虫也一定知道那小虫的下落。用母虫的血涂八十一枚铜钱，用小虫的血涂八十一枚铜钱，每当购买东西的时候，或者先用涂了母虫血的钱，或者先用涂了小虫血的钱，花出去的钱都会再飞回来，这样可以轮流使用而用不完。因此《淮南万毕术》记载这种使钱返回的方法，把它叫做"青蚨"。

333　土蜂名曰蜾蠃①，今世谓蛹蠮②，细腰之类。其为物，雄而无雌，不交不产。常取桑虫或阜螽子育之，则皆化成己子。亦或谓之"螟蛉"。《诗》曰："螟蛉有子，果蠃负之。"是也。

334　木蠹生虫，羽化为蝶。

335　蝟多刺，故不使超逾杨柳。

[注释]

①蜾蠃：俗称细腰蜂。②蛹蠮（yīn yōng）：蜾蠃的别名。

[译文]

有一种土蜂名叫蜾蠃，现在的人称为蛹蠮，属于细腰蜂一类的昆虫。它作为一种生物，只有雄性而没有雌性，不交配不生育。它常常拿天牛的幼虫或蝗的幼虫来养育，这些幼虫经过它的养育，就都变成了它自己的幼虫。也有人把天牛幼虫叫做"螟蛉"。《诗经》说："螟蛉有子，果蠃负之。"便是这种说法。

木头蛀了就生出虫子，这虫子长出了翅膀就变成了蝴蝶。

刺猬身上多刺，所以不让它超越杨柳。

336　昆仑①之墟,地首也。是惟帝之下都,故其外绝以弱水之深,又环以炎火之山。山上有鸟兽草木,皆生育滋长于炎火之中,故有火浣布。非此山草木之皮枲,则其鸟兽之毛也。汉世,西域旧献此布,中间久绝。至魏初时,人疑其无有。文帝②以为火性酷裂,无含生之气,著之《典论》③,明其不然之事,绝智者之听。及明帝立,诏三公曰:"先帝昔著《典论》,不朽之格言,其刊石于庙门之外及太学,与石经并,以永示来世。"至是西域使人献火浣布袈裟,于是刊灭此论,而天下笑之。

337　夫金之性一也,以五月丙午日中铸,为阳燧④;以十一月壬子夜半铸,为阴燧⑤。

[注释]

①昆仑:古代神话传说中的西方仙山。②文帝:魏文帝曹丕,220—226年在位。③《典论》:五卷,原书已失传,后有辑佚本。其中《论文》一篇尚全。④阳燧:古代从太阳光取火的器具,为铜制的圆形凹面镜。⑤阴燧:古代在月下取水的器具,为方形的铜盆。

[译文]

昆仑山上的土丘,是大地的头。这是天帝设在下界的都城,所以它的外围用深深的弱水来隔绝,又用火焰山包围着。那火焰山上有鸟兽草木,都在火焰之中繁殖生长,所以那里出产一种火浣布,它不是用这火焰山上的草木外皮纤维织成,就是用那山上的鸟兽之毛织成。汉朝的时候,西域曾经贡献过这种布,但有很长一段时间绝迹了。所以到曹魏初年,人们疑心这种布是不存在的。魏文帝认为火的性质严酷猛烈,不含有生命的元气,便把这东西写进了《典论》,说明这是不可能有的事,来杜绝那些有学识人的传闻。到魏明帝即位,下诏书给三公说:"过世的父皇过去写的《典论》,都是不朽的格言。它被刻在太庙门外及太学的石碑上,和石经并列,以便永远昭示后代。"在这时,西域派人献上了用火浣布做的袈裟,于是就铲掉了石碑中相关论述,而天下的人都把这事当做笑柄。

金的性质是一样的。但在五月丙午日的中午铸造,就成为阳燧;在十一月壬子日的半夜铸造,就成为阴燧。

338　汉灵帝时,陈留蔡邕①,以数上书陈奏,忤上旨意,又内宠②恶之,虑不免,乃亡命江海,远迹吴会。至吴,吴人有烧桐以爨者,邕闻火烈声,曰:"此良材也。"因请之,削以为琴,果有美音。而其尾焦,因名"焦尾琴"。

339　蔡邕尝至柯亭③,以竹为椽。邕仰眄之,曰:"良竹也。"取以为笛,发声辽亮。一云邕告吴人曰:"吾昔尝经会稽高迁亭,见屋东间第十六竹椽,可为笛。取用,果有异声。"

[注释]

①蔡邕:东汉文学家。《后汉书》有传。②内宠:指宫廷里得宠的宦官。③柯亭:在今浙江绍兴西南柯桥镇上。

[译文]

汉灵帝时(168—189),陈留郡的蔡邕,因为多次上书陈述自己的政见,违背了皇帝的旨意,又因为得宠的宦官憎恶他,他考虑到免不了要遭到毒害,于是就流亡江河湖海,足迹远达吴郡、会稽郡。他来到吴郡时,吴郡人烧桐木来做饭,蔡邕听见火势猛烈的声音,便说:"这是块好木料啊!"因而请求把桐木给他,他把这段桐木削制成琴,果然能弹出优美悦耳的声音。但是琴的尾都已经烧焦,因而把它取名为"焦尾琴"。

蔡邕曾经来到柯亭,那里的人用竹子做椽子。蔡邕抬头打量那竹椽,说:"好竹子啊!"便拿来把它做成了笛子,这笛子吹奏起来发音嘹亮。一种说法是,蔡邕对吴郡的人说:"我过去曾经路过会稽郡高迁亭,看见房子东头第十六根竹椽可以做笛。拿下来做成了笛子,果然能吹出奇异的音质。"

卷十四

340 昔高阳氏①,有同产而为夫妇,帝放之于崆峒②之野,相抱而死。神鸟以不死草覆之,七年,男女同体而生,二头,四手足,是为蒙双氏。

[注释]

①高阳氏:即颛顼,传说中的上古帝王。②崆峒(kōng tóng):山名。在今甘肃平凉。一说在今河南汝州西南。

[译文]

古时高阳氏的时候,有两个同一母亲生下来的人结成了夫妻,颛顼帝把他们流放到崆峒山边的原野上,两人互相抱着死了。仙鸟用不死之草覆盖了他们,七年后,这男女两人长在同一个身体上,又活了,两个头,四只手,四只脚,这就是蒙双氏。

341 高辛氏①,有老妇人居于王宫,得耳疾历时。医为挑治,出顶虫②,大如茧。妇人去后,置以瓠蒌③,覆之以盘,俄尔顶虫乃化为犬,其文五色,因名"盘瓠",遂畜之。时戎吴强盛,数侵边境。遣将征讨,不能擒胜。乃募天下有能得戎吴将军首者,购金千斤,封邑万户,又赐以少女。后盘瓠衔得一头,将造王阙。王诊视之,即是戎吴。为之奈何?群臣皆曰:"盘瓠是畜，不可官秩，又不可妻。虽有功，无施也。"少女闻之，启王曰："大王既以我许天下矣。盘瓠衔首而来，为国除害，此天命使然，岂狗之智力哉？王者重言，伯者重信，不可以女子微躯，而负明约于天下，国之祸也。"王惧而从之。令少女从盘瓠，盘瓠将女上南山，草木茂盛，无人行迹。于是女解去衣裳，为仆竖④之结，着独力⑤之衣，随盘瓠升山入谷，止于石室之中。王悲思之，遣往视觅，天辄风雨，岭震云晦，往者莫至。盖经三年，产六男六女。盘瓠死后，自相配偶，因为夫妇。织绩木皮，染以草实，好五色衣服，裁制皆有尾形。后母归，以语王，王遣使迎诸男女，天不复雨。衣服褊裢⑥，言语侏僚⑦，饮食蹲踞，好山恶都。王顺其意，赐以名山广泽，号曰"蛮夷"。蛮夷者，外痴内黠，安土重旧，以其受异气于天命，故待以不常之律。田作贾贩，无关繻⑧符传⑨租税之赋；有邑君长，皆赐印绶；冠用獭皮，取其游食于水。今即梁、汉、巴、蜀、武陵、长沙、庐江郡夷是也。用糁杂鱼肉，叩槽而号，以祭盘瓠，其俗至今。故世称"赤髀横裙，盘瓠子孙"。

[注释]

①高辛氏：即帝喾，传说中上古帝王。《史记·五帝本纪》："帝喾高辛者，黄帝之曾孙也。"②顶虫：畲族《狗皇歌》作"金虫"，传说之物。③瓠篱（hù lí）：剖开葫芦而成的瓢一类的器具。④仆竖：《后汉书·南蛮传》作"仆鉴"，意为"布盖项髻"，源于壮语。⑤独力：意为"备换衣服"，源于壮语。⑥褊裢（biǎn lián）：《后汉书·南蛮传》作"斑兰"，色彩错杂鲜艳。⑦侏僚（lí）：语言难以听懂。⑧关繻：出入关隘的通行证。⑨符传：朝廷传达命令或调兵遣将的凭证。

[译文]

高辛氏的时候，有个老妇人住在王宫，患耳朵上的疾病已有一段时间了。医生为她挑治，挑出一只金虫，大小如同蚕茧。这老年妇女离开后,医生把它放在瓠瓢中,再用盘子盖住了它,不久金虫就变成了一条狗,它身上的花纹有五彩斑斓,因此便把它命名为"盘瓠",并饲养它。当时戎吴部落十分强盛,屡次侵犯边境,君王便派遣将军去讨伐,但总不能擒获取胜。于是就向全国招募,如果有谁能取得戎吴将军的首级,就赏金一千斤,分封给城邑一万户,还把国王的小女儿赐给他。后来盘瓠衔到一个人头,叼到王宫门外。国王仔细察看,正是戎吴将军的头。对这件事怎么处理呢?各位大臣都说:"盘瓠是牲畜,不能给它做官,又不能给它娶妻。它虽然有功劳,也不要对它实施奖赏了。"国王的小女儿听说了这件事,禀告国王说:"大王已经把我许诺给天下了。现在盘瓠叼着首级来了,为国家除去了祸害,这是上天使它获得了这样的成功,难道是狗的智慧和力量吗?称王的人看重诺言,称霸的人讲究信用,你不可以因为我轻微的身躯,而在天下人面前违背了公开的誓约,这是国家的灾祸啊。"国王害怕了,因而听从了她,让小女儿跟从盘瓠。盘瓠带着国王的女儿登上南山,山上草木茂盛,没有人的行踪。于是国王的女儿用布包盖头发挽成的发髻,带上了备换的衣服,跟随着盘瓠登高山进深谷,最后在石洞中安居了下来。国王很悲伤,老是想念她,于是就派人前去察看寻觅,但老天总是刮风下雨,山岭震动,云层阴暗,去的人没有一个能到达那里。大概过了三年,国王的女儿便生了六个男孩和六个女孩。盘瓠死了以后,六对孩子自己互相结成配偶,成了夫妻。他们用树皮纺织,用草籽的颜色来染色,喜欢穿像盘瓠毛色那样有五种颜色的衣服,裁制的衣服都有尾巴。后来他们的母亲回去了,把这一切告诉了国王,国王派出使者去迎接那几个男女,这次老天也不再下雨了。这些人衣服色彩斑斓,说起话来含混难辨,吃喝的时候总是蹲着,喜欢山野而厌恶都市。国王顺从他们的意愿,赐给他们名山大泽,把他们称为"蛮夷"。称作蛮夷的这种人,外表看上去呆头呆脑，实际上却很聪慧机敏，他们安心于自己的乡土风俗，看重旧有的道德习惯。因为他们从上天那里禀受了特别的气质，所以国王用不同平常的法律来对待他们：无论是种田的还是经商的，出入关隘都不需要交验帛制凭证与符节，也不需要缴纳租税；凡是拥有城邑的君长，都赐给印信绶带；他们的帽子用水獭皮做成，取意于他们和水獭一样在江河中寻求食物。今天梁州、汉中郡、巴郡、蜀郡、武陵郡、长沙郡、庐江郡的蛮夷，都是这样。他们把米饭和鱼肉混在一起，敲着木槽叫喊着，用这样的方式来祭祀盘瓠，这种风俗一直流传到今天。所以现在的人还说："露着大腿，系着短裙，是盘瓠的子孙。"

342　槁离①国王侍婢有娠，王欲杀之，婢曰："有气如鸡子，从天来下，故我有娠。"后生子，捐之猪圈中，猪以喙嘘之；徙至马栏中，马复以气嘘之，故得不死。王疑以为天子也，乃令其母收畜之，名曰"东明"。常令牧马。东明善射，王恐其夺己国也，欲杀之。东明走，南至掩施水，以弓击水，鱼鳖浮为桥，东明得渡。鱼鳖解散，追兵不得渡。因都王夫馀②。

343　古徐国③宫人，娠而生卵，以为不祥，弃之水滨。有犬名"鹄苍"，衔卵以归，遂生儿，为徐嗣君。后鹄苍临死，生角而九尾，实黄龙也。葬之徐里中。见有狗垄在焉。

[注释]

①槁离：《后汉书》作"索离"，北夷的国名。②夫馀：国名，故治在今吉林省北部。③徐国：古国名。故城在今安徽泗县北。

[译文]

　　槁离国国王的随身婢女怀孕了，国王要杀死她，婢女说："有一团像鸡蛋那样大的气体，从天上掉下来，所以我怀孕了。"国王因此没杀死她。后来她生了个孩子，被迫扔到了猪圈里，猪用嘴巴向孩子哈气；孩子被移至马厩中，马又向孩子哈气，所以孩子能不死。国王怀疑这孩子是上帝的儿子，于是就叫他母亲收养他，并给他取了个名字叫"东明"，经常叫他去放马。东明善于射箭，国王怕他夺了自己的江山，于是想杀掉他。东明便逃跑了，向南逃到掩施水边，用弓拍打水面，鱼鳖便浮出水面架成桥，东明得以渡过河去。他过河后鱼鳖散去，追兵便不能过河了。东明就在夫馀国建都称王。

古代徐国的一个宫女，怀孕以后却生下一个卵，她认为不吉利，就把它扔在河边。有条狗名叫"鹄苍"，把这卵叼了回去，卵就孵化出一个男孩，这男孩就是徐国嗣位的国君。后来鹄苍快死的时候，长出了角和九条尾巴，它其实是条黄龙，于是人们把它安葬在徐国的乡间。现在那里还保留着狗的坟。

344 斗伯比①父早亡，随母归，在舅姑之家。后长大，乃奸妘子②之女，生子文。其妘子妻，耻女不嫁而生子，乃弃于山中。妘子游猎，见虎乳一小儿，归与妻言。妻曰："此是我女与伯比私通，生此小儿。我耻之，送于山中。"妘子乃迎归养之，配其女与伯比。楚人因呼子文为榖乌菟③。仕至楚相也。

[注释]

①斗伯比：春秋时楚人，是若敖与郧国娶的妻子所生之子。②妘子：《左传·宣公四年》作"郧子"，即郧国国君。③榖（gòu）：古楚语称哺乳。乌菟：古楚语称老虎。

[译文]

斗伯比的父亲死得很早，他跟着母亲回到郧国，住在外公外婆的家里。后来他长大了，便与郧子的女儿私通，生了子文。那郧子的妻子觉得女儿没有出嫁就生儿子是很丢脸的事，就把子文丢在山里。郧子到野外打猎，看见老虎给一个小孩喂奶，回家后就和妻子讲了。妻子说:"这是我女儿与斗伯比私通而生下的小孩。我觉得很丢脸,就把他送到了山中。"邓子却把他接了回来加以抚养,并把自己的女儿嫁给了斗伯比。楚国人因而称呼子文做榖乌菟,他做官一直做到楚国的令尹。

345 齐惠公之妾萧同叔子,见御有身。以其贱,不敢言也。取薪而生顷公①于野,又不敢举也。有狸乳而鹫覆之。人见而收,因名曰"无野"。是为顷公。

346 袁釖者,羌豪也。秦时,拘执为奴隶,后得亡去。秦人追之急迫,藏于穴中。秦人焚之,有景相如虎,来为蔽,故得不死。诸羌神之,推以为君。其后种落炽盛。

[注释]

①顷公:春秋时齐国君,惠公之子。前598—前582年在位。

[译文]

齐惠公的小妾萧同叔子,侍候齐惠公而有了身孕。因为她的地位卑贱,所以不敢说出来。她拿了一些柴草把顷公生在田野中,又不敢抚养他。有只野猫来喂奶,鹫鸟又来遮盖他。有人看见了就把他收养起来,因而给他取名叫"无野"。这就是齐顷公。

袁釖,是羌族的豪杰。秦朝的时候,他被抓住当了奴隶,后来得以逃跑。秦国人追赶他,情况十分紧迫,他就躲在洞穴中。秦国人用柴火扔进洞中烧他,有个像老虎似的影子来给他遮蔽,所以他能不死。羌族的各个部落都认为他很神,所以推举他当君主。后来羌族各个部落都十分强盛。

347 后汉定襄①太守窦奉妻,生子武,并生一蛇。奉送蛇于野中。及武长大,有海内俊名。母死将葬,未窆,宾客聚集,有大蛇从林草中出,径来棺下,委地俯仰,以头击棺。血泪并流，状若哀恸。有顷而去。时人知为窦氏之祥。

[注释]

①定襄：郡名，辖地在成乐（今内蒙古和林格尔西北土城子）。

[译文]

东汉时定襄郡太守窦奉的妻子生下儿子窦武，同时生下了一条蛇，窦奉就把蛇放到田野中。等到窦武长大后，在国内享有美名。他母亲死了后将要下葬，还没有把棺材下到墓穴时，宾客们都聚集在一起，忽然有条大蛇从树林的草丛中爬出来，径直来到棺材底下，盘在地上不停地低头抬头，用头敲击那棺材，鲜血眼泪一起流出来，样子看上去十分哀痛。过了一会儿它就爬走了。当时的人知道这是窦家的吉兆。

348 晋怀帝永嘉中，有韩媪者，于野中见巨卵，持归育之，得婴儿，字曰"撅儿"。方四岁，刘渊筑平阳①城不就，募能城者。撅儿应募，因变为蛇，令媪遗灰志其后。谓媪曰："凭灰筑城，城可立就。"竟如所言。渊怪之，遂投入山穴间，露尾数寸，使者斩之，忽有泉出穴中，汇为池，因名"金龙池"。

349 元帝永昌②中，暨阳③人任谷，因耕息于树下。忽有一人，著羽衣，就淫之。既而不知所在。谷遂有妊。积月将产，羽衣人复来，以刀穿其阴下，出一蛇子，便去。谷遂成宦者，诣阙自陈，留于宫中。

[注释]

①平阳：古邑名，在今山西临汾西南。②永昌：晋元帝年号（322）。③暨阳：古县名，在今江苏江阴市东南长寿镇南。

[译文]

晋怀帝永嘉年间（307—313），有位韩老太婆在田野中发现一个大卵，就把它拿回家孵化，便得到一个婴儿，给他取了个名字叫

"㔷儿"。㔷儿四岁的时候,刘渊因为修筑平阳城老是不成功,所以就招募能筑城的人。㔷儿应募后,便变成了蛇,他在前面爬行,叫韩老太婆跟在他的后面撒上一些灰作为标记。他对韩老太婆说:"在撒灰的地方筑城,城可以马上筑成。"结果就像他所说的那样,把城筑成了。刘渊觉得这条蛇很奇怪,就派人把它丢进了山洞中,蛇的尾巴还露出洞口几寸,派去的人便把尾巴斩断了,忽然有股泉水从山洞中流出来,汇聚成一个水池,人们就把它命名为"金龙池"。

晋元帝永昌年间,暨阳县人任谷,因为干活累了而在树下休息。忽然有一个人,穿着用羽毛编织成的衣服,走来奸污了任谷。过后却又不知道这人到哪里去了,任谷于是就怀孕了。妊期满月将要分娩,那穿羽毛衣服的人又来了,他用刀刺破了任谷的下阴,取出一条小蛇就走了。任谷于是成了不能生育的阉人,到官中自己陈述了这种情况,于是被留在官里。

350 旧说,太古之时,有大人远征,家无馀人,唯有一女。牡马一匹,女亲养之。穷居幽处,思念其父,乃戏马曰:"尔能为我迎得父还,吾将嫁汝。"马既承此言,乃绝缰而去,径至父所。父见马惊喜,因取而乘之。马望所自来,悲鸣不已。父曰:"此马无事如此,我家得无有故乎?"亟乘以归。为畜生有非常之情,故厚加刍养。马不肯食。每见女出入,辄喜怒奋击。如此非一。父怪之,密以问女,女具以告父,必为是故。父曰:"勿言。恐辱家门。且莫出入。"于是伏弩射杀之,暴皮于庭。父行,女与邻女于皮所戏,以足蹙之曰:"汝是畜生,而欲取人为妇耶?招此屠剥,如何自苦?"言未及竟,马皮蹶然而起,卷女以行。邻女忙怕,不敢救之。走告其父。父还,求索,已出失之。后经数日,得于大树枝间,女及马皮,尽化为蚕,而绩于树上。其茧纶理厚大,异于常蚕。邻妇取而养之,其收数倍。因名其树曰"桑"。桑者,丧也。由斯百姓竞种之,今世所养是也。言桑蚕者,是古蚕之馀类也。案《天官》,辰为马星。《蚕书》曰:"月当大火,则浴其种。"是蚕与马同气也。《周礼》校人职掌,"禁原蚕者"。注云:"物莫能两大,禁原蚕者,为其伤马也。"汉礼,皇后亲采桑,祀蚕神,曰"菀窳妇人、寓氏公主①。"公主者,女之尊称也;菀窳妇人,先蚕者也。故今世或谓蚕为女儿者,是古之遗言也。

[注释]

①菀窳(wán yú)妇人、寓氏公主:汉代祭祀的两个蚕神。

[译文]

传说在远古时代,有一个大人出门远行,家里没有其他的人,只有一个女儿。另外还有雄马一匹,由女儿亲自来喂养。女儿居住在偏僻闭塞的地方,十分思念她的父亲,就和马开玩笑说:"你能给我把父亲接回家,我就嫁给你。"马听了这话,就挣断了缰绳出门去了,径直跑到她父亲那里。父亲看见了马又惊又喜,便拉过来骑了。马望着它来时的方向,悲哀地嘶叫不停。父亲说:"我这儿没有什么事情,这马却这样哀叫,我家里是否发生了什么事呢?"他急忙骑着马回了家。因为这畜生对主人有非同寻常的情谊,所以主人也优厚地加以饲养,但马却不肯吃料,每次看见他女儿进出,总是似喜似怒地踢蹄蹦跳,像这样的情况不止一次。父亲对这种情况感到很奇怪,就偷偷地询问女儿。女儿便把与马开玩笑的事一一告诉了父亲,认为一定是因为这个缘故。父亲说:"不要把这件事说出去,我怕它会玷污了我家的名声。另外,你别再进进出出了。"于是父亲埋伏在暗处用弓箭把马射死了,并把马皮剥下来晒在院子中。父亲走了,女儿和邻居家的姑娘在晒马皮的地方玩耍,女儿用脚踢着那马皮说:"你是畜生,还想娶人做媳妇吗?结果招来了这屠杀剥皮，为什么要自讨苦吃呢？"话还来不及说完，那马皮突然挺立起来，卷着女儿飞走了。邻居家的姑娘又慌又怕，不敢救她，便跑去告诉她的父亲。她父亲回来，到处寻找，女儿已经出门失踪了。后来过了几天，在一棵大树的树枝中找到了，但女儿和马皮都变成了蚕，在树上吐丝作茧，那蚕茧丝绪不乱，又厚又大，不同于通常的蚕茧。邻近的妇女取这种蚕饲养，收入增加了好几倍。因而人们把那棵树命名为"桑"。"桑"，就是"丧"，是悼念死亡的意思。从此百姓争着种植桑树，现在用来养蚕的就是这种树。平常所说的"桑蚕"，是古蚕中残剩下来的一种。根据《天官》的说法，辰宿对应的是马星。《蚕书》上说："对应大火的那个月（指二月），就要浴蚕选种了。"这样看来，那么蚕和马具有同一种元气。《周礼》规定，校人（应作"马质"）的职务是主管"禁止再次浴蚕选种"。郑玄的注解说："事物不能同时为大。禁止再次浴蚕选种，是因为怕它伤害了马。"按照汉代的礼仪，皇后亲自采桑，祭祀的蚕神叫做"菀窳妇人"、"寓氏公主"。公主，是对女子的尊称；菀窳妇人，是第一个教老百姓养蚕的蚕神。所以现在社会上有人把蚕叫做女儿，这就是古代流传下来的说法啊。

351　羿①请无死之药于西王母，嫦娥窃之以奔月。将往，枚筮之于有黄。有黄占之曰："吉。翩翩归妹，独将西行。逢天晦芒，毋恐毋惊，后且大昌。"嫦娥遂托身于月，是为蟾蜍②。

352　䑞嵞山③，帝之女死，化为怪草，其叶郁茂，其华黄色，其实如兔丝。故服怪草者，恒媚于人焉。

[注释]

①羿：夏朝时代的后羿，夏王朝第六任国君，嫦娥的丈夫，又称"夷羿"，相传是夏王朝东夷族有穷氏的首领，善于射箭。②蟾蜍：即蟾蜍。又俗称癞蛤蟆。③䑞嵞（duǒ）山：神话中的山，《山海经》作"姑瑶之山"。

[译文]

羿从西王母那里求得了不死之药,嫦娥偷了这药飞奔到月亮上,她快要动身的时候,到巫婆有黄那里占卜。有黄给她占卦说:"吉利。嫁出去的妹妹轻快地飞翔,独自一人将奔向西方。正好遇上天空阴暗无光,不要恐惧不要惊慌,以后将会无限兴旺。"嫦娥于是栖身在月亮上。她就是那月亮上的蟾蜍。

舌崔山,赤帝的女儿死在那里,变成了怪草,它的叶子非常茂盛,它的花呈黄色,它的果实像菟丝子。所以服食怪草的人,常常比别人妩媚。

353 荥阳县南百余里,有兰岩山,峭拔千丈。常有双鹤,素羽皪然,日夕偶影翔集。相传云:"昔有夫妇,隐此山数百年,化为双鹤,不绝往来。忽一旦,一鹤为人所害,其一鹤,岁常哀鸣。至今响动岩谷,莫知其年岁也。"

[译文]

荥阳县南边一百多里,有座兰岩山,峻峭挺拔,高达千丈。那山上曾经有一对鹤,白色的羽毛洁净明亮,它们或飞翔,或栖息,总是日夜形影不离。人们互相传说道:"从前有一对夫妻,隐居在这座山中几百年,后来变成了一对白鹤,在这座山上来往不断。忽然有一天,一只鹤被人杀害了,剩下的那一只鹤,一年到头常常哀叫。直到今天那鹤鸣的回声还震动着山谷,没有谁能知道它究竟叫了多少年。"

354 豫章新喻县[①]男子,见田中有六七女,皆衣毛衣。不知是鸟。匍匐往,得其一女所解毛衣,取藏之。即往就诸鸟。诸鸟各飞去,一鸟独不得去,男子取以为妇,生三女。其母后使女问父,知衣在积稻下,得之,衣而飞去。后复以迎三女,女亦得飞去。

355　汉灵帝时，江夏黄氏之母，浴盘水②中，久而不起，变为鼋矣。婢惊走告。比家人来，鼋转入深渊。其后时时出见。初浴簪一银钗，犹在其首。于是黄氏累世不敢食鼋肉。

[注释]

①新喻县：三国吴置，属豫章郡。②盘水：水名。在湖北房县南。

[译文]

豫章郡新喻县的一个男子，看见田间有六七个女子，都穿着羽毛做成的衣服。他不知道她们是鸟，就匍匐前去，拿了其中一个女子脱下来的羽毛衣服，取来把它收藏了。接着就走近那几只变成了女子的鸟。那几只鸟各自飞跑了，只有一只鸟不能飞走。这男子就娶了她当做妻子，一共生了三个女儿。她后来让女儿去问父亲，才知道那衣服藏在稻垛下，她找到衣服，便穿上飞跑了。后来她又来迎接三个女儿，女儿们也都飞走了。

汉灵帝的时候（168—189），江夏郡黄氏的母亲在盘水中洗澡，过了很长时间也没有起来，结果竟变成了鼋。婢女惊慌地奔走相告，但等到家里的人赶来的时候，那鼋已经爬进了深水潭。后来它又经常出现，当初洗澡时插在头上的一根银钗，还在它的头上。于是黄氏几代人都不敢吃鼋肉。

356　魏黄初①中，清河②宋士宗母，夏天于浴室里浴，遣家中大小悉出，独在室中良久。家人不解其意，于壁穿中窥之，不见人体，见盆水中有一大鳖。遂开户，大小悉入，了不与人相承。尝先著银钗，犹在头上。相与守之啼泣，无可奈何。意欲求去，永不可留。视之积日，转懈。自捉出户外，其去甚驶，逐之不及，遂便入水。后数日，忽还。巡行宅舍，如平生，了无所言而去。时人谓士宗应行丧治服。士宗以母形虽变，而生理尚存，竟不治丧。此与江夏黄母相似。

[注释]

①黄初：魏文帝年号（220—226）。②清河：郡名，治所在甘陵（今山东临清东）。

[译文]

曹魏黄初年间，清河郡宋士宗的母亲，夏天在浴室中洗澡时，打发家里的大人小孩全都出门，她独自一个人在浴室中呆了很长时间。家里的人不明白她的用意，就在墙洞中偷偷地看她，大家看不见人体，只看见浴盆的洗澡水中有一只大鳖。于是大家就打开了这浴室的门，一家老小全部进去了，但那大鳖一点儿也不能和他们接话。她洗澡前戴上去的银钗，还在头上。家里的人都互相守护在她的周围啼哭，对她一点办法也没有。看那大鳖的意思，是想求大家让它出去，再也不能留在这儿了。大家看护她看了好几天，便逐渐有点放松了，她便趁机溜出门外。她跑得很快，家里的人追也追不上，于是她就钻进了河中。过了几天，她忽然回来了，还像平时那样巡视了一下家里的房屋，一句话也没讲就走了。当时的人劝宋士宗应该为她开丧服孝，宋士宗认为母亲的形状虽然变了，但她的生命还存在着，所以最终没有为她办丧事。这与江夏郡黄氏的母亲是相似的。

357　吴孙皓宝鼎元年六月晦，丹阳宣骞母，年八十矣，亦因洗浴，化为鼋。其状如黄氏。骞兄弟四人，闭户卫之。掘堂上作大坎，泻水其中。鼋入坎游戏，一二日间，恒延颈外望。伺户小开，便轮转自跃，入于深渊。遂不复还。

[译文]

吴国孙皓宝鼎元年（266）六月的最后一天，丹阳郡宣骞的母亲已经八十岁了，也因为洗澡而变成了鳖。她的情况和黄氏的母亲一样。宣骞兄弟四人关上门守卫着她,还在厅堂上挖了个大坑,把水倒在里面。这只鳖爬进坑中玩耍,在那一两天时间里,常常伸着脖子向外探望。等到门稍微开了一点,她便像车轮似的滚了出去,纵身一跳,跳进了深水潭。于是就不再回来了。

358　汉献帝建安中,东郡民家有怪。无故瓮器自发,訇訇作声,若有人击。盘案①在前,忽然便失。鸡生子,辄失去。如是数岁,人甚恶之。乃多作美食,覆盖,著一室中,阴藏户间,窥伺之。果复重来,发声如前。闻便闭户,周旋室中,了无所见。乃暗以杖挝之。良久,于室隅间有所中。便闻呻吟之声曰:"哼,哼,宜死。"开户视之,得一老翁,可百余岁,言语了不相当,貌状颇类于兽。遂行推问,乃于数里外得其家,云:"失来十余年。"得之哀喜。后岁余,复失之。闻陈留界复有怪如此,时人咸以为此翁。

[注释]

①盘案:古代进食用的短足木盘。

[译文]

汉献帝建安年间（196—220）,东郡一个老百姓家发生怪事。无缘无故地一只瓮会自己产生震动,发出铿铿铿的声音,好像有人在敲击。盘子和案桌本来在面前,忽然之间便消失了。鸡生了蛋,总是丢失。像这样已经有好几年了,人们非常厌恶这些事。于是就烧了很多美味佳肴,把它遮盖好,放在一个房间里,这个人便暗中潜伏在门背后,偷偷地观望着。那怪物果然又来了,发出的声音还是像过去那样。这潜伏着的人一听见这声音就马上把门关上,但在房间里周旋了好半天,一点儿也没看见什么。于是这人就在暗中用棍子到处乱打,过了很长一段时间,才在墙角边有什么东西被打着了,接着便听见呻吟的声音说:"哎哟,哎哟,要死了!"开门一看，便发现一个老头，大约有一百多岁，但说起话来却一点儿也不相称，他的容貌形状很像野兽。于是就去打听查询，便在几里以外找到了他的家，他家里的人说："他已失散了十多年。"家里找到了他又悲哀又高兴。过了一年多，家中又不见他回来了。听说陈留郡的边界上又出现像上面所说的那种怪事，当时的人都认为就是这个老头搞的。

卷十五

359 秦始皇时,有王道平,长安人也。少时,与同村人唐叔偕女,小名父喻,容色俱美,誓为夫妇。寻王道平被差征伐,落堕南国,九年不归。父母见女长成,即聘与刘祥为妻。女与道平言誓甚重,不肯改事。父母逼迫不免,出嫁刘祥。经三年,忽忽不乐,常思道平,忿怨之深,悒悒而死。死经三年,平还家,乃诘邻人:"此女安在?"邻人云:"此女意在于君,被父母凌逼,嫁与刘祥。今已死矣。"平问:"墓在何处?"邻人引往墓所。平悲号哽咽,三呼女名,绕墓悲苦,不能自止。平乃祝曰:"我与汝立誓天地,保其终身。岂料官有牵缠,致令乖隔,使汝父母与刘祥;既不契于初心,生死永诀。然汝有灵圣,使我见汝生平之面。若无神灵,从兹而别。"言讫,又复哀泣。逡巡,其女魂自墓出,问平:"何处而来?良久契阔。与君誓为夫妇,以结终身,父母强逼,乃出聘刘祥,已经三年,日夕忆君,结恨致死,乖隔幽途。然念君宿念不忘,再求相慰,妾身未损,可以再生,还为夫妇。且速开冢破棺,出我即活。"平审言,乃启墓门,扣看其女,果活。乃结束随平还家。其夫刘祥,闻之惊怪,申诉于州县。检律断之,无条,乃录状奏王。王断归道平为妻。寿一百三十岁。实谓精诚贯于天地,而获感应如此。

[译文]

秦始皇的时候,有个叫王道平的,是长安人。少年时代,他和本村人唐叔偕的女儿立誓结为夫妇。唐叔偕的女儿小名叫父喻,容貌和肤色都很美丽。不久,王道平应征去打仗,流落在南方,九年不能回家。父喻的父母看到女儿已长大成人,就把她许配给刘祥做妻子,女儿因为与王道平订婚时誓言很坚定,所以不肯改嫁。父母强迫她,她没法逃避,就嫁给了刘祥。这样一直过了三年,她整天精神恍惚,闷闷不乐,常常思念王道平,悲愤愁怨极深,忧郁地死了。父喻死后三年,王道平回到家中,就问邻居:"这位姑娘在哪里?"邻居说:"这姑娘的心在你身上,但遭到她父母亲的欺凌威逼,只好嫁给了刘祥。现在早已死了。"王道平问:"她的坟墓在什么地方?"邻居便把王道平带到了墓地。王道平痛哭失声,连连呼唤着姑娘的名字,绕着坟墓哀痛万分,没法控制自己。王道平祝愿说:"我和你早向天地发誓,要厮守一辈子。哪里料到被公家的事拖累,以致使我们分离两地,使你父母把你嫁给了刘祥。这样做,既不合我们当初的心意,又使我们生死永别了。但是你如果有神灵的话,就让我再看一下你生前的容貌。如果你没有神灵,只好从此永别了。"说完,便又悲哀地抽泣着。不一会儿,那姑娘的魂从坟墓中出来,问道平:"你从什么地方来?我们分别得很久了。我曾和你立誓结成夫妻,来度过这一辈子。后来我父母强迫我,我才嫁给了刘祥,已经过了三年。我日夜想你,以至于怨愤郁结而死,让冥间把我们隔开了。但是我想到你不忘旧情,再来求我安慰你,因此我想告诉你,我的身体并没有损坏,可以重新活过来,再和你做夫妻。请你赶快挖开坟墓,撬开棺材,让我出来就活了。"王道平仔细审查了她的话后,就打开坟墓棺盖,抚摸察看那姑娘,她果然活了,于是就装束打扮后跟着王道平回家了。她的丈夫刘祥,听到了这件事十分惊奇,便向州县衙门申诉,要求领回父喻。州县官员查看法律来断案,却没有相应的条文,便把这情况写下来上奏皇上。皇上把父喻断给王道平做妻子。王道平活到一百三十岁。这实在是他的真心诚意贯通了天地,才得到这样的报答。

360　晋武帝①世,河间郡有男女私悦,许相配适。寻而男从军,积年不归。女家更欲适之。女不愿行,父母逼之,不得已而去。寻病死。其男戍还,问女所在。其家具说之。乃至冢,欲哭之尽哀,而不胜其情。遂发冢开棺,女即苏活,因负还家。将养数日,平复如初。后夫闻,乃往求之。其人不还,曰:"卿妇已死,天下岂闻死人可复活耶?此天赐我,非卿妇也。"于是相讼。郡县不能决,以谳廷尉。秘书郎②王导奏:"以精诚之至,感于天地,故死而更生。此非常事,不得以常礼断之。请还开冢者。"朝廷从其议。

[注释]

①晋武帝:根据正文"秘书郎王导"推断,当为晋惠帝。晋惠帝司马衷,290—306年在位。②秘书郎:官名。掌图书典籍,属秘书省。

[译文]

晋惠帝的时候,河间郡有一对男女青年私下相爱,互相约好以后结婚。不久男的去服兵役了,好几年没回家,女家想把女儿改嫁。女儿不肯改嫁,父母亲强迫她,她没有办法只好嫁走了,不久就病死了。她的男人服兵役回来,问这姑娘在什么地方,他家里的人就把事情经过都告诉了他。于是他来到姑娘的坟墓上,想对她大哭一场来倾诉自己的悲哀,但还是表达不尽他的情意。于是就挖开坟墓撬开棺材,这姑娘立即复活了,他便把她背回了家。调养了几天,这姑娘又恢复得像过去那样。她的后夫听说了,就去要求姑娘跟自己回家。那男人不肯还给他,对他说:"你的妻子已经死了,天底下哪里听说过死人可以复活的呢?这是老天恩赐给我的女人,并不是你的妻子。"于是两人去打官司。郡、县的官吏都没有办法判决,就把这桩官司上交给朝廷的最高法官廷尉审理。秘书郎王导上奏说:"因为这男子精诚到了极点,感动了天地,所以这姑娘才死而复生。这是非比寻常的事情,不能用普通的礼法来断案。我请求把这姑娘还给掘开坟墓的男子。"朝廷听从了王导的处理意见。

361 汉献帝建安中,南阳贾偶,字文合,得病而亡。时有吏将诣太山,司命①阅簿,谓吏曰:"当召某郡文合,何以召此人?可速遣之。"时日暮,遂至郭外树下宿。见一年少女独行,文合问曰:"子类衣冠②,何乃徒步?姓字为谁?"女曰:"某三河③人,父见为弋阳④令,昨被召来,今却得还。遇日暮,惧获瓜田李下之讥。望君之容,必是贤者,是以停留,依凭左右。"文合曰:"悦子之心,愿交欢于今夕。"女曰:"闻之诸姑,女子以贞专为德,洁白为称。"文合反复与言,终无动志。天明各去。文合卒已再宿,停丧将殓,视其面有色,扪心下稍温,少顷却苏。后文合欲验其实,遂至弋阳,修刺谒令,因问曰:"君女宁卒而却苏耶?"具说女子姿质服色、言语相反覆本末。令人问女,所言皆同。乃大惊叹,竟以此女配文合焉。

[注释]

①司命:泰山府君下掌管人间生死的官吏。②衣冠:指士族,大户人家。③三河:汉代称河东、河内、河南三郡地区,在今山西南部、河南中部、北部。④弋阳:县名,治所在今河南潢川西。

[译文]

汉献帝建安年间(196—220),南阳郡有个贾偶,字文合,生病死了。当时有一个阴间小吏就把他的魂带到泰山,判官查阅了生死簿,对这小吏说:"应该召来某某郡的文合,为什么召来这个人?赶快把他送回去!"这时候太阳已下山了,于是贾文合的魂就到城外的树下过夜。这时他看见一个年轻的女子独自一人走来,贾文合问道:"你好像是大户人家的姑娘,为什么还得步行?你姓什么?名字又叫什么?"姑娘说:"我是三河人氏,父亲现任弋阳县令。昨天我被阴府召来,今天却可以重返阳间。现在碰上天黑,怕遭到瓜田李下的嫌疑。看你的容貌举止,一定是个贤人,因此停留下来,想依靠你。"贾文合说:"我很高兴你这样想,非常愿意和你在今晚共享云雨之欢。"姑娘说:"我曾听母辈们说过,女子应该把有贞操不事二夫当做美德,把洁身清白当做名誉。"贾文合反复和她说情,她始终没有动摇自己的心意。天亮以后,两人便各奔前程了。贾文合死了已经两夜,开丧完毕就要入棺了,家里的人却看见他的脸上有了血色,摸摸他的心口,也稍微有点温暖,一会儿他却苏醒过来了。后来贾文合想要验证一下他昨晚碰到的事情是否真实,就来到弋阳县。他置备了名片,报上姓名拜见了县令,便问县令说:"你的女儿是否死了却又复活了?"他还详细地叙述了那姑娘的天资品德与服饰打扮以及他们谈话的反复和始末。县令进闺房问女儿,女儿说的话与贾文合说的全都相同。县令大为震惊,赞叹不绝,最后便把这女儿许配给了贾文合。

362　汉建安四年二月,武陵充县①妇人李娥,年六十岁,病卒,埋于城外,已十四日。娥比舍②有蔡仲,闻娥富,谓殡当有金宝,乃盗发冢求金。以斧剖棺。斧数下,娥于棺中言曰:"蔡仲,汝护我头!"仲惊遽,便出走。会为县吏所见,遂收治。依法,当弃市。娥儿闻母活,来迎出,将娥回去。武陵太守闻娥死复生,召见,问事状。娥对曰:"闻谬为司命所召,到时得遣出。过西门外,适见外兄刘伯文,惊相劳问,涕泣悲哀。娥语曰:'伯文,我一日误为所召,今得遣归,既不知道,不能独行,为我得一伴否?又我见召,在此已十余日,形体又为家人所葬埋,归当那得自出?'伯文曰:'当为问之。'即遣门卒与户曹相问:'司命一日误召武陵女子李娥,今得遣还。娥在此积日,尸丧又当殡殓,当作何等得出?又女弱独行,岂当有伴耶?是吾外妹,幸为便安之。'答曰:'今武陵西界,有男子李黑,亦得遣还,便可为伴。兼敕黑过娥比舍蔡仲,发出娥也。'于是娥遂得出,与伯文别。伯文曰:'书一封,以与儿佗。'娥遂与黑俱归。事状如此。"太守闻之,慨然叹曰:"天下事真不可知也。"乃表以为:"蔡仲虽发冢,为鬼神所使,虽欲无发,势不得已,宜加宽宥。"诏书报可。太守欲验语虚实,即遣马吏于西界推问李黑,得之,与黑语协。乃致伯文书与佗。佗识其纸,乃是父亡时送箱中文书也。表文字犹在也,而书不可晓。乃请费长房③读之,曰:"告佗,我当从府君出案行部,当以八月八日日中时,武陵城南沟水畔顿,汝是时必往。"到期,悉将大小于城南待之。须臾果至。但闻人马隐隐之声,诣沟水,便闻有呼声曰:"佗来,汝得我所寄李娥书不耶?"曰:"即得之,故来至此。"伯文以次呼家中大小久之,悲伤断绝,曰:"死生异路,不能数得汝消息。吾亡后,儿孙乃尔许人。"良久,谓佗曰:"来春大病,与此一丸药,以涂门户,则辟来年妖疠矣。"言讫忽去,竟不得见其形。至来春,武陵果大病,白日皆见鬼,唯伯文之家,鬼不敢向。费长房视药丸曰:"此方相脑也。"

[注释]

①充县:古县名,属武陵郡。治所在今湖南桑植。②比舍:隔壁的邻居。③费长房:东汉人,传说他学仙不成,但得神符,可以役百鬼。但后来丢失神符而被众鬼所杀。

[译文]

汉献帝建安四年(199)二月,武陵郡充县的妇女李娥,年龄六十岁,生病死了,埋在城外已经十四天。李娥的隔壁邻居有个叫蔡仲的,听说李娥很富裕,以为棺材中一定有金银珠宝作陪葬,于是就偷偷地挖开坟墓去盗取金银珠宝。他用斧子去劈那棺材,才劈了几下,便听见李娥在棺材中说道:"蔡仲,你可要保住我的头!"蔡仲惊慌失措,便连忙逃跑。但正好被县衙的官吏看见,于是就被逮捕审讯。按照法律,蔡仲应该被处死示众。李娥的儿子听说母亲活了,就来把母亲接出棺材,挽着李娥回家去了。武陵太守听说李娥死而复生,便召见了李娥,向她询问事情的经过情形。李娥回答说:"听说我是误被那掌管生死的判官召去的,所以一到那儿就被放出来了。经过西门外,正巧碰见表兄刘伯文,我们惊讶地互相慰问,痛哭流涕,十分悲哀。我对他说:'伯文,我那天被误召到这里,今天才得放回。但我既不认路,又没有能力只身一人赶路,你能为我找个伴来吗?还有,我被召来,在这里已经十多天了,身体又被家里的人埋葬了,回家时应该从哪里走才能让自己走出坟墓?'伯文说:'我得为你问一下。'他就马上派了个守门的士兵去问户曹:'判官那一天误召了武陵郡的妇女李娥,今天她被放回。李娥在这里已有好几天了,尸体又肯定入棺埋葬了,应该怎么办才能出得棺材?还有,这妇女体质虚弱,难以一个人独自行走,是否应该有个伴呢?她是我的表妹,希望你行个方便让她能平安回去。'户曹回答说:'现在武陵郡西面边境上有个男子叫李黑,也被放回,可以让他做伴。同时再叫李黑去拜访李娥的隔壁邻居蔡仲,叫他来挖开坟墓让李娥出棺。'这样我就可以出来了,于是便与伯文告别。伯文说:'我有封信,请你把它捎给我的儿子刘佗。'接着我就和李黑一起回来了。事情的经过情形就是这样。"太守听了这一席话,感慨地叹息说:"天下的事情真不可理解啊!"他就向朝廷上表陈情,认为:"蔡仲虽然挖了坟,却是鬼神让他干的。他即使想不挖,那情势也使他不得不这样。所以,对他的盗墓,应该加以宽容饶恕。"皇帝诏书答复说可以。太守想验证一下李娥的话是否真实,就派遣骑兵到武陵郡西面边境上去打听查询李黑,果然找到了他,与李娥所说的情况完全相合。李娥便把刘伯文的信送给了刘佗。刘佗认得那信纸。这是父亲死亡时陪葬箱中的公文纸。纸上写着的文字还在,但信却不可理解。于是就请费长房来读信。原来信中写的是:"告诉佗儿我要跟着泰山府君出外巡视,该在八月初八中午时分,在武陵城南护城河边稍作停留,你这时候一定得去。"到了那约定的日期,刘佗带了全家老小在城南等父亲。一会儿刘伯文果然来了。只听见人马喧闹的声音来到护城河,接着便听见有人喊道:"刘佗,你来!你收到我让李娥捎给你的信了吗?"刘佗说:"已经收到了,所以我才来这里。"伯文依次呼唤着全家老小,一一询问他们的情况,真是悲痛欲绝,他说:"死和生是两个世界,不能经常得到你们的消息。我死后,儿孙们竟然都有这么多人了。"过了很久,他又对刘佗说:"明年春天会有大病流行,给你这一丸药,用来涂在家门上,就可以避开明年的怪病了。"说罢他忽然走了,刘佗始终没能看见他的形体。到第二年春天,武陵郡果然大病流行,白天都可以见到鬼,只有刘伯文的家,鬼不敢去打扰。费长房仔细察看了那药丸后说:"这是驱疫避邪之神方相的脑子啊。"

363　汉陈留考城[①]史姁,字威明,年少时,尝病,临死,谓母曰:"我死当复生。埋我,以竹杖柱于瘗上,若杖折,掘出我。"及死埋之,柱如其言。七日往视,杖果折。即掘出之,已活,走至井上浴,平复如故。后与邻船至下邳卖锄,不时售。云:"欲归。"人不信之,曰:"何有千里暂得归耶?"答曰:"一宿便还。"即书取报,以为验实。一宿便还,果得报。考城令江夏鄢贾和姊病在邻里,欲急知消息,请往省之,路遥三千,再宿还报。

[注释]

①考城：县名，故治今河南民权东。

[译文]

汉代陈留郡考城县人氏史姁，字威明，他年轻的时候，曾患重病，临死时，他对母亲说："我死了会再活过来。你埋我的时候，请拿一根竹竿竖在我的坟上，如果竹竿折断了，就把我挖出来。"等他死了，母亲就埋葬了他，按他的吩咐栽了竹竿。七天后去察看，竹竿果然折断了。母亲就把他挖了出来，他已经活了，跑到井边洗了个澡，便恢复得像过去一样。后来他搭邻居的船到下邳县去卖锄。没有按时卖完，却说要回家。人们不相信他，说："哪有千里迢迢一下子就回家的呢？"他却回答说："我住一夜便回来。"大家就给家里写信要他带来回信，以此作为验证。他过了一夜便回来了，果然带来了回信。考城县的县令江夏郡鄳县人贾和的姐姐病在家乡，他急着想知道姐姐的情况，便请史姁前去看望她，考城县距其姐姐家乡的路程远达三千里，他过了两夜就回来汇报了情况。

364　会稽贺瑀，字彦琚，曾得疾，不知人，惟心下温，死三日，复苏。云："吏人将上天，见官府。入曲房①，房中有层架。其上层有印，中层有剑，使瑀惟意所取。而短不及上层，取剑以出。门吏问何得，云：'得剑。'曰：'恨不得印，可策百神。剑，惟得使社公耳。'"疾愈，果有鬼来，称社公。

[注释]

①曲房：密室。

[译文]

会稽郡的贺瑀，字彦琚，曾经染上疾病，神志昏迷不认识人了，只有心口还有点余温，死了三天，他却又苏醒了。说："阴间的差役把我带上了天，我看见那儿有一座官府。进了那深邃幽隐的密室，房中摆着多层架子，那架子的上层有印，中层有剑，他让我想拿什么就拿什么。但是我个儿矮，手够不着上层，就拿了把剑出了门。看门的人问我拿到了什么，我说拿到了剑。看门人说：'真遗憾你没拿到印，印可以指挥百神。剑只能指使土地神罢了。'"贺瑀的疾病痊愈后，果然有鬼来见，自称是土地神。

365 戴洋字国流，吴兴长城①人。年十二，病死，五日而苏，说："死时，天使其酒藏吏②，授符箓，给吏从幡麾，将上蓬莱、昆仑、积石③、太室④、庐、衡等山。既而遣归。"妙解占候，知吴将亡，托病不仕，还乡里。行至濑乡，经老子祠，皆是洋昔死时所见使处，但不复见昔物耳。因问守藏应凤曰："去二十余年，尝有人乘马东行，经老君祠而不下马，未达桥，坠马死者否？"凤言有之。所问之事，多与洋同。

[注释]

①长城：县名，属吴兴郡，治所在今浙江长兴东。②酒藏吏：官名。掌管官府的公酒储藏。③积石：山名，在甘肃临夏西北。④太室：山名，即嵩山。在河南登封市北。

[译文]

戴洋，字国流，吴兴郡长城县人氏。他十二岁的时候，病死了，过了五天又活了，他说："我死的时候，天帝让我当酒藏吏，授给我符箓，随从都跟在我的大旗后面，将要登上蓬莱山、昆仑山、积石山、太室山、庐山、衡山等。过了不久却打发我回来了。"戴洋善于根据天象变化来预测吉凶，他知道吴国即将灭亡了，便推托自己有病而不去做官，回故乡去了。走到濑乡，经过老子的祠庙，原来这里都是戴洋过去死时被他使唤过的地方，只是现在已不能再见到过去的东西罢了。因而他就问守藏史应凤说："二十多年前，曾经有个人骑了马向东走，经过老子的祠庙而不下马，还没有到达桥上,就从马背上掉下来摔死了。是否有这件事呢?"应凤说有这件事。而应凤询问的事情,也多与戴洋所经历的相同。

366 吴临海松阳①人柳荣,从吴相张悌②至扬州。荣病死船中二日,军士已上岸,无有埋之者。忽然大叫言:"人缚军师!人缚军师!"声甚激扬,遂活。人问之,荣曰:"上天北斗门下,卒见人缚张悌,意中大愕,不觉大叫言:'何以缚军师!'门下人怒荣,叱逐使去。荣便怖惧,口馀声发扬耳。"其日悌即战死。荣至晋元帝时犹存。

[注释]

①松阳:县名,故城在今浙江松阳县西。②张悌:字巨先,襄阳人。原为军师,孙皓天纪三年(279)八月为丞相。

[译文]

吴国临海郡松阳县人氏柳荣,跟着吴国相张悌来到扬州。柳荣病死在船中已两天了,但士兵都已经上岸,没有人去埋葬他。他忽然大叫道:"有人绑缚军师!有人绑缚军师!"这喊声十分激越响亮,于是他就活了过来。别人问他到底是怎么回事,柳荣说:"我登上天界来到北斗门边,突然看见有人绑缚张悌,心中大吃一惊,不觉大叫道:'为什么绑缚军师!'那门边的人对我很生气,大声斥责我,赶我走。我就十分恐惧,而嘴巴里那残余的喊声便不觉扩散出来了。"那一天张悌就阵亡了。柳荣到晋元帝的时候(317—322)还活着。

367 吴国富阳①人马势妇,姓蒋。村人应病死者,蒋辄恍惚熟眠经日,见病人死,然后省觉。觉则具说,家中人不信之。语人云:"某中病,我欲杀之,怒强魂难杀,未即死。我入其家内,架上有白米饭,几种鲑。我暂过灶下戏,婢无故犯我,我打其脊,使婢当时闷绝,久之乃苏。"其兄病,有乌衣人令杀之,向其请乞,终不下手。醒乃语兄云:"当活。"

[注释]

①富阳:县名。秦置富春县,晋改富阳。今浙江富阳市。

[译文]

吴国富阳县人马势的妻子,姓蒋。村里人该病死的时候,蒋氏总是迷迷糊糊地要熟睡一天,睡梦中看到那病人死了,然后才醒来。醒后她就把详细情况告诉大家,家里的人都不相信她。她告诉别人说:"某某病了,我想杀了他,发怒的强壮的灵魂很难杀死,所以他没有马上死去。我到他的家中,他家中的架子上有白米饭,还有几种鱼做的菜。我暂时到灶边玩,他家的婢女竟无缘无故地来冒犯我,我就打了她的脊梁,使那婢女当场就昏死过去,过了好长时间才醒过来。"蒋氏的哥哥病了,有一个穿黑衣服的人叫她去杀哥哥,她向那人请求,终于没有下毒手。她醒来后就告诉哥哥说:"你会活着的。"

368 晋咸宁二年十二月,琅邪颜畿字世都,得病,就医张瑳使治,死于张家。棺敛已久。家人迎丧,旐每绕树木而不可解。人咸为之感伤。引丧者忽颠仆,称畿言曰:"我寿命未应死,但服药太多,伤我五脏耳。今当复活,慎无葬也。"其父拊而祝之曰:"若尔有命,当复更生,岂非骨肉所愿?今但欲还家,不尔葬也。"旐乃解。及还家,其妇梦之曰:"吾当复生,可急开棺。"妇便说之。其夕,母及家人又梦之。即欲开棺,而父不听。其弟含,时尚少,乃慨然曰:"非常之事,自古有之。今灵异至此,开棺之痛,孰与不开相负?"父母从之。乃共发棺,果有生验,以手刮棺,指爪尽伤,然气息甚微,存亡不分矣,于是急以绵饮沥口,能咽,遂与出之。将护累月,饮食稍多，能开目视瞻，屈伸手足，不与人相当。不能言语，饮食所须，托之以梦。如此者十余年。家人疲于供护，不复得操事。含乃弃绝人事，躬亲侍养，以知名州党。后更衰劣，卒复还死焉。

[译文]

晋咸宁二年（276）十二月，琅邪郡的颜畿，字世都，得了疾病，到医生张瑳那里治疗，结果却死在张家。颜畿的尸体入棺已有一段时间了，家里人就来接丧，引路的魂旗总是缠住树木解不开。人们都为此而感伤万分。为棺材引路的人忽然跌倒在地，称道颜畿的话说："我的寿命还不应该死，只是因为服药太多，损伤了我的五脏罢了。今天我会重新活过来，你们千万别埋葬我啊。"他的父亲拍着棺材向他祝告说："如果你的命大，应当再重新活过来，难道不是你父母亲十分愿意的事？今天只是想让你回家，不是去埋葬你啊。"那魂旗这才松开了。等到回到家中，他妻子便梦见他说："我该复活了，你可赶快去打开棺材。"他妻子就把这话说了。那天晚上，他母亲以及家里的人又梦见他讲这种话，于是大家就想撬开棺材，但父亲不肯依从。他的弟弟颜含，当时年纪还轻，就感慨地说："非同寻常的事情，从古就有了。现在神灵奇异到了这种地步，撬开棺材的悲伤，与不撬开棺材相比哪个更能违背他呢？"父母亲听从了颜含的话，就一起把棺材撬开了，果然有颜畿还活着的痕迹，他用手抓过棺材，所以指甲全都抓伤了，但呼吸很微弱，是死是活已经分辨不出来了。于是急忙用棉花吸了水滴到他口中，他能咽下去，大家就马上把他从棺材里抬了出来。调养护理了几个月，他的食量渐渐增加了，还能睁开眼睛张望，手脚也能弯曲伸展，只是不尽如人意罢了。不过，他还不能说话，需要吃什么，只好托梦给家里人。像这样过了十多年，家里的人因为供养护理他都忙不过来，所以不再能干其他的事情了。于是颜含就完全放弃所有的事务，一个人专门来服侍供养他，颜含也因此而在州县出了名。后来颜畿又变得衰弱了，病情更加恶化，最后还是死了。

369　羊祜①年五岁时，令乳母取所弄金镮。乳母曰："汝先无此物。"祜即诣邻人李氏东垣桑树中，探得之。主人惊曰："此吾亡儿所失物也。云何持去！"乳母具言之。李氏悲惋。时人异之。

370　汉末，关中大乱，有发前汉宫人冢者，宫人犹活。既出，平复如旧。魏郭后②爱念之，录置宫内，常在左右，问汉时宫中事，说之了了，皆有次绪。郭后崩，哭泣过哀，遂死。

[注释]

①羊祜：字叔子，泰山人。晋武帝时为尚书右仆射。②郭后：魏文帝曹丕的皇后。

[译文]

羊祜五岁的时候，叫奶妈去取他玩过的金环。奶妈惊奇地说："你过去并没有这东西啊。"羊祜就到邻居李家东墙边的桑树中，掏到了他要的金环。那李家的主人惊奇地说："这是我死了的儿子所丢失的东西啊。你凭什么拿走呢？"奶妈就详细地说了这件事情的前后经过，李家的主人非常悲痛惋惜，当时的人都觉得羊祜不同寻常。

汉朝末年，关中大乱，有人掘开西汉宫女的坟墓，宫女竟还活着。她出来后，就恢复得像过去一样了。魏文帝的郭皇后爱怜她，就把她收到宫内，她常在郭皇后身边侍候，皇后问她汉朝时皇宫内的事情，她说得清清楚楚，都很有头绪。郭皇后逝世的时候，她哭得太悲伤了，因此便死了。

371　魏时，太原发冢破棺，棺中有一生妇人。将出与语，生人也。送之京师。问其本事，不知也。视其冢上树木，可三十岁。不知此妇人,三十岁常生于地中耶?将一朝欻生①,偶与发冢者会也?

372　晋世杜锡②,字世瑕,家葬而婢误不得出。后十余年,开冢祔葬,而婢尚生。云:"其始如瞑目,有顷渐觉。"问之,自谓当一再宿耳。初婢埋时,年十五六。及开冢后,姿质如故。更生十五六年,嫁之有子。

[注释]

①欻(xū)生:忽然活过来。②杜锡:晋名将杜预之子。

[译文]

曹魏的时候,太原有个人掘开坟墓撬开棺材,发现棺材中有一个活着的妇女。把她扶出来和她说话,的确是活人。于是就把她送到京城。问她原来的事情,她却什么也不知道。看看她坟上的树木,大约有三十年了。不知道这个妇女是三十年一直活在地下呢,还是这一天忽然活过来,碰巧和掘坟的人相遇?

晋代的杜锡,字世瑕,家里的人把他埋葬时,他的婢女耽误了没能跑出坟墓。过了十多年,杜锡的妻子死了,家里的人掘开坟墓合葬,而婢女还活着。她说:"那开始的时候好像是闭住了眼睛,过了一会儿就渐渐地醒了。"问她,她自己说不过才过了一两夜罢了。当初这婢女被埋葬时,有十五六岁。等到掘开坟墓时,她的姿色还像过去那样。又活了十五六年,嫁人后还生了儿子。

373　汉桓帝①冯贵人病亡。灵帝时,有盗贼发冢,七十余年,颜色如故,但肉小冷。群贼共奸通之,至斗争相杀,然后事觉。后窦太后家被诛,欲以冯贵人配食。下邳陈公②达议:"以贵人虽是先帝所幸,尸体秽污,不宜配至尊。"乃以窦太后③配食。

[注释]

①汉桓帝:即刘志,东汉皇帝。147—167年在位。②陈公:陈球,字伯真,下邳郡人,灵帝时任廷尉。③窦太后:即窦妙,东汉桓帝皇后。

[译文]

汉桓帝的冯贵妃病死了。汉灵帝时,有几个贼掘她的坟,她已埋葬七十多年,但面色还是像过去那样,只是肌肤稍微冷一些。这几个贼便一起轮奸她,直到他们互相争夺残杀,然后这事才被发觉。后来窦太后一家被诛灭,想用冯贵妃作为祔祭。下邳县陈球发表建议说:"我以为冯贵妃虽然是桓帝宠爱的妃子,但她的尸体被玷污了,不宜再与皇帝一起享受祭祀。"于是就用窦太后来作祔祭。

374 吴孙休时,戍将于广陵掘诸冢,取版以治城,所坏甚多。复发一大冢,内有重阁,户扇皆枢转,可开闭,四周为徼道①,通车,其高可以乘马。又铸铜人数十,长五尺,皆大冠朱衣,执剑,侍列灵坐。皆刻铜人背后面壁,言殿中将军,或言侍郎、常侍,似公侯之冢。破其棺,棺中有人,发已斑白,衣冠鲜明,面体如生人。棺中云母②厚尺许,以白玉璧三十枚藉尸。兵人辈共举出死人,以倚冢壁。有一玉,长尺许,形似冬瓜,从死人怀中透出,堕地。两耳及孔鼻中,皆有黄金,如枣许大。

[注释]

①徼道:巡行警戒的道路。②云母:钾、铝、镁、铁、锂等层状结构铝硅酸盐的总称。云母通常呈假六方或菱形的板状、片状、柱状晶形。古人以为是云的根,故名。可入药。

[译文]

吴国孙休在位的时候(258—264),守将们在广陵发掘了很多坟墓,取那棺材板来修筑城郭,被搞坏的坟墓很多。后来又发掘一座大坟,内有楼阁,门扇都靠门枢来转动,可以打开,可以关闭,四周是供巡察用的道路，可以通马车，它的高度可以供人骑马。又铸有铜人几十个，身长五尺，都戴着大帽子，穿着红袍，拿着宝剑，守卫排列在棺材的边上。每个铜人背后的石壁上都刻着他们的官爵，有的刻着殿中将军，有的刻着侍郎、常侍，好像是王侯的坟墓一样。打开那棺材，棺中有一个人，头发已经花白了，衣帽华美，面色躯体像活人一样。棺材中的云母石有一尺左右厚，还用白玉璧三十枚衬垫在尸体底下。士兵们一起抬出死人，把他靠在墓壁上。有一块玉，长一尺左右，形状像冬瓜，从死人的怀里掉出来落到地上。死人的双耳及鼻孔中，都有黄金，像枣子那么大。

375　汉广川王好发冢。发栾书[①]冢，其棺柩盟器[②]，悉毁烂无馀。唯有一白狐，见人惊走。左右逐之，不得，戟伤其左足。是夕，王梦一丈夫，须眉尽白，来谓王曰："何故伤吾左足？"乃以杖叩王左足，王觉肿痛，即生疮。至死不差。

[注释]

①栾书：春秋时晋大夫。②盟器：同"明器"，古代殉葬的器物。

[译文]

汉代广川王喜欢发掘坟墓。在发掘栾书的坟时，他的棺材明器，全都毁坏腐烂了，只有一只白色的狐狸，看见人就惊慌地逃跑了。广川王手下的人去追赶它，没追上，只是用戟刺伤了它的左脚。这天晚上，广川王梦见一个男人，胡须眉毛全白了，来对广川王说："为什么要刺伤我的左脚？"说完便用手杖敲击广川王的左脚。广川王感到肿胀疼痛，当即生了疮，一直到死都没有痊愈。

卷十六

376 昔颛顼氏有三子,死而为疫鬼:一居江水,为疟鬼;一居若水,为魍魉鬼;一居人宫室,善惊人小儿,为小鬼。于是正岁命方相氏,帅肆傩①以驱疫鬼。

377 挽歌者,丧家之乐,执绋者相和之声也。挽歌辞有《薤露》、《蒿里》②二章,汉田横门人作。横自杀,门人伤之,悲歌。言人如薤上露,易稀灭。亦谓人死精魂归于蒿里。故有二章。

[注释]

①傩(nuó):古代腊月驱逐疫鬼的仪式。②《薤露》、《蒿里》:乐府《相和曲》名。

[译文]

从前,颛顼氏有三个儿子,死后都成了使人生病的恶鬼:一个居住在长江里,是传播疟疾的疟鬼;一个居住在若水中,是魍魉鬼;一个居住在人们的屋子里,善于惊吓小孩,是小鬼。于是帝王在正月里命令方相氏举行庙会,用"傩"来驱赶传播疾病的恶鬼。

挽歌,是居丧人家的音乐,是手握牵引灵车绳索的送葬的人互相应和的歌。挽歌的歌辞有《薤露》、《蒿里》二章,是汉代田横的门客写的。当时田横自杀,门客哀悼他,就悲哀地唱起来了。歌辞的意思是说人就像薤上的露水,容易晒干灭亡,又以为人死了灵魂回归到泰山南边的蒿里。所以有这两章。

378 阮瞻①字千里,素执无鬼论,物莫能难。每自谓此理足以辨正幽明②。忽有客通名诣瞻,寒温毕,聊谈名理。客甚有才辨。瞻与之言良久,及鬼神之事,反复甚苦。客遂屈,乃作色曰:"鬼神古今圣贤所共传,君何得独言无?即仆便是鬼。"于是变为异形,须臾消灭。瞻默然,意色太恶。岁余,病卒。

[注释]

①阮瞻:晋永嘉中为太子舍人。②幽明:指阴阳死生之事。

[译文]

阮瞻,字千里,一向持无鬼论,没有人能难倒他。他经常自吹这种理论足够用来辨别纠正有关阴间和阳间的错误说法。忽然有一个客人通报了姓名来拜见阮瞻,寒暄完毕,就谈论起事物的是非、道理。那客人很有口才,阮瞻和他谈了好久,讲到有关鬼神的事情,反复辩论很激烈。结果那客人理屈词穷了,就变了脸色说:"鬼神是古今圣人贤士都传扬的,你怎么能标新立异偏要说没有呢?就拿我来说,便是个鬼。"于是客人就变成鬼样,一会儿便消失了。阮瞻沉默了,心情面色很不好。过了一年多,他就病死了。

379 吴兴①施续,为寻阳②督,能言论。有门生,亦有理意,常秉无鬼论。忽有一黑衣白袷客来,与共语,遂及鬼神。移日,客辞屈,乃曰:"君辞巧,理不足。仆即是鬼,何以云无?"问:"鬼何以来?"答曰:"受使来取君,期尽明日食时。"门生请乞酸苦。鬼问:"有人似君者否?"门生云:"施续帐下都督,与仆相似。"便与俱往,与都督对坐。鬼手中出一铁凿,可尺余,安著都督头,便举椎打之。都督云:"头觉微痛。"向来转剧，食顷便亡。

[注释]

①吴兴：郡名，治所在乌程，今浙江吴兴南。②寻阳：郡名，辖地在今湖北黄梅西南。

[译文]

吴兴郡的施续，是寻阳郡的大将，善于言谈议论。他有个学生，也很有论辩是非的学识，曾经持无鬼论。忽然有一个身穿黑衣白领的客人来和他一起谈论，于是就谈到鬼神的事。太阳歪西了，那客人理屈辞穷了，就说："你很会说，但理由却不充分。我就是鬼，你凭什么说没有呢？"学生问："你这鬼为什么而来？"鬼回答说："我受到委派来抓你，时间最后只能拖到明天吃饭的时候。"这学生苦苦哀求。鬼便问道："是否有人长得像你？"学生说："施续手下有个都督，和我长得很相像。"学生便带着鬼一起去了，和都督面对面坐着。鬼的手里拿出一把铁凿子，有一尺多长，把它安放在都督的头上后，便举起锤子打这铁凿。都督说："我头上感到稍微有点疼痛。"接着疼痛加剧，一顿饭的工夫就死了。

380　蒋济①字子通，楚国平阿人也。仕魏，为领军将军。其妇梦见亡儿涕泣曰："死生异路。我生时为卿相子孙，今在地下为泰山伍伯②，憔悴困苦，不可复言。今太庙③西讴士孙阿，见召为泰山令，愿母为白侯，属阿，令转我得乐处。"言讫，母忽然惊寤。明日以白济。济曰："梦为虚耳，不足怪也。"日暮，复梦曰："我来迎新君，止在庙下。未发之顷，暂得来归。新君明日日中当发，临发多事，不复得归。永辞于此。侯气强，难感悟，故自诉于母。愿重启侯，何惜不一试验之？"遂道阿之形状，言甚备悉。天明，母重启济："虽云梦不足怪，此何太适适？亦何惜不一验之？"济乃遣人诣太庙下，推问孙阿，果得之，形状证验，悉如儿言。济涕泣曰："几负吾儿。"于是乃见孙阿，具语其事。阿不惧当死，而喜得为泰山令，惟恐济言不信也，曰："若如节下言，阿之愿也。不知贤子欲得何职？"济曰："随地下乐者与之。"阿曰："辄当奉教。"乃厚赏之。言讫，遣还。济欲速知其验，从领军门至庙下，十步安一人，以传消息。辰时传阿心痛，巳时传阿剧，日中传阿亡。济曰："虽哀吾儿之不幸，且喜亡者有知。"后月余，儿复来，语母曰："已得转为录事矣。"

[注释]

①蒋济：三国魏人。《三国志·魏书》有传。②伍伯：门卒差役，掌管开路、行杖之事。此为鬼职。③太庙：天子诸侯的祖庙。

[译文]

蒋济，字子通，楚国平阿县人。他在魏国做官，任领军将军。他妻子梦见死去的儿子哭着对她说："死和生真是两个世界。我活着的时候是将相的子孙，现在在阴间却只是个泰山县的差役，劳累困苦，不能再说了。现在太庙西边的歌手孙阿，被任命为泰山县令，希望母亲替我去告诉当昌陵亭侯的父亲，让他去嘱托孙阿，叫孙阿把我调到快乐的地方。"说完，母亲忽然惊醒了。第二天他母亲把这梦告诉了蒋济，蒋济说："梦都是空的，不值得大惊小怪。"到了晚上，母亲又梦见儿子说："我来迎接新任的县令孙阿，在太庙里歇息。现在趁还没出发之际，暂时可以回来一下。新任的县令明天中午要出发了，到出发的时候事情繁多，我不能再回来了。所以和你就此永别了。父亲脾气倔强，很难使他醒悟，所以我独自向母亲你诉说。希望你再去开导开导父亲，为什么要这样吝啬时间不去孙阿那里验证一下呢？"于是就描述了孙阿的形状，他对孙阿的描述非常详尽。天亮后，母亲又劝导蒋济："虽然说梦里的事情不值得大惊小怪，但这个梦为什么会这样巧合？你又为什么要这样吝音时间不去孙阿那里验证一下呢?"蒋济就派人到太庙边上去打听查询孙阿,果然找到了他,验看他的长相,都和儿子说的一样。蒋济痛哭流涕地说:"我差一点辜负了我的儿子啊!"于是蒋济就召见了孙阿,详细地叙述了这件事情。孙阿并不怕自己将要死去,反而为自己能做泰山县令而感到高兴,他只怕蒋济的话不确实,所以说:"如果真像将军所说的那样,实在是我的愿望啊。不知道贤子想得到什么官职?"蒋济说:"随便把什么阴间的美差给他就行了。"孙阿说:"我立即就按你的吩咐去办。"蒋济就优厚地奖赏了他。说完,就打发孙阿回去。蒋济想快一点知道这事的结果,便从他的领军将军府门直到太庙边,每十步安置一个人,用来传递消息。上午八点钟左右,传言说孙阿心口疼痛,十点钟左右传言说孙阿的心痛加剧,到中午传言说孙阿死了。蒋济说:"我虽然伤心我儿子的不幸,但也为他死后还有知觉而感到高兴。"过了一个多月,儿子又来托梦了,他告诉母亲说:"我已经调任录事参军了。"

381 汉不其①县有孤竹城,古孤竹君之国也。灵帝光和元年,辽西②人见辽水③中有浮棺,欲斫破之,棺中人语曰:"我是伯夷④之弟,孤竹君也。海水坏我棺椁,是以漂流。汝斫我何为?"人惧,不敢斫,因为立庙祠祀。吏民有欲发视者,皆无病而死。

[注释]

①不其:据中华书局本《搜神记》考证,当作"令支",属辽西郡。②辽西:郡名。治所在阳乐,今辽宁义县西。③辽水:即辽河,在辽宁省。④伯夷:商末孤竹君的长子。其弟叔齐。起初孤竹君以叔齐为嗣君,孤竹君死,叔齐让位,伯夷不受。后来二人投奔到周,又反对周武王伐商。武王灭商,二人逃到首阳山,不食周粟而死。

[译文]

汉代令支县内有座孤竹城,它是古代孤竹君的封国。汉灵帝光和元年（178），辽西郡的人看见辽河中漂浮着一口棺材，想要砍破它。棺材里的人对他们说："我是伯夷的弟弟孤竹君。海水冲坏了我的棺材外套，因此我漂流在河中。你们砍我的棺材又是为了什么呢？"人们害怕了，不敢再砍它了，于是给孤竹君建造了庙宇并祭祀他。官吏百姓之中有想打开棺材看一下孤竹君的，都没有生病便死了。

382　温序字公次，太原祈①人也。任护军校尉，行部至陇西②，为隗嚣将所劫，欲生降之。序大怒，以节挝杀人。贼趋欲杀序，苟宇止之曰："义士欲死节。"赐剑，令自裁。序受剑，衔须著口中，叹曰："无令须污土。"遂伏剑死。更始怜之，送葬到洛阳城旁，为筑冢。长子寿，为印平侯，梦序告之曰："久客思乡。"寿即弃官，上书乞骸骨归葬，帝许之。

[注释]

①祈：当作"祁"。②陇西：郡名，治所在狄道（今甘肃临洮南）。

[译文]

温序，字公次，太原郡祁县人氏，任护军校尉。有一次，他巡视部属来到陇西郡，被隗嚣的部将劫持，这些强盗想要他投降。温序十分愤怒，使用符节击杀他们。强盗们奔上去想杀死温序，苟宇阻止他们说："有节操的人要为气节而死。"说完就赐给温序一把宝剑，叫他自杀。温序接过剑，把胡须衔在嘴里，叹息说："别让泥土把我的胡须搞脏了。"于是就拿起剑自刎而死。更始帝爱怜他，把他的尸体送到洛阳城边埋葬了，并给他修筑了坟墓。他的大儿子温寿，为印平侯，曾梦见温序告诉他说："我长时间呆在外地，十分想念家乡。"温寿就辞去了官职，上书乞求将父亲的尸骨迁葬到老家去，皇帝批准了他的请求。

383　汉南阳文颖，字叔长，建安中为甘陵①府丞。过界止宿，夜三鼓时，梦见一人跪前曰："昔我先人，葬我于此，水来湍墓，棺木溺，渍水处半，然无以自温。闻君在此，故来相依。欲屈明日暂住须臾，幸为相迁高燥处。"鬼披衣示颖，而皆沾湿。颖心怆然，即寤，语诸左右，曰："梦为虚耳，亦何足怪？"颖乃还眠。向寐复梦见，谓颖曰："我以穷苦告君，奈何不相愍悼乎？"颖梦中问曰："子为谁？"对曰："吾本赵人，今属汪芒②氏之神。"颖曰："子棺今何所在？"对曰："近在君帐北十数步，水侧枯杨树下，即是吾也。天将明，不复得见，君必念之。"颖答曰："喏。"忽然便寤。天明可发，颖曰："虽云梦不足怪，此何太适？"左右曰："亦何惜须臾，不验之耶？"颖即起，率十数人，将导顺水上，果得一枯杨，曰："是矣。"掘其下，未几，果得棺。棺甚朽坏，半没水中。颖谓左右曰："向闻于人，谓之虚矣。世俗所传，不可无验。"为移其棺，葬之而去。

[注释]

①甘陵：东汉安帝以孝德皇后葬于厝县，故称甘陵，故城在今河北邢台清河南部。②汪芒：古国名。一作"汪罔"。在今浙江德清。

[译文]

汉代南阳郡人文颖，字叔长，建安年间（196—220）任甘陵府丞。有一次他路过边界停下来过夜，半夜三更时分，梦见一个人跪在面前说："过去我的父亲把我埋葬在这里，但是河水流过来涌进了我的坟墓，我的棺材被淹了，有一半老泡在水里，而我也没有什么办法能自己取暖。听见你来到这儿，所以来依靠你。想委屈你明天暂时停留片刻，希望你把棺材搬迁到高爽干燥的地方去。"这个说话的鬼还揭开衣裳给文颖看，的确都浸湿了。文颖心里感到很凄凉，当即醒了过来，就把这梦告诉了身边的人。身边人说："梦都是空的，哪里值得你大惊小怪的？"文颖就又睡了。他一睡着便又梦见了这个鬼,对文颖说:"我把我的困苦告诉了你,怎么不哀怜我呢?"文颖在梦中问道:"你是谁?"鬼回答说:"我本来是赵国人,今天属于汪芒国的神管辖。"文颖说:"你的棺材现在在什么地方?"鬼回答说:"很近,就在你帐篷北边十几步,河边枯杨树下面,就是我的棺材。天就要亮了,我不能再见到你了,你一定要把这事放在心上。"文颖回答说:"好的。"一下子就又醒了。天亮以后该出发了,文颖说:"虽然说梦里的事不值得大惊小怪,但这个梦为什么会这样明明白白?"他身边的人说:"你为什么要吝啬这一点点时间,不去验证一下呢?"文颖便立即起身,率领了十几个人,带着他们顺着河流向上走,果然发现一棵干枯的杨树,便说:"就是这个地方了。"于是挖掘杨树底下,没有多少工夫,果然发现了棺材。棺材已腐烂得很厉害,有一半浸在水中。文颖对身边的人说:"昨晚我把这件事告诉了你们,你们都说梦是空的。其实,社会上流传的东西,是不可能没有验证的。这鬼的托梦便是个很好的说明啊。"于是就为这个鬼搬迁了棺材,埋葬好了才动身赶路。

384 汉九江①何敞,为交州刺史,行部到苍梧郡高安②县,暮宿鹄奔亭。夜犹未半,有一女从楼下出,呼曰:"妾姓苏,名娥,字始珠,本居广信县③,修里人。早失父母,又无兄弟,嫁与同县施氏。薄命夫死,有杂缯帛百二十匹,及婢一人,名致富。妾孤穷羸弱,不能自振,欲之旁县卖缯,从同县男子王伯,赁牛车一乘,直钱万二千,载妾并缯,令致富执辔,乃以前年四月十日,到此亭外。于时日已向暮,行人断绝,不敢复进,因即留止。致富暴得腹痛,妾之亭长舍,乞浆取火。亭长龚寿,操戈持戟,来至车旁,问妾曰:'夫人从何所来?车上所载何物?丈夫安在?何故独行?'妾应曰:'何劳问之。'寿因持妾臂曰:'少年爱有色,冀可乐也。'妾惧怖不从。寿即持刀刺胁下,一创立死。又刺致富，亦死。寿掘楼下，合埋妾在下，婢在上，取财物去。杀牛烧车，车缸及牛骨，贮亭东空井中。妾既冤死，痛感皇天，无所告诉，故来自归于明使君。"敞曰："今欲发出汝尸，以何为验？"女曰："妾上下著白衣，青丝履，犹未朽也。愿访乡里，以骸骨归死夫。"掘之果然。敞乃驰还，遣吏捕捉，拷问具服。下广信县验问，与娥语合。寿父母兄弟，悉捕系狱。敞表寿："常律杀人，不至族诛。然寿为恶首，隐密数年，王法自所不免。令鬼神诉者，千载无一。请皆斩之，以明鬼神，以助阴诛。"上报听之。

[注释]

①九江：郡名，辖地在寿春（今安徽寿县）。②高安：当作"高要"，即今广东肇庆市。③广信县：苍梧郡治所，在今广西梧州市。

[译文]

汉朝九江郡人氏何敞任交州刺史时，有一次视察部属来到苍梧郡高要县，夜里留宿在鹄奔亭。还没有到半夜，便有一个女子从楼下走出来，呼冤叫屈地对他说："我姓苏，名娥，字始珠，本来居住在广信县，是修里人氏。我很早就失去了父母，又没有哥哥弟弟，嫁给了本县的施家，也是我的命薄，丈夫又死了，但还有各种各样的丝织品一百二十匹，以及一名叫致富的婢女。我孤苦伶仃，无依无靠，身体又瘦弱，不能自谋生计，所以想到邻县去卖掉这些丝织品。于是从本县的一个男人王伯那里租了一辆牛车，那牛车值一万二千文钱，载了我和丝织品，叫致富牵了缰绳驾车，就在前年四月十日，来到这鹄奔亭外面。当时太阳已快下山，路上都没人了，我不敢再前进，便到这里留宿。致富突然腹痛，我便到亭长的住处去讨一点茶水和火种。那亭长龚寿，却手拿戈戟，来到车边，问我说：'夫人从什么地方来？车上装的是什么东西？丈夫在哪里？为什么单独一个人赶路？'我回答说：'何必劳驾你问这些事情？'

龚寿竟抓住我的胳膊说:'小伙子喜欢漂亮的姑娘,希望你能让我乐一下。'我十分害怕,不肯依从他。龚寿便拿起刀刺我的肋下,一刀刺进来我就马上死了。他又刺致富,致富也死了。龚寿在楼下挖了坑,把我们合埋在里边,我在底下,我的婢女致富在上面。他取走了财物,杀了牛,烧了车,车轴上的铁和牛骨,都藏在这亭楼东边的空井里。我虽然冤屈而死,但痛切地感到天高皇帝远,实在没有地方去控告申诉,所以便亲自来投诉给你这贤明的刺史。"何敞说:"我现在想挖出你的尸体,用什么来证明那是你的尸体呢?"那女子说:"我上下身都穿着白色的衣服,脚上穿着青丝鞋,还没有腐烂。希望你以后能询问一下我的乡邻,把我的尸骨归葬到我死去的丈夫那里。"何敞叫人把尸体挖了出来,果然是这样。何敞于是赶着马回到自己的官府,派遣差役逮捕犯人,拷问审讯以后,犯人们都服了罪。他又到广信县查问,也和苏娥说的话相合。龚寿的父母兄弟,全部被逮捕入狱。何敞给朝廷所写有关龚寿案的表文说:"按照通常的法律,杀人不至于全家被处死。但龚寿做了罪大恶极的事,家里人却隐瞒了好几年,王法自然不能让他们免受惩罚。而且,让鬼神来申诉的事,千年也碰不上一次。所以我请求把他们都杀了,用来显扬鬼魂的神灵,用来赞助鬼魂对恶人的惩罚。"皇帝批复同意何敞的意见。

385　濡须口①有大船,船覆在水中,水小时,便出见。长老云:"是曹公船。"尝有渔人,夜宿其旁,以船系之,但闻筝笛弦歌之音,又香气非常。渔人始得眠,梦人驱遣云:"勿近官妓。"相传云曹公载妓船覆于此,至今在焉。

386　夏侯恺字万仁,因病死。宗人儿苟奴,素见鬼。见恺数归,欲取马,并病其妻,著平上帻,单衣,入坐生时西壁大床,就人觅茶饮。

[注释]

①濡须口：濡须水汇入长江处，在今安徽无为东南。孙权在建安十七年（212）在此筑堡坞以拒曹操。

[译文]

濡须口有一条大船，船身沉没在水中，水小的时候，它就露出来了。老人们说："这是曹操的船。"曾经有一个渔夫，夜里停宿在它的旁边，把自己的船缚在这条大船上，只听见那船上传来吹奏竽笛、弹拨丝弦以及歌唱的声音，又有非同寻常的香气飘来。渔夫刚入睡，便梦见有人驱赶他说："别靠近官家的歌妓。"传说曹操载歌妓的船就沉在这里，直到现在这条船还在这里。

夏侯恺，字万仁，因生病而死了。他同族人的儿子苟奴，平素能看见鬼。他看见夏侯恺多次回家，想取走马，并为他的病妻担忧，他回家时戴着平上帻，穿着单衣，进屋坐在他在世时经常坐的西墙边的大床上，向人要茶喝。

387　诸仲务一女显姨，嫁为米元宗妻，产亡于家。俗闻产亡者，以墨点面。其母不忍，仲务密自点之，无人见者。元宗为始新①县丞，梦其妻来上床，分明见新白妆面上有黑点。

388　晋世新蔡王昭②，平犊车③在厅事上，夜，无故自入斋室中，触壁而出。后又数闻呼噪攻击之声，四面而来。昭乃聚众，设弓弩战斗之备，指声弓弩俱发，而鬼应声接矢数枚，皆倒入土中。

[注释]

①始新：县名，故城在今浙江淳安西。②新蔡王昭：据中华书局本《搜神记》考证当为"新蔡王子绍"，即新蔡王司马绍。③平犊车：据考为平舆车、平肩舆一类的非载重车。

[译文]

诸仲务有一个女儿叫显姨，嫁给米元宗做妻子，生小孩时死在家中。当时民间的风俗,生小孩而死的,要用墨点在脸上。她母亲不忍心这样做,诸仲务就偷偷地自己去给女儿点墨,没有人看见他这样做。米元宗任始新县丞,梦见他妻子来上床,分明看见她那刚用白粉化过妆的脸上有黑点。

晋代新蔡王司马绍的小车停在官府的厅堂上,晚上,这车子却无缘无故地自己转动起来,闯进了官厅旁边的厢房中,撞破墙壁冲了出去。后来又多次听到呼喊喧闹以及攻打的声音从四面传来。司马绍就召集很多人,准备好弓箭等战斗武器,随着手指拉弦的声音,箭都射出去了,而鬼也随声挨了好几箭,都跌倒在泥土中。

389　吴赤乌三年,句章①民杨度至馀姚。夜行,有一年少,持琵琶,求寄载。度受之。鼓琵琶数十曲,曲毕,乃吐舌擘目,以怖度而去。复行二十里许,又见一老父。自云姓王名戒。因复载之。谓曰:"鬼工鼓琵琶,甚哀。"戒曰:"我亦能鼓。"即是向鬼。复擘眼吐舌,度怖几死。

[注释]

①句(gōu)章:古县名,治所在今浙江余姚东南。

[译文]

吴国赤乌三年(240),句章县百姓杨度到余姚去。他在夜里赶路,有一个拿着琵琶的少年要求搭车,杨度就让他上了车。那少年弹琵琶弹了几十支曲子,弹完后,就吐出舌头瞪着眼睛来吓唬杨度,然后就走了。又走了二十里左右,杨度又看见一个老人,自称姓王名戒。杨度又让他搭了车,还对他说:"鬼善于弹琵琶,弹得很悲哀。"王戒说:"我也会弹。"原来他就是刚才那个鬼,又瞪眼吐舌的,杨度吓得差一点死去。

390　琅琊秦巨伯,年六十,尝夜行饮酒,道经蓬山庙。忽见其两孙迎之,扶持百余步,便捉伯颈著地,骂:"老奴,汝某日捶我,我今当杀汝。"伯思惟某时信捶此孙。伯乃佯死,乃置伯去。伯归家,欲治两孙。两孙惊愕,叩头言:"为子孙,宁可有此?恐是鬼魅,乞更试之。"伯意悟。数日,乃诈醉,行此庙间。复见两孙来,扶持伯。伯乃急持,鬼动作不得。达家,乃是两人也。伯著火炙之,腹背俱焦坼。出著庭中,夜皆亡去。伯恨不得杀之。后月余,又佯酒醉夜行,怀刃以去,家不知也。极夜不还,其孙恐又为此鬼所困,乃俱往迎伯,伯竟刺杀之。

[译文]

琅邪郡人秦巨伯,六十岁了,曾经在夜里出去喝酒,路过蓬山庙的时候,忽然看见他的两个孙子来迎接他。但一个孙子搀扶着他才走了一百多步,便掐住他的脖子把他按倒在地,嘴里骂道:"老奴才!你某某天毒打了我,我今天要杀死你!"秦巨伯仔细想了想,那天的确打过这个孙子。秦巨伯就装死,两个孙子便扔下秦巨伯走了。秦巨伯回到家中,想要处罚两个孙子。两个孙子又惊讶又叹惜,向他磕头说:"当子孙的,哪会有这种事呢?恐怕是鬼魅作祟,求你再去试它一下。"秦巨伯心中有点醒悟了。过了几天,他又假装喝醉了酒,来到这座庙前。又看见两个孙子来搀扶他。秦巨伯连忙把他们紧紧挟住,鬼动弹不得。到家中一看,却是两个庙中的偶像。秦巨伯便点了火烤它们,它们的腹部、背部都被烤得枯焦裂开了,然后把它们提出去扔在院子中,到夜里它们便都逃跑了。秦巨伯后悔自己没能把它们杀了。一个多月后,秦巨伯又假装喝醉了酒在夜里外出,他怀里藏着刀离家,家里的人却不知道。夜深了他还没有回来,他的孙子怕他又被那鬼魅搞得走投无路,就一起去迎接秦巨伯,秦巨伯竟然把自己的两个孙子刺死了。

391 汉武建①元年,东莱人姓池,家常作酒。一日见三奇客,共持面饭至,索其酒饮。饮竟而去。顷之,有人来,云见三鬼酣醉于林中。

392 吴先主杀武卫兵钱小小,形见大街,顾借赁人吴永,使永送书与街南庙,借木马二匹,以酒噀②之,皆成好马,鞍勒俱全。

[注释]

①武建:当作建武。建武元年即公元 25 年。②噀(xùn):喷。

[译文]

汉代建武元年,东莱郡有个姓池的人,家里常常造酒。有一天,他看见三个奇怪的客人,一起拿着面和饭来到他家,向他要酒喝,喝完就走了。一会儿,有一个人来,说他看见三个鬼醉倒在树林里。

吴先主孙权杀死了武卫营中的小兵钱小小,钱死后却在大街上显出原形,并雇用佣工吴永,派他送信给大街南端的庙宇,去借两匹木马。木马借来后,钱小小用酒喷了一下,便都变成了好马,连鞍座和马笼头也都完备。

393 南阳宋定伯,年少时,夜行逢鬼。问之,鬼言:"我是鬼。"鬼问:"汝复谁?"定伯诳之,言:"我亦鬼。"鬼问:"欲至何所?"答曰:"欲至宛市①。"鬼言:"我亦欲至宛市。"遂行数里。鬼言:"步行太迟,可共递相担,何如?"定伯曰:"大善。"鬼便先担定伯数里。鬼言:"卿太重,将非鬼也?"定伯言:"我新鬼,故身重耳。"定伯因复担鬼,鬼略无重。如是再三。定伯复言:"我新鬼,不知有何所畏忌?"鬼答言:"惟不喜人唾。"于是共行,道遇水,定伯令鬼先渡,听之,了然无声音。定伯自渡,漕漼作声。鬼复言:"何以有声?"定伯曰:"新死,不习渡水故耳。勿怪吾也。"行欲至宛市,定伯便担鬼著肩上,急执之,鬼大呼,声咋咋然,索下,不复听之。径至宛市中,下著地,化为一羊,便卖之。恐其变化,唾之。得钱千五百乃去。当时石崇②有言:"定伯卖鬼,得钱千五。"

[注释]

①宛市:宛县的集市。②石崇:西晋人。以富豪闻名,生活极其奢侈。

[译文]

　　南阳郡人氏宋定伯,还在他年轻的时候,一次在夜里走路时碰上了鬼。宋定伯问他,鬼说:"我是鬼。"鬼问宋定伯:"你又是谁?"宋定伯欺骗他说:"我也是鬼。"鬼问:"你要到什么地方去?"宋定伯回答说:"想到宛城的市场上去。"鬼说:"我也想到宛城的市场上去。"于是宋定伯就和鬼一起走了几里路。鬼说:"步行太慢,我们可以互相合作,轮流捎着走,怎么样?"宋定伯说:"那太好了。"鬼就先捎着宋定伯走了几里。鬼说:"你太重,恐怕不是鬼吧?"宋定伯说:"我是新鬼,所以身体才沉重。"接下来宋定伯也捎起了鬼,鬼几乎没有什么重量。他们就如此反复轮换捎着走。宋定伯又说:"我是新鬼,不知道鬼害怕什么?忌讳什么?"鬼回答说:"只是不喜欢人的唾沫。"于是他们还是一起走着。路上碰到了河,宋定伯叫鬼先渡,仔细听着那鬼渡河,一点声音也没有。宋定伯自己渡河时,水声嘈杂。鬼又说:"你渡河为什么有声音?"宋定伯说:"是我刚死,不熟练趟水过河的缘故吧。请你不要奇怪。"快要到宛城的市场了,宋定伯便把鬼捎在肩上,紧紧地捏住他。鬼被捏得大声叫嚷,声音哇哇的,请求宋定伯把他放下来。宋定伯不再听他的,一直把他捎到宛城的市场上,才把他放下扔在地上,鬼却变成了一只羊,宋定伯就把这只羊卖了。怕它再有变化,便对它唾了些口水,得到了一千五百文钱就走了。当时石崇说过这样的话:"定伯卖鬼,得钱千五。"

394　吴王夫差①小女,名曰紫玉,年十八,才貌俱美。童子韩重,年十九,有道术。女悦之,私交信问,许为之妻。重学于齐鲁之间,临去,属其父母,使求婚。王怒,不与女。玉结气死,葬阊门之外。三年重归,诘其父母,父母曰:"王大怒,玉结气死,已葬矣。"重哭泣哀恸,具牲币②,往吊于墓前。玉魂从墓出,见重,流涕谓曰:"昔尔行之后,令二亲从王相求,度必克从大愿。不图别后,遭命奈何!"玉乃左顾宛颈而歌曰:"南山有鸟,北山张罗。鸟既高飞,罗将奈何!意欲从君,谗言孔多。悲结生疾,没命黄垆③。命之不造,冤如之何!羽族之长,名为凤凰。一日失雄,三年感伤。虽有众鸟,不为匹双。故见鄙姿,逢君辉光。身远心近,何当暂忘。"歌毕,歔欷流涕,要重还冢。重曰:"死生异路。惧有尤愆④,不敢承命。"玉曰:"死生异路,吾亦知之。然今一别,永无后期。子将畏我为鬼而祸子乎?欲诚所奉,宁不相信。"重感其言,送之还冢。玉与之饮䜩,留三日三夜,尽夫妇之礼。临出,取径寸明珠以送重,曰:"既毁其名,又绝其愿,复何言哉!时节自爱。若至吾家,致敬大王。"重既出,遂诣王,自说其事。王大怒曰:"吾女既死,而重造讹言,以玷秽亡灵。此不过发冢取物,托以鬼神。"趣⑤收重。重走脱,至玉墓所诉之。玉曰:"无忧。今归白王。"王妆梳,忽见玉,惊愕悲喜,问曰:"尔缘何生?"玉跪而言曰:"昔诸生韩重,来求玉,大王不许,玉名毁义绝,自致身亡。重从远还,闻玉已死,故赍牲币,诣冢吊唁。感其笃终,辄与相见,因以珠遗之。不为发冢,愿勿推治。"夫人闻之,出而抱之。玉如烟然。

[注释]

①夫差:春秋时期吴国君主,在位共二十三年(前496—前473)。夫差

长期穷兵黩武,民力凋敝,难以与越抗衡。前473年,越兴兵,终灭吴国,夫差自杀。②牲币:牺牲和币帛。古代用以祭祀日月星辰、社稷、五岳等。后泛指一般祭祀供品。③黄垆:亦作"黄垆"、"黄庐"或"黄炉",指黄泉。④尤愆(qiān):罪咎。⑤趣:通"促",催促。

[译文]

　　吴王夫差的小女儿名叫紫玉,年纪十八岁,才能和容貌都很出色。当时有个少年叫韩重,十九岁,有道术。紫玉爱上了他,私下派人给他送信,心许做他的妻子。韩重要到齐、鲁一带去求学。临走时,把这婚事托付给了自己的父母,让他们去求婚。吴王很恼火,不肯把女儿嫁给韩重。紫玉因此郁闷而死,埋葬在阊门的外边。三年后韩重回到家中,问他的父母,父母说:"吴王非常恼火,紫玉也郁结而死,早已埋葬了。"韩重痛哭流涕,十分悲哀,他准备了祭品礼物,去紫玉墓前悼念她。紫玉的灵魂从坟墓中走了出来,和韩重见面后,流着眼泪对韩重说:"过去你走了以后,你双亲向父王求婚,想必能成全我这终生大愿。没料到分别以后,遭到这样的命运,又有什么办法呢?"紫玉于是向左边掉过头去唱道:"南山有只乌鹊,北山张网罗。乌鹊已高飞,罗网没奈何!本想嫁给你,坏话又太多。郁结生重病,没命葬黄土。命运真不好,冤死又如何!鸟类的大王,名字叫凤凰。一日失雄凤,三年多悲伤。虽有众鸟在,不愿配成双。故显鄙陋身,迎你满面光。身远心相近,哪有一刻忘?"唱完后,紫玉抽泣流泪,邀请韩重一起回到坟墓里。韩重说:"死和生是两个世界。我怕有罪过,不敢接受你的邀请。"紫玉说:"死和生是两个世界,我也知道这个道理。但是今天一分别,以后就永远没有见面的机会了。你是怕我成了鬼而来祸害你吗?我是要真诚地把自己奉献给你,难道你不相信?"韩重被她的话感动了,就送她回到坟墓里去。紫玉置办了酒宴款待他,留他住了三天三夜,尽到了夫妻之间的礼仪。韩重将要出坟墓时,紫玉拿了一颗直径一寸的明珠送给韩重,对他说:"父王既毁坏了我的名声,又断绝了我的心愿,还有什么话可说呢?季节交替气候变化时你要多加保重。如果去我家,请你代我向父王表示敬意。"韩重出了坟墓,就去拜见吴王,主动叙述了这些事情。吴王大发雷霆,说:"我女儿已经死了,你却制造谣言,来污辱死者的灵魂。这不过是你偷挖坟墓盗窃宝物而假托鬼神罢了。"于是急忙下令逮捕韩重。韩重逃跑了,来到紫玉的坟地诉说了这件事。紫玉说:"别担心,我现在就回去向父王说明。"吴王正在梳洗,忽然看见紫玉,大吃一惊,又悲又喜,问道:"你怎么又活了?"紫玉跪着说道:"过去书生韩重来求婚,大王不同意。我的名誉被毁坏了,我对他的情义被截断了,所以我自己把自己折磨死了。韩重从远方回来,听说我已经死了,所以特地送来了祭品礼物,到坟上悼念我。我感激他情意深厚,始终如一,就立即和他见了面,接着又把明珠送给了他。他没有去挖我的坟,请大王别再追究他了。"吴王的夫人听见紫玉的声音,便出来抱住她,紫玉却像烟一样消失了。

395 陇西辛道度者,游学至雍州①城四五里,比见一大宅,有青衣女子在门。度诣门下求飡②。女子入告秦女,女命召入。度趋入阁中,秦女于西榻而坐。度称姓名,叙起居,既毕,命东榻而坐。即治饮馔。食讫,女谓度曰:"我秦闵王女,出聘曹国,不幸无夫而亡。亡来已二十三年,独居此宅。今日君来,愿为夫妇。"经三宿三日后,女即自言曰:"君是生人,我鬼也。共君宿契,此会可三宵,不可久居,当有祸矣。然兹信宿,未悉绸缪,既已分飞,将何表信于郎?"即命取床后盒子开之,取金枕一枚,与度为信。乃分袂泣别,即遣青衣送出门外。未逾数步,不见舍宇,惟有一冢。度当时荒忙出走,视其金枕在怀,乃无异变。寻至秦国,以枕于市货之。恰遇秦妃东游,亲见度卖金枕，疑而索看，诘度何处得来？度具以告。妃闻，悲泣不能自胜。然尚疑耳。乃遣人发冢，启柩视之，原葬悉在，唯不见枕。解体看之，交情宛若，秦妃始信之。叹曰："我女大圣，死经二十三年，犹能与生人交往，此是我真女婿也。"遂封度为驸马都尉[3]，赐金帛车马，令还本国。因此以来，后人名女婿为"驸马"。今之国婿，亦为驸马矣。

[注释]

①雍州：中国古九州之一。现在陕西省中部北部、甘肃省（除去东南部）、青海省的东北部和宁夏回族自治区一带地方。雍州地区自西周到西晋始终是京畿或附近。汉武帝设十三州刺史部时，该地区以西属凉州，东归司隶校尉，不独立设州。②飧（sūn）：晚上吃的食品。③驸马都尉：古代官职之一。汉武帝时始置驸马都尉，驸，即副。驸马都尉，掌副车之马。魏晋后帝王的女婿加此称号，简称驸马。

[译文]

陇西郡有个叫辛道度的人，外出求学到雍州城，离城还有四五里路，看见近处有一座很大的住宅，一个身穿青衣的婢女站在门口。辛道度便到门前请求吃顿晚饭。婢女进去报告了秦王的女儿，秦姑娘便叫婢女去让辛道度进屋。辛道度有礼地小步走进阁子中，秦姑娘在西边的床榻上坐着。辛道度报上了自己的姓名，请了安，寒暄问候完毕，秦姑娘便叫他坐在东边的床榻上。接着就准备好了酒菜饮食一起进餐。吃完后，秦姑娘对辛道度说："我是秦闵王的女儿，出聘给曹国，不幸我还没有成婚就死了。到如今已经二十三年，独自一个人居住在这住宅里。今天你来了，我希望和你做夫妻。"经过了三夜三天以后，秦姑娘便主动对辛道度说："你是活人，我是鬼。虽然和你早就有了缘分，但这种幽会只可以有三夜，你不可以再住下去了，否则，就会有祸害了。但是这么短暂的一两夜，还没有能够尽情地了却我们之间那如胶似漆的缠绵情意，既然我们现在要分别了,我拿什么来向郎君表明我终身相许的真情呢?"说完当即就叫婢女把床后的盒子拿来打开,取出一个金枕,给辛道度作为信物。秦姑娘于是哭泣着和辛道度分手告别,又派婢女把他送出门外。辛道度还没走几步,这房屋就不见了,只有一座坟墓。辛道度当时慌忙逃跑,看看那金枕倒还在怀里,并没有发生什么变化。不久他便来到秦国,于是就把这金枕放在市场上出售。恰巧碰到秦妃到东方游玩,亲眼看见辛道度在卖金枕,因为有点怀疑,就向辛道度要来仔细察看,并追问辛道度是从什么地方搞到的,辛道度详细地把那事情的前后经过告诉了秦妃。秦妃听了后,禁不住悲哀地哭泣起来。但是她还有点怀疑,就派人去挖那坟墓,打开棺材仔细查看,只见原先葬下去的东西都在,只是不见了金枕。解开衣服验看秦姑娘的身体,男女交欢的痕迹宛然在目,秦妃这才相信了。她深有感慨地说:"我的女儿真是十分神通,死了二十三年,还能和活人交往,这辛道度是我真正的女婿啊。"于是就封辛道度为驸马都尉,赐给他金帛车马,叫他回到自己国内。从这件事发生以来,后代人们把女婿称为驸马。如今帝王的女婿,也被称作驸马了。

396　汉谈生者,年四十,无妇,常感激读《诗经》。夜半,有女子年可十五六,姿颜服饰,天下无双,来就生,为夫妇。之言曰:"我与人不同,勿以火照我也。三年之后,方可照耳。"与为夫妇。生一儿,已二岁,不能忍,夜伺其寝后,盗照视之。其腰已上,生肉如人,腰已下,但有枯骨。妇觉,遂言曰:"君负我。我垂生矣,何不能忍一岁而竟相照也?"生辞谢。涕泣不可复止,云:"与君虽大义永离,然顾念我儿,若贫不能自偕活者,暂随我去,方遗君物。"生随之去,入华堂室宇,器物不凡,以一珠袍与之,曰:"可以自给。"裂取生衣裾,留之而去。

后生持袍诣市,睢阳王①家买之,得钱千万。王识之曰:"是我女袍,那得在市?此必发冢。"乃取拷之。生具以实对,王犹不信。乃视女冢,冢完如故。发视之,棺盖下果得衣裾。呼其儿视,正类王女。王乃信之。即召谈生,复赐遗之,以为女婿。表其儿为郎中②。

[注释]

①睢阳王:汉所封宗室诸侯王。睢阳为封国,即梁国。②郎中:官名。始于战国。隋唐到清,朝廷各部均设郎中,是帝王的侍从官,为司的长官。

[译文]

汉朝有个叫谈生的,年纪四十岁了,还没有妻子,常常因为心中有所感慨激动而诵读《诗经》。有一天半夜,有个姑娘年纪大约有十五六岁,体态容貌和衣着打扮,天下没有谁能比得上她的,主动来接近谈生,和他做夫妻。说道:"我和人不同,你不要用火来照我。三年以后,才可以照照罢了。"谈生就和她结成了夫妻。后来生了一个儿子,已经两岁了,谈生实在忍不住了,便在夜里等妻子入睡后,偷偷地用火烛照着看她。只见她的腰部以上,像人一样长着肉,腰部以下,只有枯骨。妻子醒了,就说道:"你辜负了我。我快要活了,你为什么不能再忍耐一年而竟然在现在来照我呢?"谈生连忙向她道歉。他妻子痛哭流涕再也忍不住了,对谈生说:"虽然和你永远断绝了夫妻关系,但我顾念我的儿子,如果你穷得不能连他一起养活,就暂且跟我走一趟,我要送给你一点东西。"谈生跟着妻子去了,进入一间华丽的堂屋,里面的器物都非同寻常,他妻子拿了一件缀着珠宝的长袍给了他,说:"可以靠它来养活你自己了。"她撕了一片谈生的衣襟,谈生就把衣襟留下走了。后来谈生拿着这珠袍到市场上出售,睢阳王家的人买了它,谈生得到了成千上万的钱。睢阳王认识那长袍,说:"这是我女儿的长袍,哪会在市场上呢?这一定是挖了我女儿的坟墓。"于是他就把谈生抓来拷问。谈生详细地把实情如实回答。睢阳王还不相信。于是就去察看女儿的坟墓,那坟墓还是像原来那样完好无损。掘开坟墓察看,棺材盖下面果然发现了谈生的衣襟。又把谈生的儿子叫来细看,也正像自己的女儿。睢阳王这才相信谈生的话,便召见了谈生,又把那女儿的珠袍赠送给了他,把他当做自己的女婿。还上书朝廷推荐谈生的儿子当了郎中。

397 卢充者,范阳①人。家西三十里,有崔少府②墓。充年二十,先冬至一日,出宅西猎戏。见一獐,举弓而射,中之。獐倒复起,充因逐之,不觉远。忽见道北一里许,高门,瓦屋四周,有如府舍。不复见獐。门中一铃下唱:"客前。"充曰:"此何府也?"答曰:"少府府也。"充曰:"我衣恶,那得见少府?"即有一人,提一袭新衣,曰:"府君以此遗郎。"充便著讫,进见少府,展姓名。酒炙数行,谓充曰:"尊府君不以仆门鄙陋,近得书,为君索小女婚,故相迎耳。"便以书示充。充父亡时虽小,然已识父手迹,即欷歔,无复辞免。便敕内:"卢郎已来,可令女郎妆严。"且语充云:"君可就东廊。"及至黄昏,内白:"女郎妆严已毕。"充既至东廊,女已下车,立席头,却共拜。时为三日,给食。三日毕,崔谓充曰:"君可归矣。女有娠相,若生男,当以相还,无相疑;生女,当留自养。"敕外严车送客。充便辞出。崔送至中门,执手涕零。出门,见一犊车,驾青衣,又见本所著衣及弓箭,故在门外。寻传教将一人,提襥③衣,与充相问曰:"姻缘始尔,别甚怅恨,今复致衣一袭,被褥自副。"充上车,去如电逝。须臾至家,家人相见悲喜。推问,知崔是亡人而入其墓,追以懊惋。别后四年,三月三日,充临水戏,忽见水旁有二犊车,乍沉乍浮。既而近岸,同坐皆见。而充往开车后户,见崔氏女与三岁男共载。充见之忻然,欲捉其手。女举手指后车曰:"府君见人。"即见少府。充往问讯。女抱儿还充,又与金锛④,并赠诗曰:"煌煌灵芝质,光丽何猗猗。华艳当时显,嘉异表神奇。含英未及秀,中夏罹霜萎。荣耀长幽灭,世路永无施。不悟阴阳运,哲人忽来仪。会浅离别速,皆由灵与祇。何以赠余亲?金锛可颐儿。恩爱从此别,断肠伤肝脾。"充取儿、锛及诗,忽然不见二车处。充将儿还,四坐谓是鬼魅,佥遥唾之,形如故。问儿:"谁是汝父?"儿径就充怀。众初怪恶,传省其诗,慨然叹死生之玄通也。充后乘车入市卖锛。高举其价,不欲速售,冀有识。欻有一老婢识此,还白大家⑤曰:"市中见一人乘车,卖崔氏女郎棺中锛。"大家即崔氏亲姨母也。遣儿视之,果如其婢言。上车,叙姓名。语充曰:"昔我姨嫁少府,生女,未出而亡。家亲痛之,赠一金锛,著棺中。可说得锛本末。"充以事对。此儿亦为之悲咽。赍还白母。母即令诣充家,迎儿视之。诸亲悉集。儿有崔氏之状,又复似充貌。儿、锛俱验,姨母曰:"我外甥三月末间产。父曰:'春煖温也。愿休强也。'即字温休⑥。温休者,盖幽婚也。其兆先彰矣。"儿遂成令器,历郡守二千石。子孙冠盖,相承至今。其后植,字子干,有名天下。

[注释]

①范阳:古地名,历史上所辖区域多有变动,约在今北京市和河北省保定市北部。②少府:官名,始于战国。秦汉相沿,为九卿之一。掌宫中御衣、宝货、珍膳等。③褓(bǔ):包袱。④锛:同"碗"。⑤大家(gū):奴婢对主人的尊称,此指女主人。⑥温休:隐喻幽婚,是魏晋时的隐语,利用的是反切的原则,"温"与"休"拼合读为"幽","休"与"温"拼合则为"婚"。

[译文]

卢充,范阳郡人。在他家西面三十里的地方,有崔少府的坟墓。卢充当时二十岁,在冬至前一天,他到住宅西边打猎游玩。看见一只獐,便拿起弓射它,把它射中了。獐跌倒了又爬起来逃跑,卢充便追赶它,不知不觉追了很远。忽然看见路北一里左右的地方,有一座高大的门第,瓦房四面环绕,好像是官家府地,不再有獐子了。大门当中一个侍从高声传呼道:"贵客请进。"卢充问:"这是什么府第呀?"回答说:"是崔少府的府第。"卢充说:"我衣服破烂,哪能去见少府呢?"这时立即有个人拿来一包新衣服,对卢充说:"府君把这个送给你。"卢充便换好衣服,进去拜见少府,通报了自己的姓名。酒斟了数巡、菜上了几道后,少府便对卢充说:"令尊大人不嫌我门第卑贱,最近收到他的信,为你向我小女求婚,所以我才把你接了来。"说完便把信拿给卢充看。父亲死的时候,卢充虽然很小,但已经能认识父亲的笔迹了,所以看到信后便马上哽咽起来,也不再推辞了。少府便吩咐家里的人说:"卢郎已经来了,可以叫女儿梳妆打扮好。"又对卢充说:"你可以到东厢房去。"等到黄昏,里面的人说:"小姐梳妆打扮已经完毕。"卢充到了东厢房,小姐已经下了车,站在席边,和卢充一起拜堂。喜庆的时间是三天,每天都大办酒席。三天过去了,崔少府对卢充说:"你可以回家了。我女儿有怀孕的迹象,如果生男孩,会抱来还给你,请你放心;如果生女孩,就留下来让她自己抚养。"又命令外面的侍从准备好车辆送客人,卢充便告辞出门。崔少府送到大门口,握着他的手眼泪直淌。卢充出了大门,看见一辆小牛车,套着一头青牛("衣"当作"牛"),又看见自己原来所穿的衣服和弓箭仍在门外。不久,崔少府又传令让一个人提着包衣服交给卢充,并慰问他说:"姻缘就这样开始了,分别却使我家小姐十分惆怅怨恨。现在再送给你一套衣服,被褥也配备好了。"卢充上了车,像闪电般地离去了。一会儿到了家,家人看见他悲喜交集。打听查询后,才知道崔少府是死人而卢充进了他的坟墓。卢充回忆着那一切,十分懊恼惋惜。分别后四年的三月初三,卢充到河边游玩,忽然看见河边有两辆小牛车,忽沉忽浮。一会儿靠近了岸边,和卢充坐在一起的人都看见了。卢充开了车子的后门,看见崔氏女和一个三岁的男孩一起坐在车中。卢充看见了他们很高兴,想去握住她的手。崔氏姑娘举起手来指着后面的车子说:"郎君快去拜见大人。"卢充拜见崔少府,上前问候。崔氏姑娘抱着儿子还给了卢充,又给了他一只金碗,还赠给他一首诗,写道:"姿色辉煌像灵芝,光泽丰满多美丽。漂亮艳丽谁不知,夸我出众又神奇。含花欲放未及开,盛夏遭霜全枯萎。华丽荣耀永消逝,人间道路全隔离。阴阳命运看不透,贤郎忽然来偎倚。交欢短暂离别速,都由神灵来管理。赠送亲人用什么?送只金碗可养子。恩爱夫妻从此别,心碎肠断肝脾裂。"卢充接过儿子、金碗和诗,忽然之间两辆车子就不见了。卢充带着儿子回到岸上,在座的人说这儿子是鬼,就都远远地朝他吐唾沫,但他儿子的形状却还是老样子。大家就问这孩子:"谁是你的父亲?"孩子径直扑进卢充怀里。大家开始还有点奇怪厌恶,等到传阅了那首诗以后,便都感慨地叹息死人和活人之间这种玄妙的交往。卢充后来驾车到集市上去出售金碗,故意抬高它的价格,不想让它很快就卖掉,期待着认识金碗的人到来。忽然有一个年老的婢女认识这只碗,便回去告诉女主人说:"我在集市上看见一个人坐在车上,出售崔氏姑娘棺材中的金碗。"这女主人就是崔氏姑娘的亲姨母。她派儿子去查看,果然像那个老婢女讲的。他便上了卢充的车,通报了自己的姓名,对卢充说:"过去我的姨母嫁给了崔少府,生了个女儿,还没有出嫁就死了。我母亲很悲痛,赠送给她一只金碗,把它放在棺材中。你能否说说你得到这只金碗的前后经过?"卢充便把那事情的经过告诉了他。那孩子也为此悲伤地抽泣起来,于是便带着金碗回去把这事情告诉了母亲。母亲便叫他到卢充家里,把卢充的儿子接来看看。所有的亲友都来了。那儿子有崔氏姑娘的形状，又有点像卢充的相貌。儿子和金碗都得到了验证。姨母说："我的外甥女是三月底降生的。她父亲说：'春天温暖，祝愿她体美健强。'于是就给她取了个名字叫温休。'温休'，大概就是'幽婚'，是在阴间结婚的意思吧。她在死后成婚的预兆早在取名时就很明显了。"卢充的儿子长大后很有才器，做过俸禄为二千石的郡守。子孙都做官，一直承袭到现在。他的后代卢植，字子干，更是天下闻名。

398 后汉时，汝南汝阳①西门亭，有鬼魅。宾客止宿，辄有死亡。其厉厌者，皆亡发失精。寻问其故，云："先时颇已有怪物。其后郡侍奉掾宜禄②郑奇来，去亭六七里，有一端正妇人，乞寄载。奇初难之，然后上车。入亭，趋至楼下。亭卒白：'楼不可上。'奇云：'吾不恐也。'时亦昏冥，遂上楼，与妇人栖宿。未明发去。亭卒上楼扫除，见一死妇，大惊，走白亭长。亭长击鼓，会诸庐吏，共集诊之。乃亭西北八里吴氏妇。新亡，夜临殡火灭，及火至，失之。其家即持去。奇发行数里，腹痛，到南顿③利阳亭加剧物故。楼遂无敢复上。"

[注释]

①汝南：郡名。汝阳：县名。汝阳县治所在今河南商丘。②郡侍奉掾：郡守所设属官，协助郡守处理日常事务。宜禄：古县名，属汝南郡。③南顿：古县名，故城在河南项城。

[译文]

东汉时，汝南郡汝阳县西门亭有鬼魅。旅客在亭楼中留宿，总是有人死亡。被恶鬼残害的人，都掉了头发，遗精而死。探问其中缘故，那里的人说："从前这里也常有怪物。后来汝南郡的侍奉掾宜禄县人郑奇来这儿，离亭还有六七里，忽然有个打扮得很整齐的妇女请求搭车。郑奇开始为难她，然后就让她上了车。他们到了亭中,便匆匆赶到楼下。守亭的士兵说:'这楼上不得。'郑奇说:'我不怕。'当时天色也已经昏暗了,于是郑奇就上了楼,和这妇女睡了。天还没亮,郑奇就动身走了。守亭的士兵上楼去打扫,竟看见一具女尸,他十分惊惧,就跑去报告了亭长。亭长马上敲鼓,召集了所有的侍从差役,一起去查看。原来这妇女是西门亭西北八里处的吴家媳妇,最近刚死,昨天晚上快要下葬了,火烛却熄灭了,等到点了火烛再拿来,尸体就不见了。现在一经发现,吴家的人就来把这尸体抬走了。郑奇动身走了几里路,小腹开始疼痛,走到南顿县利阳亭,腹痛加剧,人便死了。从此,这楼上就没有人再敢上去了。"

399　颖川钟繇①,字元常,尝数月不朝会,意性异常。或问其故,云:"常有好妇来,美丽非凡。"问者曰:"必是鬼物,可杀之。"妇人后往,不即前,止户外。繇问:"何以?"曰:"公有相杀意。"繇曰:"无此。"勤勤呼之,乃入。繇意恨,有不忍之,然犹斫之,伤髀。妇人即出,以新绵拭,血竟路。明日,使人寻迹之。至一大冢,木中有好妇人,形体如生人。著白练衫,丹绣裲裆。伤左髀,以裲裆中绵拭血。

[注释]

①钟繇(151—230):字元常,颖川长社(今河南长葛)人。三国时期曹魏著名书法家、政治家。官至太傅,魏文帝时与当时的名士华歆、王朗并为三公。②裲裆:古作"两当",即背心。

[译文]

颖川郡的钟繇,字元常,曾经几个月不上朝,他的神色气质与平时不同。有人问他这是什么缘故,他说:"这几个月常常有一个美女到我这儿来,她漂亮得非同一般。"问他的人说:"这美女一定是个鬼,你可以把她杀了。"那美女后来又来了,却不马上走到钟繇跟前，而停在门外。钟繇问她："你为什么不进门？"那女人说："因为你有杀我的念头。"钟繇说："我根本没有这种想法。"便殷勤地连声呼唤她，她才进了屋。钟繇心里很恨她，却又有点不忍心，但还是砍了她一刀，伤了她的大腿。这女人马上出了门，用新棉花揩擦，鲜血滴满了她走过的路。第二天，钟繇派人按照这血迹去找她，便来到一座大坟前，棺材中有一个漂亮的女人，身体就像活人一样，穿着白色的丝绸衫、红色的绣花背心，被砍伤了的左大腿，还用背心中的棉絮揩擦了鲜血。

卷十七

400　陈国①张汉直,到南阳,从京兆尹延叔坚学《左氏传》②。行后数月,鬼物持其妹,为之扬言曰:"我病死,丧在陌上,常苦饥寒。操二三量不借③,挂屋后楮上;傅子方送我五百钱,在北墉下,皆忘取之。又买李幼一头牛,本券在书箧中。"往索取之,悉如其言。妇尚不知有此。妹新从婿家来,非其所及。家人哀伤,益以为审。父母诸弟,衰绖④到来迎丧,去舍数里,遇汉直与诸生十余人相追。汉直顾见家人,怪其如此。家见汉直,谓其鬼也,怅惘良久。汉直乃前为父拜,说其本末,且悲且喜。凡所闻见,若此非一,得知妖物之为。

[注释]

①陈国:春秋战国时代的诸侯国,辖地大致为现在的河南东部和安徽一部分。前478年,楚国灭陈。②《左氏传》:即《左氏春秋传》,或者称《左氏春秋》,是一部史学名著和文学名著,是我国现存第一部叙事详细的编年体史书。旧时相传是春秋末年左丘明为解释孔子的《春秋》而作。是儒家重要经典之一。③量:通"緉",即"双",计量鞋的量词。不借:粗制的麻鞋,方言词(从周生亚先生说)。④衰绖(cuī dié):丧服。古人丧服胸前当心处缀有长六寸、广四寸的麻布,名衰,因名此衣为衰;围在头上的散麻绳为首绖,缠在腰间的为腰绖。衰、绖两者是丧服的主要部分。

[译文]

陈国的张汉直到南阳郡去,跟随京兆尹延叔坚学习《左传》。他走了几个月以后,妖怪挟持他的妹妹,通过他妹妹的口扬言道:"我病死了,尸体还在路上,魂儿还常常受到饥饿与寒冷的困扰。我过去打好的两三双麻鞋,挂在屋后的楮树上;傅子方送给我五百文钱,放在北墙下面。这些东西我都忘记拿了。还有我向李幼买了一头牛,凭证放在书箱中。"大家去找这些东西,都像他妹妹说的那样。连他的妻子都还不知道有这些东西,他妹妹刚从丈夫家里来,也不是张汉直所能碰到的。所以家里人十分悲伤,更加认为张汉直的死是确定无疑的了。于是父母兄弟,都穿了丧服来接丧。离学府还有几里地,他们却碰上张汉直和十几个同学一起走着。张汉直看见了家里人,奇怪他们穿戴成这个样子。家里人看见张汉直,以为他是鬼,惆怅迷惘了很长时间。张汉直就上前向父亲行了礼。他父亲把事情的前后经过说了,父子俩真是悲喜交加。凡是我所听到看到的,像这样的事情并非只有一件,所以我才知道这是妖怪造成的。

401　汉陈留外黄①范丹,字史云,少为尉从佐使,橄谒督邮②。丹有志节,自恚③为厮役小吏。乃于陈留大泽中,杀所乘马,捐弃官帻,诈逢劫者。有神下其家曰:"我史云也。为劫人所杀。疾取我衣于陈留大泽中。"家取得一帻。丹遂之南郡,转入三辅,从英贤游学,十三年乃归,家人不复识焉。陈留人高其志行,及没,号曰贞节先生。

[注释]

①外黄:秦置县,在今河南民权西北,唐废。②督邮:官名。始置于西汉中期,郡守属吏,掌监属官。汉时位轻权重,凡传达教令,督察属吏,案验刑狱,检核非法等,无所不管。③恚:怨恨,愤怒。

[译文]

汉朝陈留郡外黄县的范丹,字史云,年轻时曾当过尉从佐使这种小办事员,奉命给督邮送文书。范丹是个有志气的人,他惭愧自己只能当这种差役小吏,于是就在陈留郡的大泽中,杀死了他骑的马,扔掉了他当差役所戴的头巾,假装自己遭到了抢劫。有个神灵降临到他家中,对他家里的人说:"我是史云,被强盗杀死了。你们赶快到陈留郡的大泽中去收拾我的衣服。"家里人去了,拿到了一块头巾。范丹于是到了南郡,又转移到京畿地区,跟随那些精英贤良求学,十三年以后才回到家中,家里人都不再认识他了。陈留郡的人们推崇他的志气德行,在他死后,给他取了个号叫贞节先生。

402　吴人费季,久客于楚。时道多劫,妻常忧之。季与同辈旅宿庐山①下,各相问出家几时。季曰:"吾去家已数年矣。临来,与妻别,就求金钗以行,欲观其志,当与吾否耳。得钗,乃以著户楣上。临发,失与道。此钗故当在户上也。"尔夕,其妻梦季曰:"吾行遇盗,死已二年。若不信吾言,吾行时取汝钗,遂不以行,留在户楣上。可往取之。"妻觉,揣钗得之,家遂发丧。后一年余,季乃归还。

[注释]

①庐山:地处江西省北部的鄱阳湖盆地,以雄、奇、险、秀闻名于世,素有"匡庐奇秀甲天下"之美誉。

[译文]

吴国人费季,寄居在楚国已很久了,当时路上经常发生抢劫事件,妻子常常为他担忧。费季和同伴们在庐山下投宿,各人互相询问离家有多久了。费季说:"我离家已经好几年了。临走的时候,我和妻子告别,去向她要了一枚金钗才动身,我只是想试试她的心,看她是否会给我罢了。我拿到了金钗,就把它放在门框上端的横木上。等我动身的时候,忘了对她说。这金钗肯定还在门上。"这天晚上,他的妻子梦见费季说:"我走在路上碰到了强盗,死了已经两年。如果你不相信我的话,我走的时候拿了你的金钗,并没有把它带走,而是把它放在门框上端的横木上,你可以去把它取下来。"他妻子醒了,去摸了一下门框上,果然拿到了金钗,家里就相信费季真是死了,便给他办了丧事。过了一年多,费季却回家了。

403 馀姚虞定国,有好仪容。同县苏氏女,亦有美色。定国常见,悦之。后见定国来,主人留宿,中夜,告苏公曰:"贤女令色,意甚钦之。此夕能令暂出否?"主人以其乡里贵人,便令女出从之。往来渐数,语苏公云:"无以相报。若有官事,某为君任之。"主人喜。自尔后,有役召事,往造定国。定国大惊,曰:"都未尝面命,何由便尔?此必有异。"具说之。定国曰:"仆宁肯请人之父而淫人之女?若复见来,便当斫之。"后果得怪。

[译文]

余姚县的虞定国,生得仪表堂堂。同县的苏家姑娘,也很漂亮。虞定国曾经见过她,便爱上了她。后来苏家看见虞定国前来,主人就留他过夜。半夜时分,虞定国对苏公说:"贤女长得很漂亮,我心里十分钦佩仰慕她。今晚是否能叫她出来一下呢?"主人因为虞定国是当地的高贵人物,便叫女儿出来陪伴侍候他。于是虞定国来往渐渐频繁,他告诉苏公说:"我没有什么来报答你。如果有什么官府中的公差,我就替你承担吧。"主人听了很高兴。在这以后,有个差役叫苏家主人去服役,主人就去找虞定国。虞定国十分惊讶,说:"我和你根本没有面谈过,你怎么会这样?这里面一定有怪异。"苏家主人就详细地把那事情说了。虞定国说:"我难道肯乞求人家的父亲要求奸淫人家的女儿?如果你再看见他来,就该把他杀了。"后来苏公果然捉到了妖怪。

404　吴孙皓世,淮南内史朱诞①,字永长,为建安太守。诞给使②妻有鬼病,其夫疑之为奸。后出行,密穿壁隙窥之。正见妻在机中织,遥瞻桑树上,向之言笑。给使仰视树上,有一年少人,可十四五,衣青衿袖,青幧头。给使以为信人也,张弩射之。化为鸣蝉,其大如箕,翔然飞去。妻亦应声惊曰:"噫!人射汝。"给使怪其故。后久时,给使见二小儿在陌上共语。曰:"何以不复见汝?"其一即树上小儿也,答曰:"前不遇,为人所射,病疮积时。"彼儿曰:"今何如?"曰:"赖朱府君梁上膏以傅之,得愈。"给使白诞曰:"人盗君膏药,颇知之否?"诞曰:"吾膏久致梁上,人安得盗之?"给使曰:"不然。府君视之。"诞殊不信。试为视之,封题如故。诞曰:"小人故妄言,膏自如故。"给使曰:"试开之。"则膏去半。为掊刮,见有趾迹。诞因大惊。乃详问之,具道本末。

[注释]

①朱诞:晋人,字永长,吴郡(今江苏苏州)人,官至议郎。②给使:侍从人员。

[译文]

在吴国孙皓时,淮南内史朱诞,字永长,任建安太守。朱诞的侍从的妻子患有鬼病,她的丈夫却怀疑她有奸情。后来侍从外出,便偷偷地在墙上打了个洞来监视她。正好看见妻子在布机上织布,但她的眼睛却远望桑树,和树上的人说说笑笑。侍从抬头看那树上,只见有一个年轻人,大约在十四五岁,穿着青衣服,戴着青头巾。侍从把他当做真人,便拉弓射他。他却变成了一只蝉,大如箕箕,伸展着翅膀飞走了。妻子也随着那射箭声惊讶地说:"呀!有人射你。"侍从觉得这事很奇怪。后来又过了很长一段时间,侍从看见两个小孩在路上交谈。有一个说:"为什么老是看不见你?"其中一个就是树上的小孩,他回答说:"上次倒霉,被人射了,伤病拖了很长时间。"那小孩又问:"现在怎么样了?"这小孩说:"全靠了朱太守梁上的膏药,我把它拿来敷在伤口上,这才痊愈了。"侍从对朱诞说:"有人偷了你的膏药,你是否有所察觉?"朱诞说:"我的膏药早就放到了梁上,别人哪能偷得着呢?"侍从说:"不一定这样吧。你还是去看看它。"朱诞根本不相信。他试探着去看看,那膏药还是像过去那样原封没动。朱诞便说:"小子故意胡说八道,膏药明明还是像原来那样。"侍从说:"打开试试看。"朱诞一打开,只见那膏药早就丢了一半。是刮掉的,还看得见有脚趾的痕迹。朱诞因而非常惊讶,就详细地问侍从,侍从便把这事情的前后经过一一告诉了朱诞。

405 吴时,嘉兴倪彦思,居县西埏里。忽见鬼魅入其家,与人语,饮食如人,惟不见形。彦思奴婢有窃骂大家者,云:"今当以语。"彦思治之,无敢詈者。彦思有小妻,魅从求之,彦思乃迎道士逐之。酒殽既设,魅乃取厕中草粪,布著其上。道士便盛击鼓,召请诸神。魅乃取伏虎①,于神座上吹作角②声音。有顷,道士忽觉背上冷,惊起解衣,乃伏虎也。于是道士罢去。彦思夜于被中窃与妪语,共患此魅。魅即屋梁上谓彦思曰:"汝与妇道吾,吾今当截汝屋梁。"即隆隆有声。彦思惧梁断,取火照视,魅即灭火,截梁声愈急。彦思惧屋坏,大小悉遣出,更取火,视梁如故。魅大笑,问彦思:"复道吾否?"郡中典农③闻之曰:"此神正当是狸物耳。"魅即往谓典农曰:"汝取官若干百斛谷,藏着某处。为吏污秽,而敢论吾。今当白于官,将人取汝所盗谷。"典农大怖而谢之。自后无敢道者。三年后去,不知所在。

[注释]

①伏虎:便壶,状类蹲伏之虎而得名。②角:古代军中吹的乐器。③郡中典农:指典农校尉。三国魏吴设,统诸县屯田,掌田租、民政、生产等。

[译文]

吴国的时候,嘉兴的倪彦思住在县城西边的埏里,忽然看见鬼魅到他家中,跟人谈话,吃东西也像人一样,只是看不见它的形体。倪彦思的奴婢中有一个在背后骂女主人的,那鬼魅说:"现在该把她告诉给主人了。"倪彦思收拾了这个奴婢,于是再也没有敢骂他老婆的了。倪彦思有个小老婆,鬼魅缠着要她作陪,倪彦思就去请了道士来驱逐这鬼魅。酒肉已经摆好了,鬼魅却从厕所中取了大粪撒在它的上面。道士便猛烈打鼓,召请各路神仙,鬼魅却拿了小便壶,在神座上吹出号角似的声音。一会儿,道士忽然感到背上发冷,慌忙起来脱衣服,原来是小便壶在背上。于是道士便作罢走了。倪彦思夜晚在被窝里偷偷地和老婆谈话,两人都为这个鬼魅发愁。鬼魅却在屋梁上对倪彦思说:"你和妻子一起来说我,我现在该锯断你的屋梁。"梁上立即发出轰隆隆的声音。倪彦思害怕屋梁断下来,就拿了火烛照着察看,鬼魅立即把火吹灭了,而锯断屋梁的声音更猛烈了。倪彦思害怕房屋塌下来,就把全家老幼都打发到门外,又拿了火烛,再去察看屋梁,那屋梁却还是像原来那样完好无损。鬼魅哈哈大笑,问倪彦思:"你还说我吗?"郡中典农的官员听见了这件事,便说:"这怪物一定是只狐狸精。"鬼魅便去对典农说:"你拿了公家几百斛谷子,藏在某某地方。你当官这样不清廉,却还敢来说我。今天我该向官府告发,带了人去取出你所偷的谷子。"典农非常恐惧,连忙向它道歉。从这以后,再也没有敢说这鬼魅的了。三年以后,鬼魅走了,不知在什么地方。

406 魏黄初中,顿丘①界有人骑马夜行,见道中有一物,大如兔,两眼如镜,跳跃马前,令不得前。人遂惊惧,堕马。魅便就地捉之,惊怖暴死。良久得苏,苏已失魅,不知所在。乃更上马,前行数里,逢一人,相问讯已,因说:"向者事变如此,今相得为伴,甚欢。"人曰:"我独行,得君为伴,快不可言。君马行疾,且前,我在后相随也。"遂共行。语曰:"向者物何如?乃令君怖惧耶?"对曰:"其身如兔,两眼如镜,形甚可恶。"伴曰:"试顾视我耶?"人顾视之,犹复是也。魅便跳上马,人遂坠地,怖死。家人怪马独归,即行推索,乃于道边得之。宿昔乃苏,说状如是。

[注释]

①顿丘:西汉置,治所在今河南清丰西南。王莽时改名顺丘县,东汉复名顿丘县。

[译文]

曹魏文帝黄初年间(220—226),顿丘县边境上有个人骑着马在夜里赶路,看见路当中有一样东西,像兔子那样大,两只眼睛像镜子一样明亮,突然跳到马的前面,使马不能再向前走了。这人大吃一惊,便从马上摔了下来。鬼魅便在地上把他捉住了,这人又惊又怕,一下子昏死过去了。过了好久他才苏醒过来,鬼魅已经消失了,不知道它到了什么地方。他于是又上了马,向前走了几里,碰到一个人,互相问候完毕,他便说:"刚才我碰到了这样的怪事,现在能和你做伴,我十分高兴。"那人说:"我一个人走路,有你做伴,快乐得不能再说了。你的马走得快,就在前面走吧,我在后面跟着你。"于是他们就结伴而行。那人问他:"刚才那东西怎么样?让你担惊受怕了吗?"他回答说:"那东西的身体像兔子,两只眼睛像镜子,形状很可怕。"这伙伴说:"你想回头看看我吗?"他回头一看,又是那怪物。那鬼魅便跳上了马,这人就摔到了地上,吓昏死了。家里的人奇怪这马独自回来,就去寻找,才在路边找到了他。过了一夜,这人才苏醒过来,他描述的情形就像这样子。

407 袁绍①字本初,在冀州,有神出河东,号度朔君,百姓共为立庙。庙有主簿大福。陈留蔡庸为清河太守,过谒庙。有子名道,亡已三十年。度朔君为庸设酒,曰:"贵子昔来,欲相见。"须臾,子来。度朔君自云父祖昔作兖州。有一士姓苏,母病往祷。主簿云:"君逢天士留待。"闻西北有鼓声而君至。须臾,一客来,著皂角单衣,头上五色毛,长数寸。去后,复一人,著白布单衣,高冠,冠似鱼头,谓君曰:"昔临庐山共食白李,忆之未久,已三千岁。日月易得,使人怅然。"去后,君谓士曰:"先来南海君也。"士是书生,君明通五经②,善《礼记》,与士论礼,士不如也。士乞救母病。君曰:"卿所居东有故桥,人坏之。此桥所行,卿母犯之。能复桥,便差。"曹公讨袁谭,使人从庙换千匹绢,君不与。曹公遣张郃③毁庙。未至百里,君遣兵数万,方道而来。郃未达二里,云雾绕郃军,不知庙处。君语主簿:"曹公气盛,宜避之。"后苏并邻家有神下,识君声,云:"昔移入湖,阔绝三年。"乃遣人与曹公相闻:"欲修故庙,地衰不中居,欲寄住。"公曰:"甚善。"治城北楼以居之。数日,曹公猎,得物,大如麂,大足,色白如雪,毛软滑可爱,公以摩面,莫能名也。夜闻楼上哭云:"小儿出行不还。"公拊掌曰:"此子言真衰也。"晨将数百犬,绕楼下。犬得气,冲突内外,见有物大如驴,自投楼下,犬杀之,庙神乃绝。

[注释]

①袁绍:字本初,东汉大将军、邺侯、太尉。汝南汝阳(今河南周口西南)人。东汉末年群雄之一,出身名门望族。先起兵攻董卓,后攻曹操,最

后被曹操打败。②五经:儒家的五种经典,指《易》、《书》、《诗》、《礼》、《春秋》。汉武帝建元五年(前136)设立五经博士,奠定了儒家经典的尊贵地位。③张郃:字俊义,河间鄚(今河北任丘北)人。三国时期魏国名将,官至征西车骑将军。谥曰壮侯。

[译文]

袁绍,字本初,他占据冀州,有神灵出现在河东郡,号称度朔君,百姓一起为他建立了庙宇。庙里设有主簿,祭祀的人多,香火很盛。陈留郡的蔡庸当了清河郡太守,前来拜谒这庙宇。他有个儿子名叫蔡道,死了已经三十年。度朔君给蔡庸置办了酒席,说:"你的儿子先来到这里,他想见见你。"一会儿,蔡道就来了。度朔君自己说他的先辈过去曾住在兖州。有一个读书人姓苏,母亲病了,他就到庙里来祈祷。主簿说:"度朔君正与天神相会,请等候。"忽然听见西北方有鼓声,接着度朔君就到了。一会儿,有一个客人进来,穿着黑色的单衣,头上插着五彩缤纷的羽毛,有几寸长。这客人走了后,又来了一个人,穿着白色的单衣,戴着高帽子,帽子像鱼的头,对度朔君说:"从前到庐山一起吃白李,回想起来还没有多久,却已经三千年了。时间过得真快,使人惆怅。"这人走了后,度朔君对苏姓士人说:"前面来的这个是南海王。"苏士是读书人,而度朔君精通《诗》、《书》、《礼》、《易》、《春秋》五经,特别熟悉《礼记》,所以与苏士谈论起礼仪来,苏士不及他。苏士求度朔君治好他母亲的疾病,度朔君说:"你住宅的东面有座旧桥,有人把它搞坏了。这座桥上的神,你母亲曾经冒犯过他。你如果能够修好桥,那么你母亲的病便会痊愈了。"曹操讨伐袁谭,派人到庙里来借一千匹绸缎,度朔君不给。曹操就派张郃来捣毁庙宇。离庙还有一百里左右,度朔君便派几万神兵,同路赶来。张郃离庙宇还有二里地,便有云雾笼罩了张郃的部队,他们不知道这庙宇在哪里。度朔君对主簿说:"曹操的气势很盛,应该避过他。"后来苏家的隔壁邻居家有神灵降临,听得出是度朔君的声音,度朔君说:"过去我移居到匈奴去了,和你们久别了三年。"度朔君就派人向曹操报告:"我想修筑一下旧庙,但那块土地已经衰败不适合居住了,我想寄居在他处。"曹操说:"很好。"于是就修筑了城北的楼房让度朔君住在里面。过了几天,曹操去打猎,猎得一个怪物,像鹿一样大,大脚,颜色白得像雪,皮毛柔软滑爽得可爱,曹操用这皮毛摩擦面孔,真舒服得没法形容。那天夜里,曹操听见楼上有人哭着说:"小孩出行还不回来。"曹操拍着手说:"这家伙说这种话,真该他衰败了。"早晨他就带来了几百只狗,包围了这座楼。狗发现了气味,便里里外外奔跑寻找,只见有一个怪物,大小像驴子,自己跳到楼下,狗就把它咬死了,庙里的神灵从此就消失了。

408　临川陈臣家大富。永初元年,臣在斋中坐,其宅内有一町筋竹①,白日忽见一人,长丈余,面如方相②,从竹中出,径语陈臣:"我在家多年,汝不知,今辞汝去,当令汝知之。"去一月许日,家大失火,奴婢顿死。一年中,便大贫。

[注释]

①町(tīng):田地;田亩。筋竹:一种高两丈左右,径围数寸的竹。②方相:在神话戏中为逐疫驱鬼之神。

[译文]

临川郡陈臣的家里很富裕。永初元年(107),陈臣坐在书房中,他住宅内有一片筋竹林,白天忽然看见一个人,长一丈多,面孔像驱疫辟邪的方相神像,从筋竹林中走出来,径直对陈臣说:"我在你家中好多年了,你一直不知道,今天要离开你了,应该让你知道我。"这人走了一月左右的某一天,陈家被大火烧了,奴婢一下子都被烧死了。不到一年,陈臣家便非常贫穷了。

409 东莱有一家,姓陈,家百余口。朝炊,釜①不沸。举甑看之,忽有一白头公,从釜中出。便诣师卜。卜云:"此大怪,应灭门。便归,大作械。械成,使置门壁下,坚闭门在内,有马骑麾②盖来扣门者,慎勿应。"乃归,合手伐得百余械,置门屋下。果有人至,呼不应。主帅大怒,令缘门入。从人窥门内,见大小械百余。出门还说如此。帅大惶惋,语左右云:"教速来,不速来,遂无一人当去,何以解罪也?从此北行,可八十里,有一百三口,取以当之。"后十日,此家死亡都尽。此家亦姓陈云。

[注释]

①釜:古炊器。敛口圜底,或有二耳。其用于鬲,置于灶,上置甑以蒸煮。盛行于汉代。有铁制的,也有铜或陶制的。②麾(huī):古代供指挥用的旌旗。

[译文]

东莱郡有一人家,姓陈,全家一百多口人。有一天烧早饭,老是烧不开锅。把锅上的蒸笼拿起来看,忽然有一个白头老人从锅中走出来。于是陈家的人便到巫师那里去占卜。巫师说:"这是一件大怪事,你们全家都要死光。你们快回家,多做些兵器,兵器做成后,把它们放在大门边的墙壁下,把大门紧紧关上,你们都躲在家里,有骑马乘车的来敲门,千万别答应。"于是他们就回到家中,一起动手砍削,做成了一百多件兵器,放在门厅里。后来果然有人来了,在门外大声呼唤,但里面没有人答应。那主帅十分恼火,叫部下从门口闯进去。随从探看了一下门里边,看见大大小小的兵器一百多件,就出门向主帅汇报了这种情况,主帅听后非常恐慌,对身旁的人说:"叫你们快点来,你们却不赶快来,因此一个人也抓不到,我们拿什么去解除过失呢?从这里向北走,大约八十里,有一家一百零三口人,去把他们抓了来相抵吧。"过了十天,这北边的一家全都死了。这一家听说也姓陈。

410 晋惠帝永康元年,京师得异鸟,莫能名。赵王伦使人持出,周旋城邑市以问人。即日,宫西有一小儿见之,遂自言曰:"服留鸟。"持者还白伦。伦使更求,又见之。乃将入宫,密笼鸟,并闭小儿于户中。明日往视,悉不复见。

411 南康郡南东望山,有三人入山,见山顶有果树,众果毕植,行列整齐,如人行。甘子正熟,三人共食,致饱,乃怀二枚,欲出示人。闻空中语云:"催放双甘,乃听汝去。"

412 秦瞻居曲阿①彭皇野,忽有物如蛇,突入其脑中。蛇来,先闻臭气,便于鼻中入,盘其头中,觉哄哄仅。闻其脑间食声哑哑,数日而出去。寻复来,取手巾缚鼻口,亦被入。积年无他病,唯患头重。

[注释]

①曲阿:又名丹阳,初为云阳邑,秦始皇一统天下后,更名为曲阿县。

[译文]

晋惠帝永康元年(300),京城里抓到一只奇异的鸟,没有人能叫出它的名称。赵王司马伦派人拿了这只鸟出去,在城内街市上来回走,见人就问。当天,皇宫西边有一个小孩看见了这鸟,就自言自语地说:"服留鸟。"拿鸟的人回去报告了赵王。赵王派他再去寻找,又看见了那个小孩,就把他带进了皇宫。赵王把鸟紧关在笼子里,并把这个小孩关闭在门内。明天再去看看,却全都不见了。

南康郡南部有座东望山,曾经有三个人进了山,看见山顶有果树,便爬上山顶,只见各种果树全都种上了,排列得很整齐,好像人的队伍一样。这时柑子正好熟了,三个人便一起吃了个饱,还在怀里藏了两只,想出山后拿给别人看。听见天空中有人说道:"快点放下那两只柑子,才听任你们离开。"

秦瞻居住在曲阿县彭皇野外，忽然有一样东西像蛇一样，一下子钻进了他的脑袋中。这条蛇刚来的时候，先闻闻气味，接着便从秦瞻的鼻孔中钻进去，最后盘绕在他的头颅中，他便觉得头中乱哄哄的，只听见那蛇在脑子里咂咂咂的吃食声，过了几天，蛇就钻出来爬走了。过了不久，蛇又来了，秦瞻马上拿手巾缚住鼻子和嘴巴，但仍然被蛇钻了进去。这样过了好几年也没有其他毛病，只是感到头很重罢了。

卷十八

413 魏景初中,咸阳县吏王臣家,有怪,无故闻拍手相呼,伺无所见。其母夜作倦,就枕寝息,有顷,复闻灶下有呼声曰:"文约,何以不来?"头下枕应曰:"我见枕,不能往。汝可来就我饮。"至明,乃饭臿①也。即聚烧之,其怪遂绝。

[注释]

①饭臿:舀饭的用具。

[译文]

曹魏景初年间(237—239),咸阳县县吏王臣家里出现了怪事,无缘无故地会听见拍手和呼喊的声音,留神查看却没看见什么。他母亲夜里干活累了,就靠在枕头上睡觉。一会儿,便又听见灶下有喊声说:"文约,你为什么不来?"他母亲头下的枕头回答说:"我被枕住了,不能到你那边去。你可以到我这儿来喝水。"到天亮一看,原来是饭勺。王臣就把它们放在一起烧掉了,他家里的怪事从此就没有了。

414 魏郡①张奋者,家本巨富,忽衰老财散,遂卖宅与程应。应入居,举家病疾,转卖邻人何文。文先独持大刀,暮入北堂中梁上。至三更竟,忽有一人,长丈余,高冠黄衣,升堂呼曰:"细腰。"细腰应喏。曰:"舍中何以有生人气也?"答曰:"无之。"便去。须臾,有一高冠青衣者;次之,又有高冠白衣者。问答并如前。及将曙,文乃下堂中,如向法呼之,问曰:"黄衣者为谁?"曰:"金也。在堂西壁下。""青衣者为谁?"曰:"钱也。在堂前井边五步。""白衣者为谁?"曰:"银也。在墙东北角柱下。""汝复为谁?"曰:"我,杵也。今在灶下。"及晓,文按次掘之,得金银五百斤,钱千万贯,仍取杵焚之。由此大富,宅遂清宁。

[注释]

①魏郡:郡名,所辖范围在今河北省南部邯郸市以南,以及河南省北部安阳市一带,其中心在邺城。

[译文]

魏郡有个叫张奋的人,家里本来极其富裕,忽然之间人却变得衰老了,财产也散失了,于是就把房屋卖给了程应。程应搬进去居住,全家都生病,所以又把房屋转卖给邻居何文。何文先独自拿了大刀,在傍晚进入北面的堂屋中,躲在梁上。到三更将尽,忽然有一个人,高一丈多,戴着高帽子,穿着黄衣服,登堂喊道:"细腰。"那细腰答应了一声。那人又说:"屋里为什么有活人的气味?"细腰回答说:"没有呀。"这个穿黄衣服的人就走了。一会儿,有一个戴高帽子穿青衣服的,再接下来有一个戴高帽子穿白衣服的,他们和细腰的问话答话都与前者一样。到快要天亮的时候,何文就从梁上跳下,站在堂中,像刚才那三个人一样呼唤细腰,问道:"穿黄衣服的是谁?"细腰回答说:"是黄金。他在堂屋的西墙下。"何文又问:"穿青衣服的是谁?"细腰回答说:"是铜钱。他在堂屋前离井边五步远的地方。"何文又问:"穿白衣服的是谁?"细腰回答说:"是银子。他在墙东北角的柱子底下。"何文又问:"你又是谁?"细腰回答说:"我是木杵。现在在灶头下面。"等到天亮后,何文依次挖掘，得到黄金白银五百斤，铜钱千万贯。接着便把木杵拿出来烧掉了。从此何文十分富裕，宅屋也就清静安宁了。

415　秦时，武都①故道，有怒特祠，祠上生梓树。秦文公②二十七年，使人伐之，辄有大风雨。树创随合，经日不断。文公乃益发卒，持斧者至四十人，犹不断。士疲还息，其一人伤足，不能行，卧树下，闻鬼语树神曰："劳乎攻战？"其一人曰："何足为劳。"又曰："秦公将必不休，如之何？"答曰："秦公其如予何。"又曰："秦若使三百人被发，以朱丝绕树，赭衣，灰坌伐汝，汝得不困耶？"神寂无言。明日，病人语所闻。公于是令人皆衣赭，随研创，坌以灰。树断，中有一青牛出，走入丰水③中。其后青牛出丰水中，使骑击之，不胜。有骑堕地复上，髻解被发，牛畏之，乃入水，不敢出。故秦自是置旄头骑④。

[注释]

①武都：地名，西汉置郡、县，今甘肃陇南武都区一带。②秦文公：春秋时秦国国君，秦襄公之子，建立新都，前765—前716年在位。③丰水：当指丰水泉，在甘肃西仇池山，属武都郡。④旄头骑：以旄牛尾为装饰的骑兵。

[译文]

秦国的时候，武都郡故道地方有一座怒特祠，祠堂边上长着一棵梓树。秦文公二十七年（前739），派人去砍伐这棵梓树，马上就有狂风暴雨。树上的创口随即合拢了，整整砍了一天也没有把它砍断。秦文公就增派了士兵，拿着斧头的人多达四十个，还是砍不断。士兵们疲倦了便回去休息，其中有一个人伤了脚，不能走路，只好躺在树下，他听见鬼对树神说："战斗得很辛劳吧？"其中一个树神说："哪里算得上辛劳。"鬼又说："秦文公一定不肯罢休，怎么办？"树神回答说："秦文公能把我怎么样呢？"鬼又说："秦文公如果叫三百个人披着头发，用大红丝线绕住树干，穿着赤褐色的衣服，撒着灰来砍你，你能不困窘吗？"树神便哑口无言了。第二天，伤了脚的这个人便把听到的话告诉了秦文公。秦文公于是叫士兵们都穿上赤褐色衣服，一边砍树，一边随着创口砍出，就用灰撒上。结果树被砍断了，树中有一头青牛跑了出来，奔跑着进入丰水中。后来青牛又从丰水中跑出来，秦文公派骑兵去击杀它，开始时没有取胜。有个骑兵摔到地上后又爬上了战马，他的发髻散开了，便披着头发去追它，青牛害怕他，于是逃进丰水中，不敢再出来了。所以，秦国从此以后便设置了旄头骑。

416　庐江龙舒县①陆亭，流水边有一大树，高数十丈，常有黄鸟②数千枚巢其上。时久旱，长老共相谓曰："彼树常有黄气，或有神灵，可以祈雨。"因以酒脯往。亭中有寡妇李宪者，夜起，室中忽见一妇人，著绣衣，自称曰："我树神黄祖也，能兴云雨。以汝性洁，佐汝为生。朝来父老皆欲祈雨，吾已求之于帝，明日日中大雨。"至期果雨。遂为立祠。宪曰："诸卿在此。吾居近水，当致少鲤鱼。"言讫，有鲤鱼数十头，飞集堂下。坐者莫不惊悚。如此岁余。神曰："将有大兵，今辞汝去。"留一玉环，曰："持此可以避难。"后刘表、袁术相攻，龙舒之民皆徙去，唯宪里不被兵。

[注释]

①龙舒县：汉置，辖地在今安徽舒城县。②黄鸟：黄雀。麻雀的一种。

[译文]

庐江郡龙舒县陆亭河边有一棵大树，高几十丈，常常有几千只黄鸟在这树上做窝。当时已经很长时间没下雨了，老人们在一起互相议论说："那大树常常有黄气，或许有神灵，我们可以向它求雨。"因而他们就拿着酒和干肉去了。陆亭乡中有一个寡妇叫李宪的，有一天夜里起床，忽然在房间里看见一个妇女，穿着绣花衣，自称说："我是树神黄祖,能兴云降雨。因为你本性纯洁,所以我来帮助你谋生。明天早晨父老乡亲都要来求雨,我已向上帝请求过了,明天中午就会下大雨。"到了第二天中午,果然下雨了,于是人们就给她建造了祠堂。这树神通过李宪的口说:"各位父老乡亲都在这里。我的住地靠近河流,应该献上一些鲤鱼给大家尝尝。"说罢,就有几十条鲤鱼,飞来聚集在祠堂下,在座的人没有一个不惊奇。像这样过了一年多,树神对李宪说:"将要发生大规模的战争,现在我得告别你走了。"她留给李宪一个玉环,说:"你拿了这东西,可以避难。"后来刘表、袁术互相攻战,龙舒县的老百姓都逃难流亡到外地去了,只有李宪所住的村子没遭到战乱的骚扰。

417　魏桂阳①太守江夏张辽,字叔高,去鄢陵②,家居买田。田中有大树十余围,枝叶扶疏,盖地数亩,不生谷。遣客伐之。斧数下,有赤汁六七斗出。客惊怖,归白叔高。叔高大怒曰:"树老汁赤,如何得怪!"因自严行,复斫之,血大流洒。叔高使先斫其枝,上有一空处,见白头公,可长四五尺,突出,往赴叔高,高以刀逆格之。如此凡杀四五头,并死。左右皆惊怖伏地。叔高神虑怡然如旧。徐熟视,非人非兽。遂伐其木。此所谓"木石之怪,夔、蝄蜽"者乎?是岁,应司空③辟侍御史、兖州刺史。以二千石之尊,过乡里,荐祝祖考,白日绣衣荣羡,竟无他怪。

[注释]

①桂阳:郡名,辖地在郴县(今湖南郴州市)。②鄢陵:古地名,周初封为鄢国,东周平王初改为鄢陵,汉初置县。辖地在今河南鄢陵西北。③司空:官名,西周始置。魏晋后地位特高,但往往作为权臣之加官。

[译文]

魏国桂阳太守江夏郡人张辽,字叔高,离开鄢陵,隐居在家中买了田地。田中有棵大树十多围,枝叶很茂盛,遮住了几亩地,使之不能长出庄稼。于是张辽就派遣门客去砍掉它。斧子砍了几下,就有六七斗红色的浆汁流了出来。门客惊恐万状,回来报告了张辽。张辽十分生气地说:"树老了,树浆就红了,怎么能这样大惊小怪!"于是他就自己穿好衣服去了,再砍那棵树,竟然有大量的鲜血流洒出来。张辽就让门客先砍树枝,枝上有一个空地方,只见那里有一个白头老人,大约四五尺长,突然跳出来,直奔张辽,张辽用刀抵挡他。如此战斗,一共砍掉了老人四五个头,这些头都死了。旁边的人都吓得趴在地上,而张辽的神情却还像原来那样和悦。慢慢地仔细看那死去的白头老人,既不是人,也不是野兽。大家便顺利地砍掉了那棵树。这就是所说的"木石的妖怪,夔、魍魉"之类的东西吗?这一年,张辽被提拔为司空辟侍御史、兖州刺史。他以俸禄二千石的高贵地位,去访问家乡,祭祀祖先,白天穿着五彩绣花衣,十分荣耀,始终也没有出现别的妖怪了。

418 吴先主时,陆敬叔为建安太守,使人伐大樟树,不数斧,忽有血出。树断,有物人面狗身,从树中出。敬叔曰:"此名'彭侯'。"乃烹食之,其味如狗。《白泽图》曰:"木之精名'彭侯',状如黑狗,无尾,可烹食之。"

[译文]

吴先主孙权当政的时候,陆敬叔任建安太守,他派人去砍伐大樟树,砍了几斧头,忽然有鲜血流出来。树断了,有个怪物人面狗身,从树中出来。陆敬叔说:"这怪物名叫'彭侯'。"就把它煮来吃了,它的味道像狗一样。《白泽图》说:"树木的精怪名叫'彭侯',形状像黑狗,没有尾巴,可以把它煮了吃。"

419 吴时,有梓树巨围,叶广丈余,垂柯数亩。吴王伐树作船，使童男女三十人牵挽之。船自飞下水，男女皆溺死。至今潭中时有唱唤督进之音也。

420　董仲舒下帷讲诵，有客来诣。舒知其非常。客又云："欲雨。"舒戏之曰："巢居知风，穴居知雨。卿非狐狸，则是鼷鼠①。"客遂化为老狸。

[注释]

①鼷鼠：鼠类最小的一种。古人以为有毒，啮人畜至死不觉痛，故又称甘口鼠。

[译文]

吴国时，有一棵梓树极粗，叶子宽一丈多，下垂的树枝遮盖了几亩地。吴王砍伐这棵树来造船，叫三十个童男童女拉它。船却自己飞下了水，童男童女都淹死了。直到今天，水潭中还时常有督促前进的呼号声。

董仲舒放下帷幕讲课，有个客人来拜访。董仲舒知道他并不是一个普通的人。客人又说："要下雨了。"董仲舒便和他开玩笑说："住在巢里的知道刮风，住在洞里的知道下雨。你不是狐狸，就是鼷鼠。"客人就变成了一只老狐狸。

421　张华字茂先，晋惠帝时为司空。于时燕昭王①墓前，有一斑狐，积年能为变幻。乃变作一书生，欲诣张公。过问墓前华表曰："以我才貌，可得见张司空否？"华表曰："子之妙解，无为不可。但张公智度，恐难笼络，出必遇辱，殆不得返。非但丧子千岁之质，亦当深误老表。"狐不从，乃持刺谒华。华见其总角风流，洁白如玉，举动容止，顾盼生姿，雅重之。于是论及文章，辨校声实，华未尝闻。比复商略三史，探赜百家，谈老、庄之奥区，披风、雅之绝旨，包十圣②，贯三才③，箴八儒，擿五礼，华无不应声屈滞。乃叹曰："天下岂有此年少。若非鬼魅，则是狐狸。"乃扫榻延留，留人防护。此生乃曰："明公当尊贤容众，嘉善而矜不能。奈何憎人学问！墨子④兼爱，其若是耶？"言卒，便求退。华已使人防门，不得出。既而又谓华曰："公门置甲兵栏骑，当是致疑于仆也。将恐天下之人，卷舌而不言，智谋之士，望门而不进。深为明公惜之。"华不应，而使人防御甚严。时丰城⑤令雷焕，字孔章，博物士也，来访华，华以书生白之。孔章曰："若疑之，何不呼猎犬试之？"乃命犬以试，竟无悍色。狐曰："我天生才智，反以为妖，以犬试我，遮莫⑥千试万虑，其能为患乎？"华闻益怒曰："此必真妖也。闻魑魅忌狗，所别者数百年物耳；千年老精，不能复别。惟得千年枯木照之，则形立见。"孔章曰："千年神木，何由可得？"华曰："世传燕昭王墓前华表木，已经千年。"乃遣人伐华表。使人欲至木所，忽空中有一青衣小儿来，问使曰："君何来也？"使曰："张司空有一年少来谒，多才巧辞，疑是妖魅。使我取华表照之。"青衣曰："老狐不智，不听我言，今日祸已及我，其可逃乎？"乃发声而泣，倏然不见。使乃伐其木，血流，便将木归。燃之以照书生，乃一斑狐。华曰："此二物不值我，千年不可复得。"乃烹之。

[注释]

①燕昭王：战国时期燕国第三十九任君主，名职，燕王哙之子，太子平之弟。简称昭王或襄王，前308—前279年在位。②十圣：泛指古代圣人，尧、舜、禹、汤、文、武、周公、孔、孟等。③三才：指天、地、人。④墨子（约前468—前376）：名翟，鲁阳（今河南省鲁山县）人，另一说鲁国（今山东省滕州市）人。墨子是我国战国时期著名的思想家、教育家、军事家，是墨家学派的创始人，并有《墨子》一书传世。⑤丰城：县名，今江西丰城。⑥遮莫：尽管，任凭。

[译文]

张华,字茂先,晋惠帝时(290—306)任司空。当时燕昭王墓前有一只花狐狸,因为年深日久而能使自己变化莫测,于是便变成了一个读书人,想去拜访张华。他去问墓前的华表:"凭我的才能相貌,可以去见张司空吗?"华表说:"你善于辩解,当然没有什么不可的。只是张公的才智气度,恐怕难以控制,你去一定会遭到屈辱,可能还会回不来。不但会丢了你修炼千年的体质,也会让我深受其害。"狐狸不听华表的劝告,就拿着自己的名片去拜见张华。张华看见他年纪轻轻,风流倜傥,肌肤洁白如玉,举动从容不迫,转眼回望风姿横生,所以十分敬重他。于是他就论列起文章的优劣成败,分别评判各个作家的名声和实际,张华还从未听见过这样的评论。等到他再商讨《史记》、《汉书》、《东观汉记》等三部史书,探求诸子百家的精微义理,畅谈《老子》、《庄子》的玄妙之处,揭示《诗经》中《风》、《雅》的非凡意旨,概括圣人们的学问,贯通天文、地理、人事等三才的事理,针砭子张、子思、颜氏、孟氏、漆雕氏、仲良氏、孙氏、乐正氏等八个儒家学派的得失,挑剔吉礼、嘉礼、宾礼、军礼、凶礼等五种礼法的弊端,张华无不应对迟钝,甘拜下风。张华于是叹息说:"天底下哪会有这种年轻人!如果不是鬼魅,就一定是狐狸。"于是就打扫了床榻挽留他,并让下人防范他。这书生便说:"你应该尊重贤能的人才,宽容普通的百姓,嘉奖聪明能干的而同情没有能力的。怎么能嫉恨别人有学问呢?墨子普遍地爱天下的人,他像你这样吗?"说完,便要求告辞。张华已经派人守住了门,书生没能出去。过了一会儿他又对张华说:"你门口部署了士卒挡道,该是对我有怀疑了吧。我真担心天下的人,将会卷起舌头不再和你说话,足智多谋的贤士,望着你的家门而不敢进来。我深深为你感到可惜。"张华没有理睬他,反而叫人防守得更加严密了。这时候丰城县县令雷焕,字孔章,是个广闻博见的人,来拜访张华,张华把书生的事告诉了他。雷焕说:"如果你怀疑他是鬼魅或狐狸,为什么不呼猎犬来试探一下呢?"张华就呼猎犬来试探,那老狐狸竟然没有一点害怕的神色。狐狸说:"我生来就有这样的才智,你反把我当成妖怪,用狗来试探我,尽管你千方百计来试探我,难道能伤害我吗?"张华听见后更加恼火了,说:"这书生一定是真的妖怪了。听说鬼怪怕狗,但狗能识别的只是修炼了几百年的怪物,至于修炼了千年以上的老精怪,狗就不能再识别了。只有搞到千年的枯木点燃后照它,它的原形才能立即显出来。"雷焕说:"千年的神木,在什么地方能搞到呢?"张华说:"人们传说燕昭王坟前的华表木,已经经历了一千年了。"于是张华就派人去砍华表。使者快要到华表木那里了,忽然空中有一个穿着青衣服的小孩来到跟前,问使者说:"你来干什么呀?"使者说:"张司空那里有一个少年来访,很有才学,善于辩说,张司空怀疑他是妖怪,派我来取华表木去点燃了照他。"青衣小儿说:"老狐狸不明智,不听我的话,今天灾祸已经波及我了,我哪能逃避得了呢?"于是便放声大哭起来,但忽然又不见了。使者就砍伐了那华表木,木中的血都流了出来,他便扛着华表木回去了。把华表木点燃了来照书生,竟是一只花狐狸。张华说:"这两样东西如果不碰上我,过一千年也不可能被发现。"于是他就把狐狸煮了。

422 晋时,吴兴一人,有二男,田中作时,尝见父来骂詈,赶打之。儿以告母。母问其父,父大惊,知是鬼魅。便令儿斫之。鬼便寂不复往。父忧恐儿为鬼所困,便自往看。儿谓是鬼,便杀而埋之。鬼便遂归,作其父形,且语其家:"二儿已杀妖矣。"儿暮归,共相庆贺,积年不觉。后有一法师过其家,语二儿云:"君尊侯有大邪气。"儿以白父,父大怒。儿出,以语师,令速去。师遂作声入,父即成大老狸,入床下,遂擒杀之。向所杀者，乃真父也。改殡治服。一儿遂自杀；一儿忿懊，亦死。

[译文]

晋朝时，吴兴郡一个人有两个儿子，他们在田里劳动时，曾经被父亲大骂并追打。儿子们把这事告诉了母亲。母亲问他们的父亲，父亲大吃一惊，知道是鬼魅，便叫儿子把它砍死。鬼便安静下来不再去了。父亲担心儿子被鬼所困，就亲自去看看。儿子以为是鬼，就把父亲杀死埋了。那鬼就马上回家，变成了他父亲的模样，并且对他家里的人说："两个儿子已经杀死了妖怪。"儿子傍晚回家，全家都向他们祝贺，过了好几年大家都没有发觉。后来有一位法师来拜访他们家，对两个儿子说："你们的父亲有很严重的邪气。"儿子把这话告诉了父亲，父亲十分恼火。儿子出来，把父亲恼火的事告诉了法师，叫他快走。法师却念念有词走进内屋，父亲立即变成了一只很大的老狐狸，钻到床下，法师就把它捉住杀了。这下子大家才知道，从前杀掉的，竟是真父亲啊。于是家里就重新为父亲安葬服丧。一个儿子因此自杀了；一个儿子又气愤又懊悔，也死了。

423　句容县①麋村民黄审，于田中耕。有一妇人过其田，自塍②上度，从东适下而复还。审初谓是人，日日如此，意甚怪之。审因问曰："妇数从何来也？"妇人少住，但笑而不言，便去。审愈疑之。预以长镰，伺其还，未敢斫妇，但斫所随婢。妇化为狸，走去。视婢，乃狸尾耳。审追之不及。后人有见此狸出坑头，掘之，无复尾焉。

[注释]

①句容县：汉置，即今江苏句容市。②塍（chéng）：田间的土埂子。

[译文]

句容县麋村的老百姓黄审，在田中耕地。有一个妇女经过他的田地,从田埂上走过,从东边刚下去而后又回来了。黄审开始还以为是人,但天天像这样,心里就觉得很奇怪。于是黄审就问道:"你这妇人是从什么地方来?"这妇女稍稍停留了一下,只是向他笑着,却不讲话,接着便走了。黄审更加怀疑她,就准备好了长镰刀,等候她回来,但还是没敢砍那妇女,只是砍了跟在她身后的婢女。这妇女就变成了狐狸,逃跑了。再看看那婢女,原来只是条狐狸尾巴。黄审追那狐狸没追上。后来有人看见这狐狸曾从地洞中出来,就把它挖出来,竟再没有尾巴了。

424 博陵①刘伯祖为河东太守,所止承尘上有神,能语,常呼伯祖与语,及京师诏书诰下消息,辄预告伯祖。伯祖问其所食啖,欲得羊肝。乃买羊肝,于前切之,脔②随刀不见,尽两羊肝。忽有一老狸,眇眇在案前,持刀者欲举刀斫之,伯祖呵止。自著承尘上,须臾大笑曰:"向者啖羊肝,醉忽失形,与府君相见,大惭愧。"后伯祖当为司隶③,神复先语伯祖曰:"某月某日,诏书当到。"至期如言。及入司隶府,神随逐在承尘上,辄言省内事。伯祖大恐怖,谓神曰:"今职在刺举。若左右贵人,闻神在此,因以相害。"神答曰:"诚如府君所虑,当相舍去。"遂即无声。

[注释]

①博陵:东汉本初元年(146)置郡,治所在博陵。西晋置国,治所在安平。相当于今河北安平县、深州市、饶阳、安国等地。②脔(luán):切成小块的肉。③司隶:官名,《周礼》秋官之属,是司隶校尉的简称,汉武帝时置,有督察作用。

[译文]

博陵县人刘伯祖任河东郡太守,住所的天花板上有一个神仙,会说话,常常叫刘伯祖来和他交谈。每当京城的诏书文诰送来消息，他总会预先告诉刘伯祖。有一次刘伯祖问他要吃什么，他说要吃羊肝。刘伯祖就买了羊肝，叫人在自己面前切碎，一块块羊肝随着刀落就不见了，这样一直吃完了两只羊肝。忽然有一只老狐狸，隐隐约约地出现在刘伯祖的面前，拿刀的人想举刀砍它，刘伯祖喝住了。狐狸便自己爬上了天花板，过了一会儿，它大笑着说："刚才我吃羊肝，得意之间忽然现出了原形，给太守看见了，十分惭愧。"后来刘伯祖要当司隶校尉，狐仙又预先告诉刘伯祖说："某月某日，诏书该来了。"到时候果然像他所说的那样来了诏书。等到刘伯祖进了司隶府，狐仙仍然伴随着住在天花板上，总是告诉一些皇宫禁地里的事情。刘伯祖十分恐惧，对狐仙说："我现在的职责是侦查检举官吏的犯法行为。如果皇帝身边的亲信权贵们听说有神仙在这里，就会来害我。"狐仙回答说："如果真像你所忧虑的那样，那么我应该离开你走了。"从此就没有什么声音了。

425　后汉建安中，沛国郡陈羡为西海都尉。其部曲王灵孝，无故逃去，羡欲杀之。居无何，孝复逃走。羡久不见，囚其妇，妇以实对。羡曰："是必魅将去，当求之。"因将步骑数十，领猎犬，周旋于城外求索，果见孝于空冢中。闻人犬声，怪遂避去。羡使人扶孝以归，其形颇像狐矣。略不复与人相应，但啼呼"阿紫"。阿紫，狐字也。后十余日，乃稍稍了悟。云："狐始来时，于屋曲角鸡栖间，作好妇形，自称'阿紫'，招我。如此非一。忽然便随去，即为妻，暮辄与共还其家。遇狗不觉。"云乐无比也。道士云："此山魅也。"《名山记》曰："狐者，先古之淫妇也，其名曰'阿紫'化而为狐。故其怪多自称'阿紫'。"

[译文]

东汉建安年间（196—220），沛国郡的陈羡任西海都尉。他的部下王灵孝无故逃跑，陈羡想要杀了他。过了没多久，王灵孝又逃跑了。陈羡很长时间不见他回队,就把他的妻子关了起来,这妇人如实做了回答。陈羡说:"这肯定是妖怪把他带走了,该去找找他。"因此陈羡率领几十个步兵骑士,带着猎犬,在城外来来回回寻找,果然发现王灵孝在一个墓穴中。听见外面人与狗的声音,那妖怪就逃走了。陈羡叫人搀扶着王灵孝回队,他的形状已经很像狐狸了,一点也不和人接话,只是呼唤"阿紫"。阿紫,是那狐狸的名字。过了十多天,他才渐渐醒悟了,说:"狐狸刚来的时候,在房屋拐角处鸡棚那里,变成了美女的形状,说自己名叫'阿紫',挥手招我去。她像这样不止一次地来引诱我,我便迷迷糊糊地跟着她去了,她就做了我的妻子,晚上我总是和她一起回到她的家里。那天你的狗来了我还没有醒。"他说在那里快乐得没有什么能比得上的。道士说:"这是山里的精怪。"《名山记》说:"狐狸,是上古的淫妇,她的名字叫'阿紫',死后就变成了狐狸。所以狐狸精大多自称'阿紫'。"

426 南阳西郊有一亭,人不可止,止则有祸。邑人宋大贤,以正道自处,尝宿亭楼,夜坐鼓琴,不设兵仗。至夜半时,忽有鬼来,登梯与大贤语,眝目磋齿,形貌可恶。大贤鼓琴如故,鬼乃去。于市中取死人头来,还语大贤曰:"宁可少睡耶?"因以死人头投大贤前。大贤曰:"甚佳。我暮卧无枕,正欲得此。"鬼复去。良久乃还,曰:"宁可共手搏耶?"大贤曰:"善。"语未竟,鬼在前,大贤便逆捉其腰。鬼但急言:"死。"大贤遂杀之。明日视之,乃老狐也。自是亭舍更无妖怪。

[译文]

南阳郡西郊有一座亭馆,人不可以在里面留宿,如果在里面住宿,就会遭殃。城里人宋大贤,以正道立身处世,不信神鬼,曾经在这亭楼上住宿,夜里坐着弹琴,也没准备好什么兵器。到半夜时分，忽然有一个鬼来了，它爬上楼梯和宋大贤谈话，直瞪着眼睛，露着那长短不齐的牙齿，容貌十分可怕。宋大贤还是像原来那样弹着琴，鬼便走了。一会儿，鬼在街市中拿了一个死人的头，回来对宋大贤说："你是否可以稍微睡一下呢？"便把死人的头扔在宋大贤的跟前。宋大贤说："很好！我晚上睡觉没有枕头，正想得到这个东西呢！"鬼又走了。过了很久鬼才回来，对宋大贤说："我们是否可以一起来赤手空拳搏斗一下呢？"宋大贤说："好！"话还没有说完，鬼已经站在宋大贤的面前了，宋大贤便迎上去抓住它的腰。鬼只是急迫地连声说"死"。宋大贤就把它杀了。第二天去查看它，原来是只老狐狸。从此以后，这亭楼里再也没有妖怪了。

427 北部督邮①西平到伯夷，年三十许，大有才决，长沙太守到若章孙也。日晡时到亭，敕前导入且止。录事掾曰："今尚早，可至前亭。"曰："欲作文书。"便留。吏卒惶怖，言当解去。传云："督邮欲于楼上观望，亟扫除。"须臾便上。未暝，楼镫阶下复有火。敕云："我思道，不可见火，灭去。"吏知必有变，当用赴照，但藏置壶中。日既暝，整服坐，诵《六甲》②、《孝经》、《易》本讫，卧。有顷，更转东首，以帢巾结两足，帻冠，密拔剑解带。夜时，有正黑者四五尺，稍高，走至柱屋。因覆伯夷。伯夷持被掩之，足跣③脱，几失。再三。以剑带击魅脚，呼下火上，照视之，老狐正赤，略无衣毛。持下烧杀。明旦，发楼屋，得所髡人髻百余。因此遂绝。

[注释]

①北部督邮：官名，郡的重要属吏。②《六甲》：五行方术之一，即所谓遁甲之术。③跣（xiǎn）：赤脚。

[译文]

北部督邮西平郡人到伯夷，年纪在三十岁左右，很有才智决断,是长沙太守到君章("若章"当作"君章")的孙子。黄昏时刻来到一座亭馆,让开路的差役姑且进亭留宿。录事掾禀告说:"现在时间还早,可以赶到前面的亭馆去住。"到伯夷说:"我现在想写公文。"于是就留下来了。这亭馆的小吏非常恐惧,说他们应该离开这儿。到伯夷却传令说:"督邮想到楼上观望,快一点去打扫!"一会儿到伯夷便上了楼。天还没有黑,楼梯下却又点上了灯火。到伯夷命令说:"我在思考道家学说,不可以见火,请把它灭了!"亭吏知道一定会有突变的事故发生,到时候该用火去照看,所以只是把火暂且藏在壶中。天色已经黑了,到伯夷穿戴整齐后坐着,念诵《六甲》、《孝经》、《易经》等,念完就睡了。过了一会儿,他又把头转到东边去睡,用长布巾扎在两脚上,戴上头巾,并偷偷地拔出了宝剑,解开了衣带。夜深了,有个乌黑的东西四五尺长,逐渐升高,跑到楼上后,便扑向到伯夷。到伯夷拿起被子罩它,他两脚光光地从头巾中挣脱出来,差一点被那精怪抓了去。他反复用剑和衣带打精怪的脚,并喊楼下的人把火拿上来,光照下一看,只见一只老狐狸浑身通红,身上一根毛也没有,于是便捉下去把它烧死了。第二天彻底清理这楼房,发现被狐狸精抓下来的人的发髻有一百多个。从此这亭楼里的精怪就没有了。

428　吴中有一书生,皓首,称胡博士①,教授诸生。忽复不见。九月初九日②,士人相与登山游观,闻讲书声,命仆寻之。见空冢中,群狐罗列,见人即走。老狐独不去,乃是皓首书生。

429　陈郡谢鲲③,谢病去职,避地于豫章。尝行经空亭中,夜宿。此亭旧每杀人。夜四更,有一黄衣人,呼鲲字云:"幼舆,可开户。"鲲澹然无惧色,令申臂于窗中。于是授腕,鲲即极力而牵之,其臂遂脱,乃还去。明日看,乃鹿臂也。寻血取获。尔后此亭无复妖怪。

[注释]

①博士：学问广博的人。②九月初九日：为传统的重阳节，又称"老人节"。因为《易经》中把"六"定为阴数，把"九"定为阳数，九月九日，日月并阳，两九相重，故而叫重阳，也叫重九。重阳节首先有登高的习俗，登高远望可达到心旷神怡、健身祛病的目的。③谢鲲：生卒约当晋武帝太康元年至晋明帝太宁元年（280—323），字幼舆，陈郡阳夏（今河南太康）人。谢安的伯父，两晋名士。

[译文]

吴郡有一个书生，因为白头发，人们便称他胡博士。有次给学生们讲课，忽然又不见了。九月初九那一天，学生们一起登山游览，忽然听见讲课的声音，就叫书童去寻找。只见一个墓穴中，一群狐狸排列在那儿听课，看见人来就逃跑了。只有一只老狐狸不走，它就是那个白头书生。

陈郡人谢鲲，称病而引退离职，因避祸而移居在豫章郡。有次曾出外经过一座空亭，便在里面过夜。这亭馆过去常常死人。这天夜里四更时分，有一个身穿黄衣服的人呼唤着谢鲲的字说："幼舆，请你开门。"谢鲲泰然自若，毫无惧色，叫他把手臂从窗口中伸进来。于是穿黄衣服的人就把手腕伸了进来，谢鲲马上使尽全身力气拉他的手腕，他的手臂就掉了下来，接着就逃走了。第二天一看，原来是只鹿臂。于是按照那血迹去寻找，终于把这只鹿怪抓获了。从此以后，这亭馆就不再有妖怪了。

430 晋有一士人，姓王，家在吴郡。还至曲阿，日暮，引船上当大埭①，见埭上有一女子，年十七八，便呼之留宿。至晓，解金铃系其臂。使人随至家，都无女人。因逼猪栏中，见母猪臂有金铃。

431　汉齐人梁文，好道。其家有神祠，建室三四间，座上施皂帐，常在其中。积十数年。后因祀事，帐中忽有人语，自呼"高山君"。大能饮食，治病有验。文奉事甚肃。积数年，得进其帐中。神醉，文乃乞得奉见颜色。谓文曰："授手来。"文纳手，得持其颐，髯须甚长。文渐绕手，卒然引之，而闻作羊声。座中惊起，助文引之，乃袁公路②家羊也。失之七八年，不知所在。杀之，乃绝。

[注释]

①埭（dài）：土坝。②袁公路：即袁术，字公路，汝南汝阳（今河南周口西南）人。袁术出身豪门，家世显赫，四世三公。

[译文]

晋朝有一个读书人，姓王，家在吴郡。有一次他回家来到曲阿县，当时天色已晚，便把船拉上去靠住土坝。看见土坝上有一个女子，年龄在十七八岁，就招呼她来过夜。到天亮时，他解下一个金铃缚在她的胳膊上，派人随着铃声跟踪到她家里。哪知这家中根本没有女人，那人便随着铃声走近猪圈，只见一只母猪的前腿上有只金铃。

汉朝齐郡人梁文喜欢道家方术。他家里设有一座神祠。共造了三四间房屋，神座上挂着青色的帷帐，他常常呆在这神祠中，一直过了十多年。后来因为祭祀的事去神祠，帷帐中忽然有人说起话来，自称"高山君"。那神人很能吃东西，治病也很有效果。梁文侍奉他十分恭敬。过了几年，梁文被准许进入他的帷帐中。高山君喝醉了，梁文才求得可以用手摸一下他的面容。那神人对梁文说："把手伸过来。"梁文把手伸过去，可以捏着神人的下巴，发现神人的胡须很长。梁文渐渐把这胡须绕在手上，突然用力一拉，却听见神人发出了羊的叫声。在座的人都吃惊地站了起来，帮着梁文拉那神人，原来那神人是袁术家的一只羊。这只羊早就失踪了七八年，一直不知道它在哪里。大家把羊杀了，神人也就没有了。

432　北平^①田琰，居母丧，恒处庐。向一暮，夜，忽入妇室。密怪之，曰："君在毁灭之地，幸可不甘。"琰不听而合。后琰暂入，不与妇语，妇怪无言，并以前事责之。琰知鬼魅。临暮竟未眠，衰服挂庐。须臾，见一白狗，攫庐衔衰服，因变为人，著而入。琰随后逐之，见犬将升妇床，便打杀之。妇羞愧而死。

[注释]

①北平：即北平郡，故治在今河北遵化西。后魏置，故治在今河北顺平东北。

[译文]

北平郡的田琰为母亲守丧，一直住在坟边的草屋里。已快一年了，有一天晚上他却忽然走进了妻子的房间。妻子偷偷地责备他，说："你处在母亲去世应该悲痛哀伤的时候，希望你不要寻欢作乐。"田琰不听她的，只管和她交欢作乐。后来田琰短暂回家一次，没有和妻子谈话，妻子奇怪他不说话，又拿上次的事情责备他。田琰知道是鬼怪干的，所以直到天全黑了也没睡着，把丧服挂在坟边的草屋里。一会儿，他看见一只白狗，用脚爪抓起丧服用口衔着，就变成了人，接着便穿了丧服到他妻子的房间里去了。田琰跟在它后面追它，看见这条狗即将爬上妻子床时，就把它打死了。他妻子羞愧而死了。

433　司空南阳来季德，停丧在殡^①，忽然见形，坐祭床上，颜色服饰声气，熟是也。孙儿妇女，以次教戒，事有条贯。鞭朴奴婢，皆得其过。饮食既绝，辞诀而去。家人大小，哀割断绝。如是数年。家益厌苦。其后饮酒过多，醉而形露，但得老狗，便共打杀。因推问之,则里中沽酒家狗也。

434 山阳②王瑚,字孟琏,为东海兰陵尉③。夜半时,辄有黑帻白单衣吏,诣县叩阁。迎之则忽然不见。如是数年。后伺之,见一老狗,黑头白躯犹故,至阁便为人。以白孟琏,杀之乃绝。

[注释]

①停丧在殡:即殓而待葬。古代丧葬习俗,死者殡在屋内,经三年,择吉日而葬。②山阳:汉置,晋改为高平国,故治在今山东金乡。③尉:古代官名,一般是武官。此指县的军事长官。

[译文]

司空南阳郡人来季德,已经入棺等着下葬了,忽然又现出原形,坐在祭床上,面色服装声音,还是像常见的那样。孙儿媳妇,他依次教导告诫,嘱咐的事情都有条有理。他鞭打奴婢,也都说得出他们的罪过。吃喝完毕,便告别走了。全家老少,悲痛欲绝。像这样过了几年,家里的人渐渐地觉得非常讨厌了。后来他喝酒喝得太多了,醉了以后原形毕露,不过是一条老狗,大家便一起把它打死了。接着大家去查访这条狗的来历,原来就是村中卖酒人家的狗。

山阳郡人王瑚,字孟琏,任东海郡兰陵县尉。半夜时分,总有戴着黑头巾穿着白单衣的小吏到县府敲门,王瑚去开门迎接他,却又忽然不见了。像这样一直过了好几年。后来王瑚派人偷偷地探察,只见一条老狗,黑的头、白的身体仍像过去那样,一到县府门口便变成了人。派出的人把这情况告诉了王瑚,王瑚就把它杀了,于是敲门的事也就没有了。

435 桂阳太守李叔坚,为从事。家有犬,人行。家人言:"当杀之。"叔坚曰:"犬马喻君子,犬见人行,效之,何伤。"

顷之，狗戴叔坚冠走，家大惊。叔坚云："误触冠，缨挂之耳。"狗又于灶前畜火，家益怔营。叔坚复云："儿婢皆在田中，狗助畜火，幸可不烦邻里。此有何恶。"数日，狗自暴死。卒无纤芥之异。

[译文]

桂阳太守李叔坚，曾给刺史当从事。他家里有一条狗，像人一样站起来行走，家里人说应该杀了它。李叔坚说："犬马常常用来比喻君子。狗看见人走路，便模仿着走，有什么伤害呢？"过了不久，狗戴了李叔坚的帽子奔跑起来，家里的人十分惊讶，李叔坚却说："它不小心误碰上了帽子，是帽带子挂住了它的头罢了。"狗又在灶前保留火种，家里人更加惶恐不安了。李叔坚又说："奴婢们都在田里干活，狗帮助保留火种，正好可以不再麻烦乡邻。这有什么坏处呢？"过了几天，这狗突然死了，结果李家便一点儿怪异的事情也没有了。

436　吴郡无锡，有上湖大陂①。陂吏丁初，天每大雨，辄循堤防。春盛雨，初出行塘。日暮回，顾后有一妇人，上下青衣，戴青伞，追后呼："初掾待我。"初时怅然，意欲留俟之，复疑："本不见此，今忽有妇人冒阴雨行，恐必鬼物。"初便疾走，顾视妇人，追之亦急。初因急行，走之转远，顾视妇人，乃自投陂中，泛然作声，衣盖飞散，视之是大苍獭②，衣伞皆荷叶也。此獭化为人形，数媚年少者也。

[注释]

①陂（bēi）：池塘。②獭（tǎ）：即水獭，哺乳动物，脚短，趾间有蹼，体长七十余厘米。昼伏夜出，善游水，食鱼、蛙等，毛棕褐色，是珍贵的裘皮。

[译文]

吴郡无锡县的上湖有条大堤。管堤的小吏丁初,每次天下大雨,总是去巡视堤岸。这年春天刚下过大雨,他就出去巡视湖堤。傍晚的时候回家,回头看见有一个妇女,全身上下都穿着青色的衣服,撑着青色的伞,在后边追着叫喊:"丁官人等等我。"丁初当时十分惆怅,心里想留步等她,但又起疑云:"本来从没有看见过这种情况,现在忽然有个女人冒着阴雨天气走路,恐怕一定是精怪了。"丁初便快步逃跑,回头看看那女人,追他也追得很急。丁初于是急匆匆地跑,跑得远了,回头看那女人,竟自己跳进湖中,扑通一声,浪花四溅,衣服和伞都飞散开来。仔细一看,原来是只青颜色的大水獭,衣服和伞都是荷叶。这只水獭曾变成人的形状,多次用美色来迷惑年轻人。

437　魏齐王芳正始①中,中山②王周南为襄邑长。忽有鼠从穴出,在厅事上,语曰:"王周南,尔以某月某日当死。"周南急往,不应。鼠还穴。后至期复出,更冠帻皂衣而语曰:"周南,尔日中当死。"亦不应。鼠复入穴。须臾复出,出复入,转行数语如前。日适中,鼠复曰:"周南,尔不应死③,我复何道。"言讫,颠蹶而死,即失衣冠所在。就视之,与常鼠无异。

[注释]

①正始:三国魏齐王曹芳年号(240—248)。②中山:郡名,汉置,辖地今河北定县。③尔不应死:《法苑珠林》等本无"死"字,当衍。

[译文]

魏齐王曹芳正始年间,中山国人氏王周南任襄邑县县长。忽然有只老鼠从洞中爬出来,在厅堂上对王周南说:"王周南,你在某月某日要死去。"王周南急忙赶上去,却不答腔。老鼠便回到洞穴中去了。后来到了王周南要死的那一天,老鼠又出来了,还戴着帽子、头巾,穿着黑衣服,对王周南说:"周南,你中午要死了。"王周南还是不答腔。老鼠又进洞去了。一会儿它又出来,出来了又进洞,转了几个来回,讲了几次和前面相同的话。这时正好到了中午,老鼠又说:"周南,你老不答腔,我还能说什么呢?"说完,便倒在地上死了,它的衣帽也马上消失了。走近看它,与平常的老鼠没有什么不同。

438 安阳①城南有一亭,夜不可宿,宿辄杀人。书生明术数②,乃过宿之。亭民曰:"此不可宿。前后宿此,未有活者。"书生曰:"无苦也。吾自能谐。"遂住廨舍③。乃端坐诵书,良久乃休。夜半后,有一人,著皂单衣,来往户外,呼亭主,亭主应诺。"见亭中有人耶?"答曰:"向者有一书生,在此读书。适休,似未寝。"乃喑嗟而去。须臾,复有一人,冠赤帻者,呼亭主,问答如前,复喑嗟而去。既去寂然。书生知无来者,即起诣向者呼处,效呼亭主。亭主亦应诺。复云:"亭中有人耶?"亭主答如前。乃问曰:"向黑衣来者谁?"曰:"北舍母猪也。"又曰:"冠赤帻来者谁?"曰:"西舍老雄鸡父也。"曰:"汝复谁耶?"曰:"我是老蝎也。"于是书生密便诵书至明,不敢寐。天明,亭民来视,惊曰:"君何得独活?"书生曰:"促索剑来,吾与卿取魅。"乃握剑至昨夜应处,果得老蝎,大如琵琶,毒长数尺。西舍,得老雄鸡父。北舍得老母猪。凡杀三物,亭毒遂静,永无灾横。

[注释]

①安阳:古县名,秦置,今河南安阳。②术数:泛指在中华文化中用以推算未来、趋吉避凶的各种方术系统。③廨(xiè)舍:廨属,官署的客舍。

[译文]

安阳城南有一座亭馆,夜里不可以在里面住宿,如果在里面住宿，总是会死人。有一个书生懂得术数，经过那亭馆便住在里面过夜。亭旁的老百姓说："这亭馆住不得，过去前前后后很多人在亭馆里住过，没有一个能活着的。"书生说："没有害处，我自能对付。"于是他就住在亭馆的客舍中，还端正地坐在那儿读书，读了很久才休息。半夜以后，有个人穿着黑色的单衣，来到门外，呼唤亭主，亭主答应了一声。那人问："看见亭楼里有人吗？"亭主回答说："刚才有一个书生在这里读书。现在刚读罢，似乎还没有睡。"那人答应了一声便叹息着走了。一会儿，又有一个人戴着红色的头巾，呼唤亭主，就像刚才那个人一样和亭主问答，也答应了一声叹息着走了。他们走了以后也就鸦雀无声了。书生知道没有人来了，就起来走到刚才那两个人呼喊的地方，仿照他们的样子呼唤亭主，亭主也答应了一声。书生又说："亭楼里有人吗？"亭主就像刚才那样做了回答。书生就问道："刚才穿着黑衣服来的是谁？"亭主回答说："是北屋的母猪。"书生又说："戴着红头巾来的是谁？"亭主回答说："是西屋的老公鸡。"书生说："你又是谁呢？"亭主说："我是老蝎。"于是书生勉力读书读到天亮，不敢睡着。天亮了，亭边的百姓来看他，惊讶地说："怎么就你一个人能不死？"书生说："快拿剑来！我给你们捉拿精怪。"于是他就拿着宝剑来到昨天夜里亭主答话的地方，果然发现了老蝎，大得像琵琶，毒刺有几尺长。又到西屋抓住了老公鸡，到北屋抓住了老母猪。总共杀了三个怪物，亭馆里的毒害就被平息了，以后永远也没有灾祸横行了。

439　吴时，庐陵郡①都亭重屋中，常有鬼魅，宿者辄死。自后使官，莫敢入亭止宿。时丹阳人汤应者，大有胆武，使至庐陵，便止亭宿。吏启不可，应不听。进从者还外，唯持一大刀，独处亭中。至三更竟，忽闻有叩阁者。应遥问："是谁？"答云："部郡相闻。"应使进。致词而去。顷间，复有叩阁者如前，曰：

"府君相闻。"应复使进,身著皂衣。去后,应谓是人,了无疑也。旋又有叩阁者,云:"部郡、府君相诣。"应乃疑曰:"此夜非时,又部郡、府君,不应同行②。"知是鬼魅。因持刀迎之。见二人,皆盛衣服,俱进。坐毕,府君者便与应谈。谈未竟,而部郡忽起至应背后。应乃回顾,以刀逆击,中之。府君下坐走出,应急追,至亭后墙下,及之。斫伤数下,应乃还卧。达曙,将人往寻,见有血迹,皆得之。云称府君者,是一老狶③也;部郡者,是一老狸也。自是遂绝。

[注释]

①庐陵郡:东汉末置,故地即今江西吉安。②部郡、府君,不应同行:按回避制度,二官当互相监督,不能同行办事。③狶(xī):即猪。

[译文]

三国东吴时,庐陵郡治所的亭馆楼上常常闹鬼,在里面过夜的人总是死去。从此以后,过路的使者官员,都不敢到亭馆里留宿。当时丹阳郡有个叫汤应的人,很有胆量和武艺,出使来到庐陵,就到亭馆里住宿。亭吏告诉他这亭馆不能住,汤应没有听从。他让随从回到外面住宿,自己只拿了一把大刀,独自一人住在亭中。到三更已过,忽然听见有人敲门。汤应远远地问:"是谁?"外面的人回答说:"是部郡前来问候。"汤应让他进来,他说了一番话就走了。过了一会儿,又有人像刚才那个人一样来敲门,说:"郡守前来问候。"汤应又让他进来,这人身穿黑衣。这两个人走了以后,汤应认为他们都是人,一点儿也没有猜疑他们。转眼间又有人敲门,说:"部郡、郡守前来拜见。"汤应于是怀疑了,心想:"这夜里不是拜访客人的时候,而且部郡和郡守,也不应该一起来。"他知道来的是妖怪了,就拿着刀迎击他们。只见那两个人都穿着华美的衣服,一起进了屋。坐定后,自称郡守的便和汤应谈话。话还没有说完,部郡忽然起身绕到汤应的背后。汤应便回过头来,用刀对面砍去,砍中了他。郡守便离开座位逃了出去,汤应急忙追赶,到亭馆的后墙下,追上了郡守,向他连砍几刀,汤应才回去睡觉。到天亮,汤应带了人前去寻找,看见有血迹,便按血迹去找,把两个妖怪都找到了。自称郡守的,是一头老猪;自称部郡的,是一只老狐狸。从此以后,这亭馆里的妖怪就绝迹了。

卷十九

440 东越①闽中,有庸岭②,高数十里。其西北隰③中,有大蛇,长七八丈,大十余围,土俗常惧。东冶都尉及属城长吏,多有死者。祭以牛羊,故不得祸。或与人梦,或下谕巫祝,欲得啖童女年十二三者。都尉令长,并共患之。然气厉不息。共请求人家生婢子,兼有罪家女养之。至八月朝祭,送蛇穴口。蛇出,吞啮之。累年如此,已用九女。尔时预复募索,未得其女。将乐④县李诞家有六女,无男,其小女名寄,应募欲行,父母不听。寄曰:"父母无相,惟生六女,无有一男,虽有如无。女无缇萦⑤济父母之功,既不能供养,徒费衣食,生无所益,不如早死。卖寄之身,可得少钱,以供父母,岂不善耶?"父母慈怜,终不听去。寄自潜行,不可禁止。寄乃告请好剑及咋蛇犬。至八月朝,便诣庙中坐。怀剑,将犬。先将数石米餈,用蜜麨灌之,以置穴口。蛇便出。头大如囷,目如二尺镜。闻餈香气,先啖食之。寄便放犬,犬就啮咋,寄从后斫得数创。疮痛急,蛇因踊出,至庭而死。寄入视穴,得其九女髑髅⑥,悉举出,咤言曰:"汝曹怯弱,为蛇所食,甚可哀愍。"于是寄女缓步而归。越王闻之,聘寄女为后,拜其父为将乐令,母及姊皆有赏赐。自是东冶无复妖邪之物。其歌谣至今存焉。

[注释]

①东越：古族名。古代越人的一支。相传为越王勾践的后裔。秦汉时分布在今浙江省东南部、福建省北部一带。②庸岭：山名。在今福建邵武县。③隰（xí）：低湿的地方。④将乐：县名，三国吴置，即今福建将乐县。⑤缇萦：姓淳于，汉代临淄人。其父母有五女而无男，其自愿入官为婢以赎父罪，有孝名。⑥髑髅（dú lóu）：死人头骨。

[译文]

东越国闽中郡有一座庸岭，高几十里。在它西北部低湿的地方有一条大蛇，长七八丈，粗十多围，当地人都很害怕它。东冶都尉和东冶所管辖下的县城里的长官，也有许多是被蛇咬死的。人们一直用牛羊去祭它，所以才没有大的灾祸。后来，大蛇或者托梦给人，或者吩咐巫祝，说它要吃十二三岁的女孩。都尉和县令都为此事发愁。但是大蛇的妖气所造成的灾害却没个完。他们只得一起征求大户人家奴婢生的女儿和犯罪人家的女儿，把她们收养起来。到八月初一祭祀的时候，把女孩子送到大蛇的洞口。大蛇出来，便把女孩吞食了。连年这样，已经用了九个女孩。这时，他们又预先招募寻求，还没有找到这样的女孩。将乐县李诞的家中，有六个女儿，没有男孩，最小的女儿叫李寄，想应募而去，父母不同意。李寄说："父母没有福相，只生了六个女儿，没有一个儿子，即使有了子女也好像没有一样，女儿我没有缇萦救父母那样的功德，既然不能供养父母，白白耗费衣服食物，活着也没有什么益处，还不如早点去死。卖掉我的身体，可以得些钱，用来供养父母，难道不好吗？"父母疼爱她，始终不同意她去。李寄就自己悄悄地走了，父母终究没法阻止她。于是李寄就禀告官府请求得到好剑和会咬蛇的狗。到八月初一，她就到庙中坐好，揣着剑，带着狗。她先把几石米饼用蜜拌的米麦糊灌在里面，然后把它放在蛇的洞口。蛇便出来了，头大得像圆形的谷仓，眼睛像直径两尺大的镜子。它闻到米饼的香味，先去吞食米饼。李寄便放出狗，狗就上去撕咬，李寄从后面砍了蛇好几下。蛇的创口痛得厉害，便翻滚着窜出来，爬到庙中的院子里便死了。李寄进入蛇洞察看，发现了那九个女孩的头骨，便都拿了出来，悲痛地说："你们这些人胆小软弱，被蛇吃了，太可怜了。"于是李寄便慢慢地走回家去。越王听说了这件事，把李寄姑娘聘为王后，任命她的父亲为将乐县县令，母亲和姐姐们都得到了赏赐。从此东冶县不再有怪异邪恶的东西了。那赞颂李寄的歌谣到现在还在那里流传着。

441 晋武帝咸宁①中，魏舒为司徒。府中有二大蛇，长十许丈，居厅事平橑上。止之数年，而人不知，但怪府中数失小儿及鸡犬之属。后有一蛇夜出，经柱侧，伤于刃，病不能登，于是觉之。发徒数百，攻击移时，然后杀之。视所居，骨骸盈宇之间。于是毁府舍，更立之。

442 汉武帝时，张宽为扬州②刺史。先是有二老翁争山地，诣州讼疆界，连年不决。宽视事，复来。宽窥二翁形状非人，令卒持杖戟将入，问："汝等何精？"翁走，宽呵格之，化为二蛇。

[注释]

①咸宁：晋武帝年号（275—280）。②扬州：古地名，汉武帝时，在全国设十三刺史部，其中有扬州刺史部。管辖的范围相当于今天的安徽淮河和江苏长江以南及江西、浙江、福建三省等。

[译文]

晋武帝咸宁年间，魏舒任司徒。官府中有两条大蛇，长十多丈，盘踞在公堂屋檐前的橑木上，栖息在那儿已经几年了，人们却还不知道，只是奇怪官府中屡次丢失了小孩以及鸡狗之类。后来有一条蛇晚上出来，经过柱子边上，被刀刃碰伤了，伤重得不能再爬上去，于是人们才发现了它。府中发动几百个差役，击打好一会儿，然后才把它打死了。察看它盘踞的地方，只见骨骼挤满了屋檐之间。于是便捣毁了这座公堂，另外再建造了一座。

汉武帝的时候，张宽任扬州刺史。在他任职之前，这儿有两个老头争夺山地，到扬州府为边界纠纷打官司，一连几年都没有能解决，张宽任职后，他们又来打官司了。张宽看这两个老头的形状不像人，就命令士兵拿着兵器把他们押进来，喝问道："你们是什么妖精？"两个老头马上逃跑，张宽使唤士兵拦住他们痛打，他们便变为两条蛇。

443　荥阳人张福，船行还野水边。夜有一女子，容色甚美，自乘小船，来投福，云："日暮畏虎，不敢夜行。"福曰："汝何姓？作此轻行。无笠，雨驶，可入船就避雨。"因共相调，遂入就福船寝。以所乘小舟，系福船边。三更许，雨晴月照，福视妇人，乃是一大鼍，枕臂而卧。福惊起，欲执之。遽走入水。向小舟，是一枯槎段，长丈余。

[译文]

荥阳县人张福，撑着船回家时停泊在野外的河边。夜里有一个女子，容貌很美丽，独自划着小船来投靠张福，说："天黑了，我怕老虎，所以不敢在夜里赶路。"张福说："你姓什么？怎么作这样轻率的旅行？你没有竹笠，却还在雨中行驶，可以进我的船里躲雨。"因而两人互相调戏了一番，于是女子便来到张福的船里睡觉，并把她乘坐的小船缚在张福的船边。三更左右，雨停了，月光照来，张福细看那女子，竟是一条大鳄鱼，把头枕在胳膊上躺着。张福惊恐地爬起来，想捉住它，它急忙逃进水里。刚才那只小船，只是一截干枯的木筏断头，长一丈多。

444　丹阳道士谢非，往石城[①]买冶釜。还，日暮，不及至家。山中庙舍于溪水上,入中宿。大声语曰:"吾是天帝使者,停此宿。"犹畏人劫夺其釜,意苦搔搔不安。二更中,有来至庙门者,呼曰:"何铜。"铜应喏。曰:"庙中有人气,是谁?"铜云:"有人。言是天帝使者。"少顷便还。须臾,又有来者,呼铜,问之如前,铜答如故,复叹息而去。非惊扰不得眠,遂起,呼铜问之:"先来者谁?"答言:"是水边穴中白鼍。""汝是何等物?"答言:"是庙北岩嵌中龟也。"非皆阴识之。天明,便告居人,言:"此庙中无神。但是龟、鼍之辈,徒费酒食祀之,急具锸来,共往伐之。"诸人亦颇疑之,于是并会伐掘,皆杀之。遂坏庙绝祀,自后安静。

[注释]

①石城:即石头城,因三国时孙吴就石壁筑城戍守,称石头城,后有人将南京称为石城。

[译文]

丹阳郡道士谢非,去石头城买冶炼仙丹的锅。回来时,天色已晚,来不及赶到家,看见山中有座庙宇坐落在溪水边,便到里面留宿。他大声说道:"我是天帝的使者,留在这里住宿。"他还怕别人抢夺他的锅,心里一直惶惶不安。二更时分,有人来到庙门叫道:"何铜。"何铜在里面答应了一声。外面的人说:"庙里有人的气味,是谁?"何铜说:"的确有一个人,他说自己是天帝的使者。"一会儿那人便回去了。过了片刻,又有人来叫何铜,就像刚才一样问何铜,何铜也像刚才那样做了回答,那人也叹息着走了。谢非受到惊扰后睡不着,就起了床,也叫了声何铜,然后问他:"刚才来的是谁?"何铜回答说:"是溪水边洞穴中的白鳄鱼。"谢非又问:"你是什么东西?"何铜回答说:"是庙北岩缝中的乌龟。"谢非都暗暗记在心里。天亮后,他便告诉居住在附近的人们,说:"这庙里没有神灵,只是乌龟、鳄鱼之类,你们还白白花费酒食祭祀它们。赶快拿铁锹来,我们一起去除掉它们。"大家也有点怀疑这庙里的神灵了,于是就一起去挖掘,把乌龟、鳄鱼都杀死了。然后捣毁了庙宇,停止了祭祀,从此以后就安宁平静了。

445 孔子厄于陈,弦歌于馆中。夜有一人,长九尺余,著皂衣高冠,大吒,声动左右。子贡进,问:"何人耶?"便提子贡而挟之。子路引出,与战于庭。有顷,未胜。孔子察之,见其甲车间时时开如掌。孔子曰:"何不探其甲车,引而奋登?"子路引之,没手仆于地,乃是大鳀鱼也,长九尺余。孔子曰:"此物也,何为来哉?吾闻:物老则群精依之,因衰而至。此其来也,岂以吾遇厄绝粮,从者病乎?夫六畜之物,及龟、蛇、鱼、鳖、草、木之属,久者神皆凭依,能为妖怪,故谓之'五酉'。五酉者,五行之方,皆有其物。酉者老也,物老则为怪,杀之则已,夫何患焉?或者天之未丧斯文,以是系予之命乎?不然,何为至于斯也?"弦歌不辍。子路烹之,其味滋,病者兴。明日,遂行。

[译文]

孔子在陈国遭到困厄的时候,在旅馆中弹琴唱歌。夜里忽然有一个人,身长九尺多,穿着黑衣服,戴着高帽子,大声怒叱,声音惊动了孔子身边的人。子贡走上前去,问:"你是什么人呀?"这人便提起子贡把他挟在腋下。子路就把他拉出来,和他在院子中打了起来。过了一会儿,子路还没有取胜。孔子仔细察看,只见那人的铠甲和牙床之间不时地裂开来,那口子就像手掌那么大。孔子对子路说:"你为什么不把手伸到那铠甲与牙床之间,拉着它用力爬上去?"子路便伸手去拉它,手全都伸了进去,那人便倒在地上,竟是一条大鳀鱼,长九尺多。孔子说:"这种东西,为什么来的呢?我听说过:东西老了,那么各种精怪就来依附它,因为它衰微了才来的。这鳀鱼精的来临,难道是因为我遭遇到了困厄、断绝了粮食、跟随我的人都生了病的缘故吗？那牛、马、羊、鸡、狗、猪六种家畜，以及龟、蛇、鱼、鳖、野草、树木之类，生长时间长的，神灵都依附它们，因而能成为妖怪，所以人们把它们叫做'五酉'。五酉，是指五行的各个方面都有那相应的东西。酉，就是老，东西老了就会变成妖怪，把它杀掉了，那么妖怪也就没有了，对这种东西又有什么担心的呢？或者是老天为了不丧失那些古代的文化典制，因而用这东西来维持我的生命吗？否则，为什么它会到这里来呢？"孔子继续弹唱个不停。子路煮了这条鳀鱼，它的味道很好，病人吃了都起了床。第二天，大家便又行路了。

446 豫章有一家，婢在灶下，忽有人长数寸，来灶间壁，婢误以履践之，杀一人。须臾，遂有数百人，著衰麻服，持棺迎丧，凶仪皆备。出东门，入园中覆船下。就视之，皆是鼠妇。婢作汤灌杀，遂绝。

[译文]

豫章郡有一户人家，婢女站在灶边的时候，忽然有一些身长几寸的人，来到灶边的隔墙边，婢女不小心用鞋子踩了他们，踩死了一个。一会儿，就有几百个人，穿着丧服，扛着棺材来抬尸体，丧葬的礼仪都很完备。他们出了东门，进入菜园中一条翻过来的船下。走近仔细一看，都是些潮虫。婢女便烧了热水去浇灌，把它们都烫死了，于是这怪物就绝迹了。

447 狄希，中山人也。能造千日酒，饮之千日醉。时有州人姓刘，名玄石，好饮酒，往求之。希曰："我酒发来未定，不敢饮君。"石曰："纵未熟，且与一杯，得否？"希闻此语，不免饮之。复索曰："美哉！可更与之。"希曰："且归，别日当来，只此一杯，可眠千日也。"石别，似有怍色。至家，醉死。家人不之疑,哭而葬之。经三年,希曰:"玄石必应酒醒,宜往问之。"既往石家。语曰:"石在家否?"家人皆怪之,曰:"玄石亡来,服以阕矣。"希惊曰:"酒之美矣,而致醉眠千日,今合醒矣。"乃命其家人凿冢破棺看之,冢上汗气彻天。遂命发冢。方见开目张口,引声而言曰:"快哉,醉我也。"因问希曰:"尔作何物也,令我一杯大醉,今日方醒?日高几许?"墓上人皆笑之,被石酒气冲入鼻中,亦各醉卧三月。

[译文]

狄希,是中山国人。他会酿造一种"千日酒",喝了这种酒会醉上千日。当时州里有个人姓刘,名玄石,喜欢喝酒,便去狄希那儿要酒喝。狄希说:"我的酒发酵了,但药性还没有稳定,不敢给你喝。"刘玄石说:"即使还没有熟,姑且先给我一杯,可以吗?"狄希听了这话,不得已给他喝了一杯。他喝完后又要求说:"妙啊!请再给我一杯。"狄希说:"你暂且回去吧,请改日再来,就这一杯,已经可以让你睡上一千天了。"刘玄石只得告别,脸色似乎因酒而有了醉酒的变化。他回到家中,便醉得死了过去。家里人没有怀疑他的死,所以哭着将他埋葬了。过了三年,狄希寻思道:"刘玄石的酒一定醒了,应该去问候他。"不久他就去刘家,说道:"玄石在家吗?"刘家的人都对这问话感到奇怪,便说:"玄石死了以后,丧服都因三年满期而卸除了。"狄希惊讶地说:"那酒美极了,以致使他醉睡一千日,今天理应醒了。"于是他就叫刘家的人去挖坟开棺看看。只见坟上汗气冲天,就叫人挖开坟。正好看见刘玄石睁开眼睛,张开嘴巴,拖长了声音在说:"醉得我好痛快啊!"他便问狄希说:"你搞了什么东西,使我喝了一杯就酩酊大醉,到今天才醒?太阳多高了?"坟边的人都笑他,却不小心被他的酒气冲入鼻中,结果也都醉卧了三个月。

448 陈仲举①微时,常宿黄申家。申妇方产,有扣申门者,家人咸不知。久久,方闻屋里有人言:"宾堂下有人,不可进。"扣门者相告曰:"今当从后门往。"其人便往。有顷,还。留者问之:"是何等?名为何?当与几岁?"往者曰:"男也。名为'奴'。当与十五岁。""后应以何死?"答曰:"应以兵死。"仲举告其家曰:"吾能相。此儿当以兵死。"父母惊之,寸刃不使得执也。至年十五,有置凿于梁上者,其末出,奴以为木也,自下钩之,凿从梁落,陷脑而死。后仲举为豫章太守,故遣吏往饷之申家,并问奴所在。其家以此具告。仲举闻之,叹曰:"此谓命也。"

[注释]

①陈仲举:即陈蕃,字仲举,东汉汝南平舆人,桓帝时任太尉,灵帝时任太傅。

[译文]

陈蕃还没有显达的时候,常常寄宿在黄申家中。黄申的妻子刚生小孩,忽然有人来敲黄申的门,家里的人都没听见。过了好长时间,敲门人才听见屋里有人说:"客堂下有人,不能进来。"敲门的互相商量说:"现在得从后门走。"其中一人就去了。过了一会儿,那人便回来了。留在大门边上的人就问他:"生下来的是个什么样的人?名叫什么?应该给他几岁?"去的人说:"生的是男孩,名叫'奴',应该给他十五岁。"留在那儿的人又问他:"后来这孩子该怎样死?"去的人回答说:"该因为兵器而死。"陈蕃对黄家的人说:"我会相面。你们这孩子该因兵器而死。"那父母亲为此惊恐万分,连小刀都不让儿子拿。这孩子长到十五岁,有个人把凿子放在梁上,凿子的末端露了出来,黄奴以为是根小木料,就在下面钩它,凿子从梁上落下来,陷进了他的脑袋,他就死了。后来陈蕃任豫章郡太守,所以派了差役去到黄申家馈赠礼物,同时询问一下黄奴在什么地方。黄家把这情况都作了汇报。陈蕃听了,叹息地说:"这是命啊。"

卷二十

449　晋魏郡亢阳，农夫祷于龙洞，得雨，将祭谢之。孙登①见曰："此病龙雨，安能苏禾稼乎？如弗信，请嗅之。"水果腥秽。龙时背生大疽，闻登言，变为一翁，求治，曰："疾瘥，当有报。"不数日，果大雨。见大石中裂开一井，其水湛然。龙盖穿此井以报也。

450　苏易者，庐陵妇人，善看产，夜忽为虎所取。行六七里，至大圹②，厝易置地，蹲而守。见有牝虎当产，不得解，匍匐欲死，辄仰视。易怪之，乃为探出之，有三子。生毕，牝虎负易还。再三送野肉于门内。

[注释]

①孙登：字公和，汲郡共（今河南辉县）人，隐逸之士。②圹（kuàng）：即墓穴。

[译文]

晋朝时魏郡大旱，农民在龙洞中祈祷，求到了雨，将要去祭祀感谢那条龙。孙登看见了说："这是有病之龙降下的雨，哪能使庄稼复苏呢？如果你们不相信，请闻闻这雨水。"大家一闻，雨水果然非常腥气肮脏。这条龙当时背上生了大毒疮，听见孙登的话后，就变成一个老头，求为治疗，说："如果我的病痊愈了，一定有报答。"没过几天，果然下了大雨。人们还看见大石头中间裂开成一口井，井里的水十分清澈。那条龙大概是打了这口井来作为对孙登的报答吧。

苏易，是庐陵郡的一个妇女，善于接生。有一天夜里，忽然被老虎叼走了。走了六七里路，来到一个大墓穴，老虎便把苏易放在地上，蹲着守住她。她看见有一只母老虎要分娩了，但生不下来，爬来爬去要死了，总是抬头看着她。苏易觉得它很奇怪，就用手伸进去把小老虎拉了出来，一共有三只。分娩完毕，母老虎就把苏易背回了家，后来又屡次把野兽的肉送进她家门内。

451　哙参，养母至孝。曾有玄鹤①，为弋人所射，穷而归参。参收养，疗治其疮，愈而放之。后鹤夜到门外，参执烛视之，见鹤雌雄双至，各衔明珠，以报参焉。

452　汉时弘农杨宝②，年九岁时，至华阴山北，见一黄雀，为鸱枭所搏，坠于树下，为蝼蚁所困。宝见愍之，取归，置巾箱中，食以黄花。百余日，毛羽成，朝去暮还。一夕三更，宝读书未卧，有黄衣童子，向宝再拜曰："我西王母使者，使蓬莱，不慎为鸱枭所搏。君仁爱见拯，实感盛德。"乃以白环四枚与宝曰："令君子孙洁白，位登三事，当如此环。"

[注释]

①玄鹤：传说鹤生千岁为苍色，两千岁以后为黑色，即为玄鹤。②弘农：郡名，汉置，辖地在今河南。杨宝：东汉大臣杨震的父亲。

[译文]

哙参侍养母亲极其孝顺。曾经有一只玄鹤被射手射伤了，走投无路之际便来投靠哙参。哙参收养了它，治疗它的伤口，等痊愈后就放了它。后来有鹤在夜里来到哙参的家门外，哙参拿着火烛一看，只见雌雄两只鹤双双而来，各衔一颗夜明珠，用来报答哙参。

汉朝的时候，弘农郡人杨宝，九岁时到华阴山北边，看见一只黄雀，被鸱枭击伤，掉到了树下，被蝼蛄蚂蚁围困。杨宝看见十分怜悯它，就把它带回家，放在装头巾的小箱子里，用菊花饲养它。一百多天后，黄雀的羽毛长好了，早上飞出去傍晚飞回来。有一夜三更时分，杨宝因为读书还没有睡，忽然有一个穿着黄衣服的儿童向杨宝再三拜礼说："我是西王母的使者，出使到蓬莱仙岛去，不小心被鸱枭击伤。你十分仁慈，救了我，我实在感激你的大恩大德。"他便拿出四只白色的玉环送给杨宝，说："让你的子孙品德洁白，官位升到三公，就像这玉环那样既洁白又高贵。"

453　隋县溠水侧，有断蛇丘。隋侯出行，见大蛇，被伤中断，疑其灵异，使人以药封之。蛇乃能走。因号其处"断蛇丘"。岁余，蛇衔明珠以报之。珠盈径寸，纯白，而夜有光明，如月之照，可以烛室。故谓之"隋侯珠"，亦曰"灵蛇珠"，又曰"明月珠"。丘南有隋季良大夫池。

[译文]

隋县（今湖北随州市）溠水旁边，有座断蛇丘。春秋时隋侯出去游玩，在这儿看见一条大蛇，被砍伤断成两半，他怀疑这条蛇是神灵，就派人用药把它接上包好，蛇就能爬行了。因此人们把那个地方称做"断蛇丘"。过了一年多，那蛇衔着明珠来报答隋侯。珠的直径超过一寸，洁白无瑕，夜里发光，就像月亮的照射，可以用来作室内照明。所以人们把它称为"隋侯珠"，也叫做"灵蛇珠"，又叫做"明月珠"。断蛇丘的南边有隋大夫季良的水池。

454　孔愉字敬康，会稽山阴人。元帝时，以讨华轶[①]功封侯。愉少时，尝经行馀不亭[②]。见笼龟于路者，愉买之，放于馀不溪中。龟中流，左顾者数过。及后以功封馀不亭侯。铸印而龟

卷二十　351

钮左顾，三铸如初。印工以闻。愉乃悟其为龟之报，遂取佩焉。累迁尚书左仆射，赠车骑将军。

[注释]

①华轶：字颜夏，魏太尉华歆之曾孙。后因不服朝廷，被伐斩首。②馀不亭：亭名，在浙江吴兴。亭下有馀不溪，即东苕溪的下游。

[译文]

孔愉，字敬康，会稽郡山阴县人。晋元帝时（317—322），因为讨伐华轶有功而被封侯。孔愉年轻的时候，曾经经过馀不亭。他看见路边有个人把一只乌龟装在笼子里，孔愉买下了这只乌龟，把它放到馀不溪中。乌龟到了溪水中央，几次向左掉过头来望孔愉。到后来，孔愉因为讨伐华轶的功劳而被封为馀不亭侯，工人为他浇铸官印，印钮上的乌龟老是向左回望，浇铸了多次还是像原来样子。铸印工把这事报告给了孔愉，孔愉才意识到这次封侯是乌龟的报答，于是就拿了印佩带在身上。后来孔愉多次升官，一直做到尚书左仆射，并受赐为车骑将军。

455 古巢①，一日江水暴涨，寻复故道。港有巨鱼，重万斤，三日乃死。合郡皆食之。一老姥独不食。忽有老叟曰："此吾子也，不幸罹此祸。汝独不食，吾厚报汝。若东门石龟目赤，城当陷。"姥日往视。有稚子讶之，姥以实告。稚子欺之，以朱傅龟目。姥见，急出城。有青衣童子曰："吾龙之子。"乃引姥登山，而城陷为湖。

[注释]

①古巢：古地名，今安徽省无为县。

[译文]

在古巢，有一天长江水突然猛涨，一会儿江水却又回到原来的河道中去了。港口有一条大鱼，重达万斤，来不及随着江水回到长江中去，过了三天便死了。当时整个郡的人都吃它，只有一个老太太不吃。忽然有一个老头说："这是我的儿子，不幸遭到这灾难。你独自一个人不吃，我定要重重地报答你。请你当心，如果那东门口的石乌龟眼睛变红，巢城就要下陷。"于是这老太太天天去看石乌龟。有个小孩对此感到惊奇，老太太就把实情告诉了他。这小孩欺骗她，用丹砂涂在石乌龟的眼睛上。老太太看见了，急忙出城。有个穿青色衣服的小孩对她说："我是龙的儿子。"说完就搀着老太太登上了山，而这座城就下陷成了湖泊。

456　吴富阳县董昭之，尝乘船过钱塘江，中央见有一蚁，著一短芦，走一头回，复向一头，甚惶遽。昭之曰："此畏死也。"欲取著船。船中人骂："此是毒螫物，不可长。我当蹹杀之。"昭意甚怜此蚁，因以绳系芦著船。船至岸，蚁得出。其夜，梦一人乌衣，从百许人来谢云："仆是蚁中之王，不慎堕江，惭君济活。若有急难，当见告语。"历十余年，时所在劫盗，昭之被横录为劫主，系狱馀杭。昭之忽思："蚁王梦，缓急当告。今何处告之？"结念之际，同被禁者问之，昭之具以实告。其人曰："但取两三蚁着掌中，语之。"昭之如其言。夜果梦乌衣人云："可急投馀杭山中。天下既乱，赦令不久也。"于是便觉。蚁啮械已尽。因得出狱。过江，投馀杭山。旋遇赦，得免。

[译文]

吴郡富阳县的董昭之，有次乘船过钱塘江，在江中看见一只蚂蚁，附着在一根很短的芦苇上，跑到一头便又转身，再向另一头跑，十分惊慌忙乱。董昭之说："这是怕死啊！"于是想把蚂蚁捞起来放在船上。船中的人骂道："这是咬人的毒虫，不可以让它活下去。我要踩死它！"董昭之心里很怜悯这只蚂蚁，便用绳子把那芦苇缚在船上。船到了岸边,蚂蚁才得以爬出江。那天夜里,董昭之梦见一个人穿着黑衣服,带着一百来人来致谢,说:"我是蚂蚁中的大王,不小心掉进了江中,幸亏你救活了我,我真觉得不好意思。你以后如果碰上危难,就该告诉我。"过了十多年,当时董昭之住地附近发生了抢劫,他被官府横加罪名,指控为抢劫案的首犯,被抓去关在余杭县的牢房里。董昭之忽然想起蚁王的托梦:"蚁王说遇到危急要告诉它,但现在到什么地方去告诉它呢?"正在专心致志寻思的时候,和他一起被囚禁的人问他在想什么,董昭之详细地把实情说了。那人说:"你只要捉两三只蚂蚁放在手掌里,告诉它们就行了。"董昭之照他的话办了,夜里果然梦见穿黑衣服的人说:"你可以赶快投奔到余杭山中。天下已经乱了,大赦的命令,不久就会发布。"这时董昭之便醒了。蚂蚁已经把他的枷锁都咬光了,因而能逃出牢房,渡过钱塘江,投奔到余杭山。不久碰上大赦,他得到了赦免。

457 孙权时,李信纯,襄阳①纪南②人也。家养一狗,字曰"黑龙",爱之尤甚,行坐相随,饮馔之间,皆分与食。忽一日,于城外饮酒大醉,归家不及,卧于草中。遇太守郑瑕出猎,见田草深,遣人纵火爇之。信纯卧处,恰当顺风。犬见火来,乃以口拽纯衣,纯亦不动。卧处比有一溪,相去三五十步,犬即奔往,入水湿身,走来卧处。周回以身洒之,获免主人大难。犬运水困乏,致毙于侧。俄尔信纯醒来,见犬已死,遍身毛湿。甚讶其事。睹火踪迹,因尔恸哭。闻于太守。太守悯之曰:"犬之报恩甚于人。人不知恩,岂如犬乎!"即命具棺椁衣衾葬之。今纪南有义犬冢,高十余丈。

[注释]

①襄阳:古郡名,治所在今湖北襄樊。②纪南:古地名,又称纪郢,在

今湖北荆州。

[译文]

孙权当权时,有个李信纯,是襄阳郡纪南人。他家养了一条狗,名叫"黑龙"。他特别喜爱这条狗,无论出门在家都让狗跟着他,吃东西的时候,也都要分一些给狗吃。忽然有一天,他在城外喝得酩酊大醉,回家时还没有到家,便醉倒在草丛中。正好碰上太守郑瑕出来打猎,看见田野里的草很长,就派人放火烧草。李信纯躺的地方,恰好在下风向。狗看见大火烧过来,就用嘴拖拉他的衣服,李信纯一动也不动。李信纯躺着的地方附近有一条小溪,离他只有三五十步,狗就奔过去,跑进溪水中浸湿身体,再跑到李信纯躺的地方,在他的周围来回跑,用自己身上的水洒在他身上,这才使得主人避免了大难。狗因为运水太疲乏了,以至于死在主人的身旁。一会儿李信纯醒来,看见狗已经死了,浑身的毛都湿漉漉的,十分惊讶狗做的事。他看到了火烧的痕迹,这才悲痛地大哭起来,被太守听见了。太守十分怜悯这条狗,说:"狗的报恩胜过人!人如果不知道报恩,难道能比得上狗吗?"于是就叫人备办了棺材衣服把狗安葬了。现在纪南还有义犬坟,高十多丈。

458 太兴中,吴民华隆,养一快犬,号"的尾",常将自随。隆后至江边伐荻,为大蛇盘绕,犬奋咋蛇,蛇死。隆僵仆无知,犬彷徨涕泣,走还舟,复反草中。徒伴怪之,随往,见隆闷绝,将归家。犬为不食。比隆复苏,始食。隆愈爱惜,同于亲戚。

[注释]

①太兴:晋元帝司马睿的年号(318—321)。

[译文]

太兴年间,吴郡百姓华隆养了一条跑得很快的狗,起了个绰号叫"的尾",经常带它跟着自己。华隆后来到江边去割芦苇,被大蛇盘住了,那条狗奋力撕咬大蛇,蛇被咬死了。当时华隆倒在地上失去了知觉,狗徘徊哭泣,跑回船上,又返回草中。华隆的伙伴们觉得它很奇怪,就跟着去了,发现华隆晕倒在那里,就把他抬回家去。狗为了他而不吃东西,直到华隆苏醒过来,它才进食。华隆更加爱惜"的尾"了,待它就像对待亲人一样。

459 庐陵太守太原庞企,字子及。自言其远祖不知几何世也,坐事系狱,而非其罪,不堪拷掠,自诬服之。及狱将上,有蝼蛄虫行其左右,乃谓之曰:"使尔有神,能活我死,不亦善乎?"因投饭与之。蝼蛄食饭尽去。顷复来,形体稍大,意每异之,乃复与食。如此去来,至数十日间,其大如豚。及竟报,当行刑。蝼蛄夜掘壁根为大孔,乃破械,从之出去。久时遇赦得活。于是庞氏世世常以四节①祠祀之于都衢处。后世稍怠,不能复特为馔,乃投祭祀之馀以祀之。至今犹然。

[注释]

① 四节:指春夏秋冬四时。

[译文]

庐陵太守太原郡人庞企,字子及。自己说他的远祖不知道是在哪一个朝代,由于牵连到案情而被捕入狱,其实不是他的罪过,因为他受不了严刑拷打,便自己捏造了罪状认了罪。等到这案子送上去的时候,有只蝼蛄走在他的旁边,于是对蝼蛄说:"如果你有神灵,能救活我这死囚,不也是很好的吗?"接着便把饭扔给它吃,蝼蛄把饭吃完就走了。一会儿蝼蛄又来了,身体稍微长大了一些。他心里总觉得这蝼蛄很奇特,就又给它吃东西。像这样来来去去,到几十天以后,蝼蛄就像小猪那样大了。到最后判罪,要对他执行死刑。蝼蛄在前一天夜里在墙脚下挖了个大洞,于是他就砸坏了枷锁，从洞中逃了出去。过了很长时间，他遇到大赦才得不死。从此庞家世世代代常在四季于城内四通八达的大路上祭祀这只蝼蛄。到后代才渐渐有点怠慢了，不再特地为它准备食物，而是把祭祀时多余下来的东西扔在大路上来祭它，直到现在还是这样。

460　临川东兴①，有人入山，得猿子，便将归。猿母自后逐至家。此人缚猿子于庭中树上，以示之。其母便搏颊向人，欲乞哀状，直谓口不能言耳。此人既不能放，竟击杀之。猿母悲唤，自掷而死。此人破肠视之，寸寸断裂。未半年，其家疫死，灭门。

461　冯乘②虞荡，夜猎，见一大麈③，射之。麈便云："虞荡，汝射杀我耶！"明晨，得一麈而入，即时荡死。

[注释]

①东兴：古县名，三国时属临川郡，辖地在今江西黎川。②冯乘：古县名，故城在今湖南江华瑶族自治县西南。③麈：古代指鹿一类的动物。

[译文]

临川郡东兴县有一个人进山抓到一只幼猿，便把它带回了家。母猿跟在他身后一直追到他家。这人把幼猿缚在院中的树上来给母猿看。那母猿便对着人打自己的耳光，做出要乞求哀怜的样子，只是嘴里不会说话罢了。这人不但不肯释放幼猿，竟然还把它打死了。母猿悲痛地呼叫着，自己蹦跳着死了。这人剖开母猿的肚皮看，只见它的肠子断成一寸一寸。不到半年，他家遭到瘟疫而死，满门死绝。

冯乘县人虞荡夜间去打猎，看见一只大麈，就射它。麈便说："虞荡，你射杀我啦！"到第二天早晨，他发现一只死麈，便去收取，当场虞荡就死了。

462　吴郡海盐①县北乡亭里,有士人陈甲,本下邳人。晋元帝时,寓居华亭,猎于东野大薮。欻见大蛇,长六七丈,形如百斛船,玄黄五色,卧冈下。陈即射杀之,不敢说。三年,与乡人共猎,至故见蛇处。语同行曰:"昔在此杀大蛇。"其夜梦见一人,乌衣黑帻,来至其家,问曰:"我昔昏醉,汝无状杀我。我昔醉,不识汝面,故三年不相知。今日来就死。"其人即惊觉,明日,腹痛而卒。

[注释]

①海盐:秦置县,在今浙江平湖市东南。

[译文]

　　吴郡海盐县北乡亭中,有个读书人陈甲,原是下邳县人氏。晋元帝时(317—322),他寄居在华亭,曾到亭东野外的大泽中去打猎,忽然看见一条大蛇,长六七丈,形状就像装一百斛谷子的船,黑、黄、红、青、白五种色彩,躺在山冈下。陈甲当即把它射死了,但不敢说出来。过了三年,他与乡里人一起去打猎,来到原来看见蛇的地方,便告诉同行说:"过去我在这里射死了一条大蛇。"那天夜里,他便梦见一个人,穿着黑色的衣服,戴着黑色的头巾,来到他的家里,责问说:"我过去因醉昏迷的时候,你无礼杀了我。我过去因醉昏迷了,不认识你的面孔,所以一直过了三年还不知道是你。今日你来找死。"那人马上惊醒了,第二天,便因腹痛而死。

463　邛都县①下,有一老姥,家贫孤独,每食,辄有小蛇,头上戴角,在床间,姥怜而饴之食。后稍长大,遂长丈余。令有骏马,蛇遂吸杀之。令因大忿恨,责姥出蛇。姥云:"在床下。"令即掘地,愈深愈大,而无所见。令又迁怒,杀姥。蛇乃感人以灵,言瞋令:"何杀我母?当为母报雠。"此后每夜,辄闻若雷若风,四十许日,百姓相见,咸惊语:"汝头那忽戴鱼?"是夜,方四十里,与城一时俱陷为湖。土人谓之为"陷湖"。唯姥宅无恙,讫今犹存。渔人采捕,必依止宿,每有风浪,辄居宅侧,恬静无他。风静水清,犹见城郭楼橹宛然②。今水浅时,彼土人没水,取得旧木,坚贞光黑如漆。今好事人以为枕相赠。

[注释]

①邛都县:汉置,治所在今四川西昌东南。②宛然:原作"晏然",据《太平御览》引《益州记》改。

[译文]

邛都县内有一个老太太,家境贫穷,孤独无依,每到吃饭的时候,总是有一条小蛇,头上长着角,出现在床边,老太太怜悯它就给它吃东西。后来这条小蛇渐渐长大,于是有一丈多长了。邛都县令有一匹骏马,这条蛇竟吞食了它。县令于是非常愤恨,责令老太太交出大蛇。老太太说:"蛇在床下。"县令即令挖地,洞越挖越深,越挖越大,却什么也没有发现。县令又把愤怒转移到老太太身上,把她杀了。这条蛇便把自己的灵魂感应到凡人的身上,愤怒地对县令说:"为什么杀死我的母亲?我要为母亲报仇!"从此以后,每天夜里总是听到打雷刮风般的声音,过了四十天左右,百姓互相见面,都惊讶地说:"你的头上怎么突然顶着鱼?"那天夜里,方圆四十里的土地,与县城同时都陷落成了湖泊。当地的人称之为"陷湖"。只有老太太的住宅平安无事,到现在还存在着。现在渔民捕鱼,总是把渔船靠着那老太太的住宅过夜。每次遇到风浪,他们总是把船停在宅边,便安然无事了。风静水清的时候,还可以清楚地看见陷入湖中的城墙望楼。现在水浅的时候,那当地的居民潜入水中,还捞到了一些旧木头,坚硬结实,乌黑发亮,像上了漆一样。现在那些喜欢多事的人还把它做成枕头互相赠送。

464 建业有妇人,背生一瘤,大如数斗囊,中有物如茧栗,甚众,行即有声。恒乞于市,自言村妇也,常与姊姒①辈分养蚕,己独频年损耗。因窃其姒一囊茧焚之。顷之,背患此疮,渐成此瘤,以衣覆之,即气闭闷,常露之,乃可。而重如负囊。

[注释]

①姊姒(sì):指妯娌。

[译文]

建业有一个妇女,背上生了一个瘤,大得像放了几斗米的袋子,瘤中长有蚕茧、栗子般的东西,很多,走路时就发出声音。她常常在街市上讨饭,自称是个农村妇女,曾经和姊妹嫂子们分开来养蚕,因为只有她一个人连年亏损,就偷了她嫂子一袋蚕茧把它烧了。顷刻之间,背上就生了这毒疮,渐渐长成了这个瘤,用衣服盖住它,就觉得呼吸憋得慌,一直让它露在外面,才可凑合,但重得就像背了个大袋子。

附 录

《搜神记》佚文

1. 县有延寿城。

2. 有泽水,民谓神龙。不可鸣鼓其傍。即有大雨。

3. 代城始筑,立板干。一旦亡西南板,四五十里,于泽中自立,结苇为外门。因就营筑焉。

4. 《论语摘辅像》曰:"山土崩,川闭塞,漂沦移,山鼓哭。闭衡夷,庶杰合,兵王作。"时天下乱,豪杰并争:曹操事二袁于河北;孙吴创基于江外;刘表阻乱于襄阳。南招零桂,北割汉川;又以黄祖为爪牙。而祖与孙氏为深仇,兵事岁交。十年,曹操破袁谭于南皮。十一年,走袁尚于辽东。十三年,吴禽黄祖。是岁,刘表死,曹操略荆州,逐刘备于当阳。十四年,吴破曹操于赤壁。是三雄者,卒共三分天下,成帝王之业。是可谓"庶杰合,兵王作"者也。十六年,刘备入蜀,与吴再争荆州。于时战争,四分五裂之地,荆州为剧。故山鸣之异,作其域也。

5. 祝鸡翁者,洛阳人也,居尸乡北山下。养鸡百年,鸡至千余头,皆有名字。欲取,呼之名,则种别而至。后之吴山,莫知所去矣。

6. 老子将西入关,关令尹喜,好道之士,睹真人当西,乃要之途也。

7. 杨震,有鹳衔三鳝鱼,飞集讲堂前。都讲取鱼进曰:"蛇鳝者,卿大夫服之象也。数三者,法三台也。先生自此升矣。"

8. 须长七尺。

9. 帝与颛顼平九黎,始立五行之官者也。

10. 澹台子羽赍璧渡河,风波忽起,两龙夹舟。子羽奋剑斩龙,波乃止。登岸,投璧于河,河伯三归之。子羽毁璧而去。

11. 魏推五德之运,以土承汉。

12. 程猗《说石图》曰:"金者,晋之行也。"

13. 故中牟令苏韶,有才识,感冥中卒,乃昼见形于其家。诸亲故知友闻之,并同集。饮噉言笑,不异于人。或有问者。中牟在生,多诸赋述,言出难寻。诸叙词曰:"运精气兮离故形,神渺渺兮爽玄冥。归北帝兮造酆京,崇墉郁兮廓峥嵘。叔凤阙兮词帝庭,迩卜商兮室颜生。亲大圣兮颂梁成,希吴季兮英婴明。抗清论兮风英英,敷花藻兮文粲荣。庶擢身兮登昆瀛,多福祚兮享千龄。"馀多,不尽录。初见其词,若存若亡。

14. 高祖宣皇帝少有奇节,聪明多大略。

15. 宣帝迁太子中庶子,每大谋,画策多善。由是为太子所信重。

16. 《黄帝书》云:上古之时,有二神人,一名荼与;二名郁垒,一名郁律。度朔山,山上有大桃树,二人依树而住。于树东北,有大穴,众鬼皆出入此穴。荼与、郁垒主统领简择万鬼。鬼有妄祸人者,则缚以苇索,执以饴虎。于是黄帝作礼欧之:立桃人于门户,画荼与、郁垒与虎以象之。今俗法,每以腊终除夕,饰桃人,垂苇索,画虎于门，左右置二灯，象虎眼，以袪不祥。

17. 冯棱妻死，棱哭之恸。乃叹曰："奈何不生一子而死。"俄而妻复苏。后孕，十月产讫而死。

18. 孟宗至孝，坟以梓木为表，感花萼生于枯木之上。

19. 李王灵母死，廿年不食盐醋，感庭橘冬生其实也。

20. 黄帝有熊氏，少典之子。母曰附宝。其先即炎帝母家有蟜氏之女，世与少典氏婚。及神农之末，少典氏又娶附宝。见大霓光绕北斗枢星，照郊野。附宝孕二十五月，生黄帝于寿丘。

21. 昌意正妃，谓之女枢。金天氏末，生颛顼于弱水。

22. 庆都观河，遇赤龙。奄然阴风，感而有孕。十四月而生尧。

23. 吴猛，蜀人。小儿时，在父母傍卧，时夏月多蚊，而终不摇扇。惧蚊虻之去我及父母也。

24. 河间管粥，侨居临水北岸。田作商贾，往往如意。尝载两舫米，下都粜。垂行，忽于宅中见一物，形似鼍而长大。行还，辄大得利。如此，一家遂巨富。二十年恒有万斛米。

25. 丁兰，河内野王人。年十五，丧母。乃刻木作母事之，供养如生。邻人有所借，木母颜和则与，不和不与。后邻人忿兰，盗斫木母，应刀血出。兰乃殡殓，报雠。汉宣帝嘉之，拜中大夫。

26. 吴先主病，遣人于门观不祥。巫启："见一鬼，著绢巾，似是大臣将相。"其夜，先主梦见鲁肃来入。衣巾如之。

27. 刘晨、阮肇入天台取谷皮，远不得返。经十三日，饥。遥望山上有桃树，子实熟。遂跻险援葛至其下，噉数枚，饥止体充。欲下山，以杯取水。见芜菁叶流下，其鲜新。复有一杯流下，有胡麻焉。乃相谓曰："此近人家矣。"遂渡山，出一大溪。溪边有二女子，色甚美。见二人持杯，便笑曰："刘、阮二郎捉向杯来。"刘、阮惊。二女遂欣然如旧相识曰："来何晚耶？"因邀还家。南、东二壁各有绛罗帐，帐角悬铃，上有金银交错。各有数侍婢使令。其馔有胡麻饭、山羊脯、牛肉，甚美。食毕，行酒。俄有群女持桃子，笑曰："贺汝婿来。"酒酣作乐。夜后各就一帐宿，婉态殊绝。至十日，求还，苦留半年。气候草木是春时，百鸟啼鸣，更怀乡，归思甚苦。女遂相送，指示还路。既还，乡邑零落，已十世矣。

28. 焦湖庙有一玉枕，枕有小坼。时单父县人杨林为贾客，至庙祈求。庙巫谓曰："君欲好婚否？"林曰："幸甚。"巫即遣林近枕边，因入坼中。遂见朱门琼室，有赵太尉在其中，即嫁女与林。生六子，皆为秘书郎。历数十年，并无思乡之志。忽如梦觉，犹在枕傍。林怆然久之。

29. 许懋，吴人，好黄白术。一日，遇一道人，将一画扇簇挂于壁。上有药炉、童子在上。道人呼童子，而童子跪于炉前。画扇频动，炉火光炎，少顷药成。道人曰："黄白之术，役天地之数，非积功累行，不可求之。"遂告懋曰："五十年后，当于茅山相寻。"遂不知所在。

30. 仲子隐于鹊山。

31. （顾恺之字长康，）常悦一邻女。乃画女于壁，当心钉之。女患心痛，告于长康，拔去钉，乃愈。

32. 蚕曰龙精。

33. 电曰笑电。

34. 北史禁门以龠曰鹄龠。

干宝《搜神记序》

虽考先志于载籍，收遗逸于当时，盖非一耳一目之所亲闻睹也，又安敢谓无失实者哉！卫朔失国，二传互其所闻；吕望事周，子长存其两说，若此比类，往往有焉。从此观之，闻见之难一，由来尚矣。

夫书赴告之定辞,据国史之方策,犹尚若兹,况仰述千载之前,记殊俗之表,缀片言于残阙,访行事于故老,将使事不二迹,言无异途,然后为信者,固亦前史之所病。然而国家不废注记之官,学士不绝诵览之业,岂不以其所失者小,所存者大乎?今之所集,设有承于前载者,则非余之罪也。若使采访近世之事,苟有虚错,愿与先贤前儒分其讥谤。及其著述,亦足以发明神道之不诬也。群言百家,不可胜览;耳目所受,不可胜载。今粗取足以演八略之旨,成其微说而已。幸将来好事之士录其根体,有以游心寓目而无尤焉。(《晋书·干宝传》)

干宝《进搜神记表》

臣前聊欲撰记古今怪异非常之事,会聚散逸,使同一贯,博访知之者,片纸残行,事事各异。(《初学记》卷二十一)

毛晋《搜神记跋》

子不语神,亦近于怪也。顾宇宙之大,何所不有,令升感圹婢一事,信纪载不诬,采录宜矣。元亮悠然忘世,饮酒赋诗之外,绝少著述,而顾为令升嚆矢耶?语云:"叩盆拊瓴,相和而歌。"自以为乐矣,尝试为之击建鼓,撞巨钟,乃怵仍仍然,知其盆瓴之足羞也。囿于耳目之常者,请作是观。湖南毛晋识。(《津逮秘书》本卷后)

余嘉锡《四库提要辩证》中关于《搜神记》的考证

【提要】《搜神记》二十卷，旧题晋干宝撰。史称宝感父婢再生事，遂撰集古今灵异、神祇、人物变化为此书。其自序一篇，亦载于传内。《隋志》、新旧《唐志》俱著录三十卷。《宋志》作《搜神总记》十卷，亦云宝撰。《崇文总目》则云："《搜神总记》十卷，不著撰人名氏。或云干宝撰，非也。"（原注云：按此条见《玉海》。）此本为胡震亨《秘册汇函》所刻，后以其版归毛晋，编入《津逮秘书》者。考《太平广记》所引，一一与此本相同。以古书所引证之：裴松之《三国志注·魏志·明帝纪》引其《柳谷石》一条，《蜀志·麋竺传》引其《妇人寄载》一条，《吴志·孙策传》引其《于吉》一条，《吴夫人传》引其《梦月》一条，《朱夫人传》引其《朱主》一条，皆具在此本中。刘孝标《世说新语注》引其《卢充金碗》一条；刘昭《续汉志注·五行志》"荆州童谣"条下引其《华容女子》一条，"建安四年武陵充县女子重生"条下引其《李娥》一条，"桓帝延熹七年"条下引其《大蛇见德阳殿》一条，《郡国志》"马邑"条下引其《大蛇见德阳殿》一条，《郡国志》"马邑"条下引其《秦人筑城》一条，"故道"条下引其《旄头骑》一条；李善注王粲《赠文叔良诗》引其《文颖字叔良》一条，注《思玄赋》引其《张车子》一条，注鲍照《拟古》诗引其《太康帕头》一条；刘知几《史通》引其《王乔飞舄》一条，亦皆具在此本中。似乎此本即宝原书。惟《太平寰宇记》"青陵台"条下，引其《韩凭化蛱蝶》一条，此本乃作化鸳鸯；郭忠恕《佩觿》上篇，称干宝《搜神记》以"琵琶"为"颦婆"。此本《吴赤乌三年豫章民杨度》一条，凡三见"琵琶"字；《安阳城南亭》

一条,亦有"琵琶"字,均不作"频婆"。又《续汉志注》《地理志》"缑氏"条下引其《延寿亭》一条,"巴郡"条下引其《泽中有龙鸣鼓则雨》一条;《五行志》"建安七年醴陵山鸣"条下引其《论山鸣》一条;李善《蜀都赋》注引其《澹台子羽》一条,陆机《皇太子宴玄圃》诗引其《程猗说石图》一条,此本亦皆无之。

【辩证】嘉锡按:此书《晋书》干宝本传作二十卷。《隋志》《旧唐志》皆在传记类,《新唐志》改入小说类,并作三十卷。《崇文总目》卷二十八及《中兴书目》(据《玉海》卷五十七引),只有《搜神总记》十卷。《崇文总目》且谓非干宝所撰(《中兴书目》只引《崇文目》,则其意亦同)。《遂初堂书目》作《搜神摭记》,不著卷数及撰人,不知是否一书。《宋志》云:"干宝《搜神总记》十卷,《宝椟记》十卷,并不知作者。"上云干宝,下云不知作者,则亦未定是干宝书也。晁、陈书目皆不著录。则宝书在南宋似已不传。今本卷数与本传合,与史志皆不同。诸家所引,又或不见于今书。《谢尚》一条,时代复不合(《提要》说见后)。可见其非干宝原书,《提要》疑之,是也。特其所据以证其伪者,殊多未确。如据《寰宇记》引"韩凭化蛱蝶",以证今本作"鸳鸯"之非。考《寰宇记》卷十四"郓城县青陵台"条下,并未引《搜神记》。惟其后别有一条云:"韩凭冢。《搜神记》:'宋大夫韩凭,娶妻美。宋康王夺之。凭怒王,自杀。妻阴腐其衣,与王登台,自投台下,左右揽之,著手化为蝶。'(今本作'衣不中手而死'。)又云:'凭与妻各葬,相望。冢树自然交柯。有鸳鸯栖其上,交颈悲鸣。'"虽其间有化蝶字,与今本不合。然其下文仍作化鸳鸯。盖化蝶者,韩凭妻所著之衣也;化鸳鸯者,凭夫妇之精魂也。不知何家村俗类书,于"青陵台"下引《寰宇记》,截去其后数语,《提要》遽据之以驳今本,而不考之《寰宇记》本书,可谓率而操觚矣。余又考之唐欧阳询《艺文类聚》卷四十,释道世《法苑珠林》卷二十七,刘恂《岭表录异》卷中,段公路《北户录》卷三及宋李昉《太平御览》卷五百五十九,《太平广记》卷四百六十三(自《岭表录异》转引)、卷九百二十五引此书,皆作化鸳鸯。其"左右揽之"、"衣不着手而死"二句,亦与今本略同(有无"而死"二字者,有作"衣不胜乎"者),并无化蝶之事。足见今本与唐、宋人所见者并合。《珠林》卷三十一引此书《安阳城南亭》一条,"琵琶"作"髀婆"。与《佩觿》谓作"频婆"者小异。今本作"琵琶",是特传本有不同。若其文,则固原书所有,非杜撰也。《提要》此篇,征引群书,不可谓不详。然《法苑珠林》引此书至一百四条。又有失注书名而其文实见于此书者三条(卷六十一引《永嘉中天竺胡人》一条;五十六引《京兆长安张氏》一条;又《博陵刘伯祖》一条);引《搜神续记》而文实见此者四条(卷六十二引《鄮县吴望子》一条;七十五引《卢充》一条,皆与今本《搜神记》合,而较《后记》加详。又卷三十二引《黄初中宋士宗母》一条,不见于《后记》,而其文具在此书。疑书名传写有讹误)。合之凡得一百一十一条,几及全书四分之一。余尝取以相校,字句或有不同,而文义大致相合,亦互有得失。然则此书固有所本,绝非向壁虚造矣。《提要》徒据诸书所引三数条以相参较,而置《珠林》不引,考证未为周密也。至《提要》谓《续汉志注》《文选注》引此书有为今本所无者,其说诚是。然《澹台子羽》一条,是《吴都赋》注,非《蜀都赋》。《续汉·五行志》引《论山鸣》一条,称"干宝曰",不言《搜神记》。宝所著《晋纪》本传言自宣帝迄愍帝五十三年。以年数推之,当起于武帝太始元年。然既托始宣帝,则当兼有汉、魏之事(诸书所引《晋纪》,多及魏代事)。史言五十三年者,专记晋年耳。今《晋书·宣帝纪》记事始于建安六年。"山鸣"之事,在建安七、八年,安知不出于《晋纪》(本传言"性好阴阳术数,留思京房、夏侯胜等传",故宝著书喜言灾异)。必谓是本书逸文,终嫌无据也。

【提要】至于六卷、七卷,全录两《汉书·五行志》。司马彪虽在宝前，《续汉书》宝应及见，似决无连篇钞录，一字不更之理，殊为可疑。然其书叙事多古雅，而书中诸论，亦非六朝人不能作，与他伪书不同；疑其即诸书所引，缀合残文，傅以他说。亦与《博物志》、《述异记》等。但辑二书者耳目隘陋，故罅漏百出。辑此书者则多见古籍，颇明体例，故其文斐然可观。非细核之，不能辨耳。观书中《谢尚无子》一条，《太平广记》三百二十二卷引之，注曰："出《志怪录》。"是则捃拾之明证。胡震亨跋，但称谢尚为镇西将军，在穆帝永和中。宝此书尝示刘惔，惔卒于明帝太宁中，则书在尚加镇西将军之前二十余年，疑为后人所附益。犹未考此条之非本书也。

【辩证】按：本书卷六，凡七十七条，除首一条小序外，其记三代、两汉事者，才六十六条。卷末自《建安二十五年（本条云："是岁为魏黄初元年。"）魏武王在洛阳起建始殿》以下凡十条，皆三国事。卷七首一条，记魏事（所记为张掖郡柳谷事，以其为晋有天下之兆。且中有晋泰始三年张掖太守焦胜上言。故置之此卷之首）。以后全为两晋时事。《提要》乃谓六卷、七卷全录两《汉书·五行志》。不知三国、两晋之事何缘录入两《汉书》也？书中所言三代、前汉灾异，亦非全录班志。今亦不暇缕数，姑就其记后汉事者考之。自《章帝元和元年代郡乌生子》条起，至《建安初荆州童谣》条止，凡二十一条。其事不见于《续汉书·五行志》者四条（《章帝元和元年代郡高柳乌生子》一条；《桓帝即位大蛇见德阳殿》一条；《桓帝延熹五年临沅牛生鸡》一条；《汉时宾婚嘉会》一条。其《蛇见》一条，刘昭注引此书；《宾婚》一条，与昭注引《风俗通》合）；事见《续志》而文全异者一条（《光和四年南宫中黄门》一条，与志"光和元年五月壬午何人白衣欲入德阳门"条事略同，而文大异，却与刘昭所引《风俗通》全合。昭注云："按劭所述，与志或有不同。年月舛异，故俱载焉。"）；事虽同《续志》而文加评者三条（《灵帝数游戏于西园》条，与志末二句微异，而别有论说将三百字；《灵帝建宁三年春河内有妇食夫》条,有说八十余字;《建安初荆州童谣》条,多叙"华容女子"事九十余字。皆志所无。"华容女子"事,刘昭注引之)。又有合《续志》两三事为一者二条(《灵帝熹平三年右校别作两樗树》一条,合三事为一。《灵帝中平元年洛阳男子刘仓》一条,合二事为一)。然则文之同于《续志》者,仅得其半耳。安得谓"连篇钞录,一字不更"耶?此二十一条中,《珠林》引其九条,皆与今本略同。知原本如此,非由后人钞《五行志》以足卷帙也。司马彪既在宝前,则宝引用其文,固亦事理所有。况彪以晋人作《续汉书》,自是纂辑前人典籍,非所自撰。《续·五行志》篇首云:"故泰山太守应劭、给事中董巴、散骑常侍谯周并撰建武以来灾异,今合而论之,以续前志。"则知《搜神》所记后汉事,不尽同于《续志》者,盖两书皆采应劭诸人之说,去取各有不同耳。而顾谓其钞录《续志》,不亦诬乎?若其书中诸论,亦皆见于《珠林》。《提要》谓为"非六朝人不能作",可谓知言,惜尚未能寻得证据耳。《谢尚无子》一条,时代实不合(本书卷七《晋明帝太宁初》一条,称明帝之谥,亦刘惔所不及见),《太平广记》又引为《志怪录》,固自可疑。然古人著书,有随时增补者。古书流传既久,亦有后人附益者。类书之体,往往有一事数书并见,随手引用者。似不得便为作伪之据也。余谓此书似出后人缀缉,但十之八九出于干宝原书(此但约略就其可考者言之)。若取唐、宋以前诸书所引,一一检寻,尚可得其出处;与他书之出于伪撰者不同。而张之洞《书目答问》,信《提要》之说,遂谓《搜神记》为伪书之近古者。不知《提要》所言,初无确据。且缀缉古书,亦不得谓之作伪也。

【提要】胡应麟《甲乙剩言》曰:"姚叔祥见余家藏书目有干宝《搜神记》,大骇,曰:'果有是书耶?'余应之曰:'此不过从《法苑》、《御览》、《艺文》、《初学》、《书钞》诸书中录出耳。岂从金函石匮,幽岩土窟掘得耶?'大抵后出异书,皆此类也。"斯言允矣。

【辩证】按：姚士粦（即叔祥）《见只编》卷中曰："江南藏书，胡元瑞（即应麟）号为最富，余尝见其书目，有《搜神记》。欣然索看。胡云：'不敢以诒知者，率从《法苑珠林》及诸类书钞出者。'"其语与《甲乙剩言》正合。又按：胡氏谓此书为自诸书录出，校《提要》疑为伪书者为得其平。考《晋书》本传载宝自序云："虽考先志于载籍，收遗逸于当时，盖非一耳一目之所亲闻睹也"云云。第一句自"虽"字起，无此文法。此其上必尚有一段文字为史臣所删去，而今本自序，一同本传，其非全篇可知。唐无名氏《文选集注》江文通《拟郭弘农游仙诗》注引雷居士《豫章记》云："猛（吴猛也），豫章建宁人。干庆为豫章建宁令，死已三日。猛曰：'明府算历未应尽，似是误耳。今为参之。'乃沐浴衣裳，复死于庆侧。经一宿，果相与俱生。庆云：'见猛天曹中论诉之。'庆即干宝之兄。宝因之作《搜神记》。故其序云：'建武中，所有感起，是用发愤焉。'"（此事亦见《御览》卷八百八十七、《广记》卷三百七十八引《幽明录》。惟详略不同。且不云是干宝之兄。）按《晋书》本传曰："宝兄尝病气绝，积日不冷。后遂悟，云见天地间鬼神事，如梦觉，不自知死。宝以此遂撰集古今神祇灵异人物变化为《搜神记》。"正谓此也（本传载宝父婢及兄再生两事，《提要》仅言史称宝感父婢再生事，遂撰此书，非也）。然今本自序竟无《豫章记》所引之语，是亦为史臣所削。因《文选集注》乃久佚之书，为辑《搜神记》者所未见故也。又《岭表录异》"韩朋鸟"条下，引此书《韩凭妻》一条，末云："又有鸟如鸳鸯（《珠林》及今本均作"又有鸳鸯，雌雄各一"），恒栖其树，朝暮悲鸣。南人谓此禽即韩朋夫妇之精魂。"《法苑珠林》卷二十七引无"南人"句。此乃刘恂之语。凡恂书中所谓南人，皆指岭南人言之。而今本亦有此句，几于不去葛龚。惟"韩朋"作"韩凭"，此可为自诸书录出之证，而《提要》顾未之及。胡氏所谓《法苑》，即指《法苑珠林》。使《提要》取其书一加考核，则不至横生误会，如前之所陈矣。

图书在版编目(CIP)数据

搜神记/(晋)干宝著;陶娥,邹德文,孔永注译.—郑州:中州古籍出版社,2010.6 (2011.9 重印)
(国学经典)
ISBN 978-7-5348-3351-9

Ⅰ.①搜… Ⅱ.①干…②陶…③邹…④孔… Ⅲ.①笔记小说-中国-东晋时代②搜神记-注释③搜神记-译文 Ⅳ.①I242.1

中国版本图书馆 CIP 数据核字(2010)第 095925 号

出版社:中州古籍出版社
（地址:郑州市经五路66号　邮政编码:450002）
发行单位:新华书店
承印单位:河南大美印刷有限公司
开本:640mm×960mm　1/16　印张:23.25
字数:255 千字　印数:5001-9000 册
版次:2010 年 6 月第 1 版　印次:2011 年 9 月第 2 次印刷

定价:33.00 元
本书如有印装质量问题,由承印厂负责调换。